Alexander Fürst zu Dohna-Schlobitten

Erinnerungen eines alten Ostpreußen

Bewegende Episoden seines wechselvollen Lebens schildert Alexander Fürst zu Dohna-Schlobitten in seiner Autobiographie: die jährlichen Besuche des Kaisers auf Schlobitten zur Rehbockjagd, die Evakuierung Dohnas und seiner Geschwister aus Angst vor den Russen zum Großherzog von Hessen im Sommer 1914, der Argwohn des Gauleiters von Ostpreußen, Erich Koch, gegen den preußischen Großagrarier und Dohnas Suche nach Rückenstärkung bei Göring und Himmler, der Polenfeldzug, die wundersame Rettung aus dem Kessel von Stalingrad, der große Treck nach Westen und schließlich der Neuanfang in der Schweiz, wo für den Autor das beginnt, was er sein »zweites Leben« nennt.

*Beim Schreiben meiner Erinnerungen habe ich mich bemüht, objektiv zu sein. Ich habe Menschen gelobt und getadelt. Ich habe, was unüblich ist, ihre Namen genannt und diese nur dann verschwiegen, wenn aus persönlichen Gründen Rücksicht zu nehmen war. Es ist mir bewußt, daß kein Mensch wirklich gerecht sein kann; so sind auch in diesem Buch manche meiner Urteile vielleicht falsch. Hier habe ich mich zu entschuldigen, weil ich niemandem Unrecht zufügen will.*

*Wenn man seine Lebenserinnerungen schreibt, stützt man sich auf sein Gedächtnis und auf Akten. Beides ist fast immer lückenhaft. Es ist mir, wie jedem anderen, unmöglich nachzuprüfen, ob ich mehr Gutes oder mehr Böses verdrängt habe. Ich muß in allen Fällen um Nachsicht bitten, wo es geschehen ist.*

Alexander Fürst
zu Dohna-Schlobitten

# Erinnerungen eines
# alten Ostpreußen

*Ein Siedler Buch* bei Goldmann

Und wir: Zuschauer, immer, überall
dem allen zugewandt und nie hinaus!
Uns überfüllts. Wir ordnens. Es zerfällt.
Wir ordnens wieder und zerfallen selbst.

*Rainer Maria Rilke*

Der Goldmann Verlag
ist ein Unternehmen der Verlagsgruppe Bertelsmann

Made in Germany · 8/91 · 1. Auflage
Genehmigte Taschenbuchausgabe
© 1989 by Wolf Jobst Siedler Verlag GmbH, Berlin
Umschlaggestaltung: Werner Rebhuhn
Druck: Presse-Druck Augsburg
Verlagsnummer: 12822
DvW · Herstellung: Barbara Rabus
ISBN 3-442-12822-6

# Inhalt

# Kindheit in Potsdam

Am 11. Dezember 1899, gegen 8.30 Uhr, wurde ich in Potsdam geboren. Meine Mutter hat die Zeit in ihrem Tagebuch notiert.

Bei der Frage, auf welche Namen ich getauft werden sollte, gab es einige Schwierigkeiten. Meine Mutter hätte mich gern Joseph genannt, aber zum Glück konnte ihr mein Vater das ausreden. Da meine Mutter nachgegeben hatte, sah mein Vater darüber hinweg, daß sie mich in der ersten Zeit »Pepi« rief – ein Kosename für Joseph. Gottlob geriet das »Pepi« im Laufe der Jahre mehr und mehr in Vergessenheit. Einen unerwarteten Zusatz zu den bereits festgelegten Namen Hermann, Alexander, Richard – den ersten und den letzten nach meinen beiden Großvätern, Alexander nach dem Feldmarschall Dohna – brachte der Wunsch Kaiser Wilhelms II., Pate zu sein. So mußte mein Vater noch einmal auf das Standesamt, um Wilhelm nachträglich an erster Stelle einfügen zu lassen.

Bei der Taufe erschien als Vertreter des Kaisers General von Moltke. Er hatte eine Rede auf den Täufling vorbereitet, die er frei zu halten gedachte. Damit hatte er sich allerdings zuviel vorgenommen. Als er immer mehr ins Stocken geriet, griff er in die Schoßtasche seiner Uniform, aus der er jedoch Klosettpapier hervorzog, das er irrtümlicherweise auch noch entrollte. Endlich fand sich dann der gesuchte Leitfaden.

An der Taufe, die der Oberhofprediger Johannes Keßler bei uns zu Hause vollzog, nahmen auch meine drei Vettern Wilhelm und Hermann Lynar sowie Philipp Solms teil. Ihrem Alter entsprechend – sie waren neun, acht und vier Jahre – hatten sie gewettet, daß ich nach ihnen getauft werden würde. Als der Pfarrer die Namen bei der Taufhandlung aussprach, hopsten Wilhelm und Hermann denn auch vor Freude auf ihren Stühlen herum, während der kleine Philipp leer ausgegangen war und damit die Wette verloren hatte.

Im April 1898 hatten meine Eltern geheiratet. Mein Vater war damals 26 Jahre alt und Regimentsadjutant beim Regiment Garde du Corps in Potsdam. Meine Mutter, Marie Mathilde Prinzessin zu Solms-Lich, »Mietze«, wie mein Vater sie ein Leben lang zärtlich nannte, war ein Jahr jünger als er. Das junge Paar zog nach Potsdam und mietete ein kurz zuvor erbautes Haus in der Mangerstraße, das über die neueste Technik verfügte, unter anderem über eine moderne Gasbeleuchtung. Dort, in der Mangerstraße 7, wurden alle fünf Kinder mit Ausnahme von Victor Adalbert (Vicbert) geboren.

Offenbar bin ich als kleines Kind sehr häßlich gewesen, haarlos und mit abstehenden Ohren, die mir meine Mutter mit Leukoplast anklebte. Ohne diese Maßnahme hätte ich beim Schlafen auf den umgeklappten Ohren gelegen, und sie wären womöglich noch mehr »Henkelohren« geworden. Besondere Energie scheint mich nicht ausgezeichnet zu haben. So schubste mich meine ein Jahr jüngere Schwester Ursula Anna eines Tages vom Schaukelpferd. Während ich brüllend auf der Erde saß, erklärte sie auf die Frage meiner herbeigeeilten Mutter, wie sie, die jüngere und schwächere, das denn geschafft habe: »Ich nehme mir eben die Kraft!«

Eitel dagegen war ich schon damals. Eines Tages erhielt Ursula Anna vom Großvater einen wunderschönen weißen Pelz aus Schwanenfedern. Die Schwäne in Schlobitten vermehrten sich so stark, daß die Jungen öfters geschlachtet werden mußten. Ursula Anna sträubte sich mit Händen und Füßen dagegen, den Pelz anzuziehen, das sehe »affig« aus. Ich hätte ihn allzugern getragen, durfte es aber zu meinem Leidwesen nicht, weil man das für einen Jungen nicht passend fand.

Ziemlich früh schon durften wir mittags bei Tisch mitessen. Dann standen die silbernen Becher, die wir von unseren Paten als Geschenk erhalten hatten, auf unseren Plätzen, und wir bekamen sogar etwas Bier zu trinken wie die Erwachsenen. Die Abendmahlzeiten in der Kinderstube waren sehr einfach, es gab abwechselnd Reis- oder Grießbrei. Letzteren haßte ich wegen seiner »Klunker«.

Als wir etwa vier und fünf Jahre alt waren, bekamen Ursula Anna und ich eine junge hübsche Nurse, die aus Wales stamm-

*Im April 1898 heiratete der Vater des Autors Marie Mathilde Prinzessin zu Solms-Hohensolms-Lich. Die Hochzeit fand wie üblich im väterlichen Schloß der Braut statt.*

*Alexander mit Garde-du-Corps-Mütze auf dem »Majorats-stühlchen« aus dem frühen 18. Jahrhundert.*

te. Während ich an der einen Seite des Tisches auf meinem hohen Kinderstühlchen saß und aß, thronte Ursula Anna mir gegenüber auf ihrem Nachttopf, der auf dem Tisch stand. So hatte Miß Weth eine gute Übersicht über uns beide und konnte, während sie mir beim Essen half, mit einer leichten Drehung des Kopfes Ursula Anna ihr »psch, psch« in die Ohren zischen. Als eines Tages meine Mutter unerwartet hereinkam, gab es ein gewaltiges Donnerwetter, und von da an stand Ursula Annas Topf auf dem Boden. Gleichzeitig auf dem Topf sitzend, war es bald ein Hauptspaß für uns, »Wettrennen« zu veranstalten.

Als wir etwas älter waren, fing Ursula Anna bei Spaziergängen häufig an zu heulen, weil sie Handschuhe tragen mußte. Eines Tages wußte sich unsere Engländerin keinen anderen Rat mehr, als sich an einen Schutzmann mit Pickelhaube zu wenden, der auf den Spaß einging. Im gleichen Augenblick brach auch ich, aus Angst, meine Schwester käme nun ins Gefängnis, in großes Gebrüll aus.

Die baumbestandene Neue Königsstraße in Potsdam, auf der wir meist spazierengehen mußten, war mit großen behauenen Steinen gepflastert; das Trottoir bestand zu gleichen Teilen aus Kleinpflaster und Sand, so daß die Kleider der promenierenden Damen bei trockenem Wetter kleine Staubwölkchen aufwirbelten. Zwischen Fahrbahn und Trottoir verliefen die Trambahnschienen. Der Wagen wurde von einem dicken Pferd gezogen. Eines Tages geschah ein Wunder: der Wagen lief ohne Pferd! Eine Rolle an einem Drahtbügel auf dem Dach ersetzte auf eine für uns Kinder unvorstellbare Weise die Kraft des Tieres. Sonst blieb alles beim alten, Schaffner und Wagen, und auch die Glocke wurde nach wie vor durch Zug am Riemen in Tätigkeit gesetzt.

Einmal war in der Neuen Königsstraße eines der noch seltenen Autos gegen einen Baum gefahren. Die neugierige Miß Weth lief mit uns auf die andere Straßenseite. Wir Kinder konnten wegen der vielen Schaulustigen nichts sehen und waren auf den Bericht von Miß Weth angewiesen. »Der Schnurrbart klebt noch am Baum«, sagte sie, und wir Kinder fanden das eigentlich eher komisch.

Mitunter waren die Spaziergänge recht lang. Besonders lebhaft in Erinnerung sind mir die im Neuen Garten. Dann ging es die Neue Königsstraße bis zur Glienicker Brücke, dort links ab den Jungfernsee entlang, durch den Neuen Garten an den Adlerkäfigen vorbei zum Marmorpalais, durch das große Tor und am Heiligen See entlang wieder zurück zur Mangerstraße.

Ein großes Vergnügen war es, wenn wir beim Spazierengehen dem von der Parade zurückreitenden Regiment Garde du Corps begegneten. An der Spitze der Regimentskommandeur, dahinter der Musikzug mit dem schwarzbärtigen Kesselpauker, der die Zügel seines Pferdes an den Stiefeln befestigt hatte, da er die Hände für die Paukenschlegel frei haben mußte. Die weißen Uniformröcke mit roten Aufschlägen und blankem Küraß, die funkelnden Adlerhelme und die langen Lanzen, an denen schwarz-weiße Fähnchen flatterten, all das machte einen gewaltigen Eindruck.

Sehr früh schon bekamen Ursula Anna und ich kleine Fahrräder. Das Fahren lernten wir recht schnell, mit dem Auf- und Absteigen dauerte es etwas länger, und bald konnten wir kleine Touren mit Miß Weth unternehmen. Das Radfahren, eine Mode aus England, war damals noch ein Privileg, und wahrscheinlich waren wir die ersten radfahrenden Kinder in Potsdam. Um so mehr Aufsehen erregte es, als ich auf der Glienicker Brücke einmal vom Rad fiel.

Das Haus in der Mangerstraße war ein häßlicher Backsteinbau. Mein Vater ließ an der Ostseite eine schmale Zimmerbreite anfügen, so wurde das Haus um sechs Räume auf nunmehr fünfzehn vergrößert. Diese Erweiterung war nötig geworden nach der Geburt des dritten Kindes, Vicbert. Die Eltern hatten die Räume wohnlich und dem Geschmack der jungen Generation entsprechend eingerichtet. Palmen und Portieren wie in der düsteren Berliner Wohnung des Großvaters gab es nicht. Alles war hell und freundlich; das kleine Schreibzimmer meiner Mutter war ganz im Jugendstil eingerichtet. Ich erinnere mich an einen braunen Sessel und an einen schwarzen Stuhl, die für uns Kinder Pferde waren: Der Sessel war der braune Vollblüter des Vaters, »Bayard«, und der Stuhl Mutters Rappstute »Toska«, die sie im Dogcart fuhr.

Der Garten hinter dem Haus reichte bis zur nächsten Straße. Ganz am Ende stand eine Gartenlaube, in der wir Kinder gern spielten. Einmal begruben Ursula Anna und ich dort einen Kanarienvogel; beim Ausholen mit der Hacke schlug sie mir aus Versehen ein Loch in die Stirn. Es blutete heftig, und ich brüllte lang, aber der Schlag hinterließ keine bleibenden Folgen. Über das stets geschlossene Gartentor stiegen im übrigen regelmäßig die beiden Leutnants Karl Gottfried Prinz Hohenlohe und Victor Prinz Ratibor; sie besuchten dann die Eltern, und dies war der kürzeste Weg. Einmal kam Karl Gottfried Hohenlohe mit einem großen schwarzen Auto vorgefahren. Ich weigerte mich, in das unheimliche Ding einzusteigen, meine mutige Schwester hingegen setzte sich in den Fond und wurde einmal um den Häuserblock herumgefahren. Mit solchen Hemmungen hatte ich in meiner Kindheit und auch später immer wieder zu kämpfen.

Einen starken Eindruck auf mich machte auch der in meinem Elternhaus gern gesehene Baron von Stotzingen. Er war sehr neugierig und hatte die Angewohnheit, alle herumstehenden Dosen, Büchsen und Schachteln zu öffnen und hineinzuschauen. Daher kaufte Papa eine kleine, interessant aussehende, holzgeschnitzte Schachtel, die, sobald man den Deckel weit genug öffnete, eine Feder freigab, durch die ein Zündplättchen zum Knallen gebracht wurde. Prompt fiel Stotzingen darauf herein und erschrak so, daß er in Zukunft seine Neugierde unterdrückte – jedenfalls bei uns.

Die Eltern waren sehr gesellig, luden häufig Verwandte und Bekannte zum Abendessen ein – Diners für zwanzig und mehr Personen waren keine Seltenheit – oder waren selber eingeladen. Der Generalintendant der Königlichen Schauspiele, Bolko Graf Hochberg, ein Freund meines Großvaters, hatte dem jungen Paar seine Opernloge in Berlin überlassen, und auch diese wurde fleißig genutzt. Bevor sie gingen oder bevor die Gäste erschienen, kamen die Eltern fast immer, um uns gute Nacht zu sagen und mit uns zu beten. Sie waren dann sehr elegant angezogen; ich erinnere mich noch gut an ein weit ausgeschnittenes Abendkleid meiner Mutter: Es war aus weißer Moiré-Seide mit handgestickten blauen Kornblumen auf grünen Halmen.

Hausangestellte gab es genügend. Kutzki, erst Bursche und später Diener, stammte aus Schlobitten; an seine eigene militärische Ausbildung sich erinnernd, brachte er mir Dreikäsehoch »Griffe kloppen« an einem Kindergewehr bei. Neben der bereits erwähnten Miß Weth war Martha Kleiner aus Jannowitz besonders für die jüngeren Geschwister da. Emmy Stilke aus Wernigerode – später Kastellanin im dortigen Schloß – war länger als zehn Jahre Kammerjungfer bei unserer Mutter.

Wir waren oft bei ihr in der Nähstube oben unter dem Dach; die Nähmaschine wurde mit den Füßen angetrieben, und im Ofen wurden die Bolzen für die Bügeleisen heiß gemacht, bis sie glühend rot waren. Ich entsinne mich, wie ich einmal, ohne mir etwas dabei zu denken, in den Bauch eines von mir gekritzelten Männchens ein anderes kleines Männchen zeichnete. Darüber brach Emmy in ein derart albernes Gelächter aus, daß ich mit meinen fünf Jahren merkte, daß es wohl etwas Unanständiges sein und mit dem Kinderkriegen zusammenhängen müsse. Auch in der Küche waren wir häufig. Sie hatte einen direkten Zugang für Lieferanten; Bauersfrauen vom Land brachten regelmäßig Milch, Butter, Eier und Gemüse.

Gleichaltrige Spielkameraden fanden wir in den Kindern des Regimentskameraden meines Vaters, von Hirschfeld. Dieser litt wohl darunter, daß er nicht so »feiner« Herkunft war wie die meisten anderen Offiziere des Regiments Garde du Corps. Deshalb versuchte er, es ihnen zumindest außerdienstlich gleichzutun, besonders bei der Jagd. Als Ursula Anna und ich das erste Mal mit den Eltern bei Hirschfelds eingeladen waren, soll ich nach eingehender Besichtigung der Wohnräume meinen Vater an der Hand gefaßt und mit dem Finger auf die Rehgehörne zeigend gesagt haben: »Papa, sieh mal die winzigen Dinger da an der Wand.« Hirschfelds waren nicht davon abzubringen, daß mir das beigebracht worden sei, um den stolzen Jäger zu ärgern.

Unsere Nachbarn auf der einen Seite hießen von Rundstedt. Er stand bei einem anderen Regiment; so grüßte man sich, verkehrte aber nicht miteinander. Auf der anderen Seite befand sich ein ärmliches, einstöckiges Haus. Mit dem gleichaltrigen Erich durften wir nicht spielen. Seine Verachtung brachte er dadurch zum Ausdruck, daß er seinen Wasserstrahl durch ein Astloch im Zaun zu uns herüberschickte. Auf der gegenüberliegenden Seite der Straße, der »besseren«, die zum Heiligen See hin lag, wohnten Prinz und Prinzessin zu Salm. Mit den beiden wie Püppchen ausstaffierten Mädchen spielten wir nicht; in ihren riesigen Hüten fanden wir sie einfach albern; auch waren sie etwas jünger als wir. Im Winter gingen wir manchmal durch ihren Garten zum Schlittschuhlaufen auf dem Heiligen See.

Einige hundert Meter weiter, zur Garde-du-Corps-Kaserne hin, lebten Onkel Alfred Dohna, der General und spätere Besitzer von Finckenstein, und Tante Änni, die uns ab und an zu Kinderfesten einluden – eigene Kinder hatten sie nicht. Die Feste gefielen uns sehr, weil es Berge von Süßigkeiten gab. Auf die Frage, was ich am liebsten esse, soll ich Tante Änni allerdings geantwortet haben: »Rindfleisch mit Mostrichsauce.«

Ihr Nachbar war Onkel Johannes Graf Lynar. Seine Frau Anni war die älteste Schwester meiner Mutter. Sie bewohnten ein neugotisches Haus mit Zinnen; es hatte in der Mitte einen Turm mit einer Wendeltreppe. Die beiden Söhne Wilhelm und Hermann bewunderten wir, weil sie sich, obwohl sie erheblich älter waren, gelegentlich dazu herabließen, mit uns zu spielen. Auch schenkten sie uns ihre ausgedienten Spielsachen, einmal eine Eisenbahn mit zwei Lokomotiven. Neben Lynars wohnte eine Familie mit zwei angeblich sehr unartigen Jungen, die von mir jedoch bestaunt wurden, weil sie in ihrem Garten Höhlen bauten und im Winter barfuß auf dem zugefrorenen Heiligen See herumliefen.

Schließlich lebte noch ein Bruder meiner Mutter, Onkel Reinhard Solms, in Potsdam. Die Kinder Rosi und Hermann-Otto waren etwa in unserem Alter. Als wir etwas größer waren, besuchten wir sie häufig in ihrem Haus, das gegenüber dem Eingangstor zum Neuen Garten lag. So war die Welt in Kasten eingeteilt, und diese Einteilung bestimmte, mit wem wir wohl und mit wem wir nicht spielen durften.

Mein Vater spielte an den Sonntagen häufig mit uns, was für die damalige Zeit recht ungewöhnlich war. Dann saß er auf der Erde und baute mit uns Häuser und Türme aus dem Anker-Steinbaukasten. Manchmal spielte er mit uns Pferd und kroch auf allen vieren auf dem Teppich herum, während Ursula Anna und ich auf seinem Rücken saßen.

Unsere Mutter las uns oft vor und sang mit uns Lieder, die sie auf dem Klavier begleitete. Sie machte keinen Hehl daraus, daß sie nicht sehr musikalisch war, doch störte das weder sie noch uns. Die Eltern waren beide fromm; wir beteten nicht nur vor und nach den Mahlzeiten, sondern auch morgens und abends.

Als ich sechs Jahre alt war, erhielt ich Unterricht bei Herrn Mücke. Dem damaligen Brauch entsprechend, wurden wir nicht in die Volksschule geschickt, sondern Herr Mücke kam zu uns ins Haus. Der Unterricht, an dem bald auch Ursula Anna teilnahm, machte mir Spaß. Der kleine, rundliche Lehrer verstand es, uns für den Lernstoff zu begeistern, und wir hatten ihn gern. Die Liebe zur Schule verging mir allerdings nach wenigen Jahren.

Mein Vater, zuerst Regiments- und später Brigadeadjutant, mußte um sechs Uhr morgens auf dem Kasernenhof stehen; er war sehr von seinem Dienst in Anspruch genommen, und wir sahen ihn meist nur abends. Als Kavallerist standen meinem Vater, der ein vorzüglicher Reiter war – von seinen Erfolgen bei den Regimentsrennen zeugten einige silberne Becher –, zwei sogenannte Chargenpferde zur Verfügung, die dem Militärfiskus gehörten und für die er kein Futtergeld zahlte. Natürlich besaß er auch eigene Reit- und Kutschpferde. Meine Mutter ritt ebenfalls sehr gut, selbstverständlich im Damensattel, und mitunter nahm sie auch an den Reitjagden im Herbst teil.

Fast täglich gegen Abend wurden Spazierfahrten unternommen, zu denen uns die Eltern meist mitnahmen. Wir hatten mehrere Wagen, alle mit roten Rädern, die von der Firma Neuss, Berlin, stammten, und meist Geschenke des Großvaters aus Schlobitten waren. Dazu gehörten vier schwarze Kutschpferde. Stall und Remise unterstanden dem Kutscher Krause, einem dunkelhaarigen, stets gut aufgelegten Mann, der später Straßenbahnfahrer wurde; seine tüchtige, zierliche Frau half gelegentlich in der Küche. Ihr schmächtiger Sohn Rudi, der älter war als wir, hatte meist keine Lust, mit uns zu spielen – wohl aus Schüchternheit. Da wir für ein eigenes Pony noch zu klein waren, wurden wir oft auf große Pferde gesetzt, damit wir uns an dieses Gefühl gewöhnen.

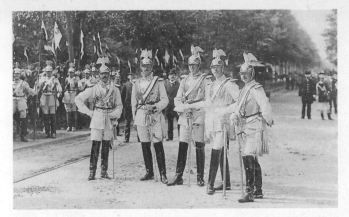

*Offiziere des Garde-du-Corps-Regimentes in Paradeuniform in Potsdam um 1904. Die Abbildung zeigt von links: Lubbert Graf v. Westphalen, Friedrich Wilhelm Prinz v. Preußen, Richard Burggraf zu Dohna-Schlobitten, Herrn von Hirschfeld, Reinhard Prinz zu Solms-Lich. Prinz Friedrich Wilhelm trägt das orangefarbene Band des Schwarzen Adlerordens über dem Küraß.*

Bei einer der Reitjagden im Herbst 1905 brach sich mein Vater beide Schlüsselbeine. Dies war an sich schon eine unangenehme Verletzung, aber als weit schlimmer wurde es angesehen, daß er ohne erkennbaren Grund bewußtlos aus dem Sattel gefallen war. Wenig später folgte ein zweiter schwerer Anfall: Beim Mittagessen fiel er plötzlich ohnmächtig vom Stuhl; dabei biß er sich auf die Zunge und blutete aus dem Mund. Die Eltern konsultierten daraufhin den berühmten Chirurgen Geheimrat Professor Bergmann in Berlin und seinen Mitarbeiter, den späteren Geheimrat Professor Bier, die einen Tumor über dem rechten Auge feststellten. Die lebensgefährliche Operation, die von Dr. Bier in Gegenwart von Professor Bergmann ausgeführt wurde, glückte, aber mit der aussichtsreichen Karriere meines Vaters beim Militär war es vorbei. So endete 1906 die schöne Zeit in Potsdam und damit der erste Abschnitt meines Lebens.

Jahrzehnte später stehe ich in Potsdam in der Mangerstraße vor jenem Haus, in dem ich die ersten Jahre meiner Kindheit verbracht habe. Es sieht ziemlich unverändert aus, nur die Fensterläden hängen zum Teil schief in ihren Halterungen. Eine ältere Frau blickt aus dem Fenster, und ich rufe ihr zu: »In diesem Haus bin ich vor 75 Jahren geboren!« Das scheint sie zu beeindrucken, jedenfalls erklärt sie sich bereit, mir ihre Wohnung zu zeigen. Kaum habe ich die Schwelle überschritten, ist nichts mehr wiederzuerkennen. Überall hat man Wände eingezogen und auf diese Weise sechs oder noch mehr Wohnungen geschaffen; alles scheint recht verwahrlost. Die Wohnung, die mir gezeigt wird, ist unser ehemaliges Wohnzimmer, das man in drei Räume unterteilt hat. Die Mieterin beklagt sich über die städtischen Behörden, die trotz zahlloser Eingaben seit Jahren keine Reparaturen ausführen.

Ich bedanke mich bei ihr und verlasse schnell die armselige Behausung, um mit Erlaubnis der Bewohnerin noch einen Blick auf den Garten hinter dem Haus zu werfen. Nichts mehr von der einstigen Pracht. Hier wurde einem die grundlegende Veränderung der sozialen Verhältnisse nach 1918 und noch einmal nach 1945 besonders deutlich vor Augen geführt. Die Villen für die Offiziere der Potsdamer Garnison hatten endgültig ihren Zweck verloren. Unsere ehemaligen Stallungen waren zu einer kleinen Fabrik umfunktioniert worden; den Rest des Areals einschließlich sämtlicher Grünflächen hatte man gepflastert oder betoniert und mit Schuppen aller Art zugebaut. So war aus einem einst blühenden Garten eine grauenvolle Einöde ohne jedes Grün geworden. Es stand kein einziger Baum mehr.

# Der Großvater

1905 hatte mein Großvater von dem zur Schlodier Linie gehörenden Achatius Dohna das etwa 750 Hektar große Gut
Behlenhof erworben. Dieses Gut sollte mein Vater nun zur
Bewirtschaftung übernehmen; zuvor mußte jedoch allerlei
umgebaut werden. Das schmucklose, kleine Gutshaus wurde
zunächst vergrößert: Der einstöckige Teil wurde um eine
Etage erhöht und das Haus um die auf Säulen ruhende Auf-
fahrt am Haupteingang erweitert. Dann »verschönte« man
den für damalige Verhältnisse allzu schlichten Bau durch
renaissanceartige Giebel, die der Großvater entworfen hatte,
und ließ die eintönigen Backsteinmauern teilweise verputzen.
Die Arbeiten zogen sich über ein Jahr hin, und der Bauunter-
nehmer mußte wegen nicht termingerechter Fertigstellung
eine hohe Konventionalstrafe zahlen. Bis zum Umzug nach
Behlenhof wohnten die Eltern mit uns Kindern ein Jahr lang
in Schlobitten.

Die alles überragende Figur in Schlobitten war mein Großvater Richard Wilhelm Dohna. Großpapa, wie wir ihn nannten, war ein großgewachsener, fülliger Mann; genau wie sein
Vater und seine beiden Brüder maß er über 1,90 Meter. Im
Alter ging er, leicht lahmend, an einem Stock mit einer weißen Elfenbeinkrücke, ähnlich der, die Friedrich der Große
benutzt hatte. Bei einer Jagd in Liebenberg war Großvater
1893 durch einen Schrotschuß aus nächster Nähe der Knöchel
zerschmettert worden; er war damals Hofjägermeister sowie
Master der königlichen Parforcejagden im Grunewald.

Großpapas rundliches Gesicht zierte ein gepflegter spitzge-
schnittener, grauer Bart. Meist rauchte er eine dünne holländische Zigarre der Marke »Joaquin Barena«; dabei benutzte er
eine Birkenholzspitze. Freundlich blickten seine blauen
Augen durch die große Brille auf die Enkel. Man würde ihn als
gutaussehend bezeichnet haben, wenn nicht eine breite, leicht
gerötete Knollennase sein Gesicht verunziert hätte.

*Die Mutter des Autors mit ihren fünf Kindern (v.l.n.r.): Ursula Anna, Alexander, Victor-Adalbert, Agnes und Christof.*

Morgens durfte ich den Großvater in seiner Anziehstube, dem späteren Porzellankabinett, besuchen. Der etwas klein gewachsene und neben Großpapa fast wie ein Zwerg wirkende Kammerdiener Gottfried Rose – zum Ausgleich trug er einen grauen Backenbart in der Art Kaiser Wilhelms I. – machte die Handreichungen. Als erstes stieg Großvater auf eine Personenwaage mit großem Zifferblatt. Stets staunte ich von neuem, wenn der Zeiger mehr als dreimal herumschnellte, bis er bei 320 Pfund stehenblieb. Einmal war ich wohl etwas zu früh, jedenfalls kam der Großvater splitternackt aus dem Badezimmer. Sein gewaltiger Bauch erinnerte mich sofort an den großen Globus in der Schlobitter Galerie und hinterließ einen bleibenden Eindruck. Großpapa war stets auf das sorgfältigste gekleidet: vormittags gewöhnlich mit Reitjacke, Reithosen und langen braunen Stiefeln; dazu trug er eine goldene Krawattennadel, die ein Hufeisen und eine Reitpeitsche darstellte und zur Befestigung des Plastrons diente. Nachmittags erschien er in tadellosem Anzug und dazu passender, gemusterter Weste. Er war voller Tatendrang, dabei ein amüsanter, humorvoller Unterhalter, der Gesellschaft liebte und es verstand, sich in allen Kreisen, auch bei einfachen Leuten, beliebt zu machen. Er lebte gut, aß und trank in den besten Lokalen – wenn er in Berlin war, meist bei Borchardt –, aber ließ auch andere gut leben und freute sich unbändig, als einst sein sparsamer Sohn mit einigen Neffen in dem besagten Lokal dinierte und ihm telegraphierte: »Wir essen und trinken auf Dein Wohl und Deine Rechnung.«

In jungen Jahren war Richard Wilhelm Dohna ziemlich leichtsinnig gewesen. Er machte Spielschulden, unterschrieb Wechsel, die nicht gedeckt waren, und versprach einem Mädchen die Ehe. Der überaus korrekte Vater mußte für alles aufkommen, und das Verhältnis zwischen beiden war dadurch schon früh gestört. Mein Großvater war den Frauen sehr zugetan und neigte sein Leben lang dazu, viel Geld für seine persönlichen Bedürfnisse auszugeben, was den Betrieb natürlich belastete. Das führte später auch zu Auseinandersetzungen mit meinem Vater, der eher die Auffassung seines Großvaters vertrat, dessen bescheidene, zurückhaltende Art ihm weit mehr lag.

Am 1. Januar 1900 wurde der Großvater zu seiner großen Freude vom Kaiser in den erblichen Fürstenstand erhoben. »Der arme Richard, wie kann er das bezahlen«, spottete einer seiner Vettern, und ein anderer meinte: »Der erste Parvenü in unserer Familie.«

Großvater war ausgesprochen konservativ. Dies kam auch dadurch zum Ausdruck, daß er den Kupferstich des Königsberger Bürgermeisters von Schön als Konterfei eines unerfreulich liberalen Mannes aufs WC hing; sein Großonkel Alexander war noch mit Schön befreundet gewesen. Nach meines Vaters Tod erhielt das Bild des Herrn von Schön einen diesem verdienten Manne angemessenen Platz.

Als Mitglied des Reichstages – er war nacheinander Abgeordneter für den Kreis Goldap und den Kreis Fischhausen – verbrachte der Großvater den ganzen Winter in Berlin. Außerdem war er noch erbliches Mitglied des preußischen

Herrenhauses und bis zu seinem Tod 1916 Vorsitzender des Provinziallandtages in Königsberg. Wenn die Landräte der Kreise Preußisch Holland und Mohrungen abwesend waren, vertrat er sie. Da er es mit allen seinen Ämtern sehr genau nahm, war er viel unterwegs.

Trotz seiner vielfältigen Aufgaben und seines Reichstagsmandates – 1912 verlor er allerdings seinen Wahlkreis an einen Sozialdemokraten – trat der Großvater politisch wenig hervor; er liebte den Ausgleich zwischen den Menschen. Vielleicht war dies der Grund, daß ihm auch Kaiser Wilhelm II. lange Zeit sehr zugetan blieb. Gerechterweise muß jedoch hinzugefügt werden, daß er nicht mit allen Äußerungen des Kaisers ohne weiteres einverstanden war; der Maler Albert Kossack betont an mehreren Stellen seiner Erinnerungen, daß Richard Wilhelm Dohna dem Kaiser bisweilen widersprochen habe. 1906 muß dies zu so ernsten Auseinandersetzungen geführt haben, daß Wilhelm II. von da an nicht mehr zur jährlichen Rehbockjagd nach Prökelwitz kam. Er wohnte nur noch einmal, beim Kaisermanöver 1910, in Schlobitten und Prökelwitz.

Immerhin verlieh der Kaiser 1913, aus Anlaß der Hundertjahrfeier der Erhebung Preußens gegen Napoleon, meinem Großvater den Schwarzen Adlerorden und kurze Zeit später auch die Kette dazu.

Über die »Ungnade« seines Königs hat der Großvater niemals gesprochen; er gehörte zur alten Schule, die nichts Abfälliges über den Monarchen äußerte. Er ordnete lediglich an, daß nach seinem Tode der Schlobitter Bibliothekar Dr. Krollmann dem Staatsarchiv in Königsberg einen versiegelten Umschlag übergeben solle; darauf hatte er handschriftlich vermerkt, der Umschlag enthalte Unterlagen über seine »Ungnade bei Seiner Majestät« und dürfe erst fünfzig Jahre nach seinem Tode geöffnet werden. Die Empfangsquittung befindet sich unter den geretteten Akten des Königsberger Staatsarchivs, die heute im Besitz der Stiftung Preußischer Kulturbesitz Berlin sind. Die Schriftstücke selbst sind wohl verlorengegangen, und so läßt sich über die Hintergründe nur spekulieren. Vielleicht ging es um die abrupte Entlassung des engen Freundes Bolko

*Der bekannte Karikaturist des Simplicissimus, E. Thöny, hat im Jahre 1912 den Großvater Alexander Dohnas als Prototyp des Großagrariers aufs Korn genommen. Originalunterschrift: »Es ist eine liberale Stimme abgegeben worden. Der Schulmeister kriegt von heute ab keine Kartoffeln mehr.«*

Graf Hochberg als Generalintendant der Königlichen Schauspiele, die damals von vielen als willkürlich empfunden wurde.

Richard Wilhelm Dohna war farbenblind und hatte deshalb kein besonderes Verhältnis zu den Schönheiten des Schlobitter Parks. »Blumen sind mir im Freien gleichgültig, im Zimmer unangenehm«, pflegte er zu sagen. Abgesehen von Pferden hatte er für den land- und forstwirtschaftlichen Betrieb nicht allzuviel übrig und überließ die Bewirtschaftung weitgehend den Beamten. Sein größtes Verdienst auf wirtschaftlichem Gebiet ist es gewesen, daß er in den Forsten wenig Holz schlagen ließ. So verfügten seine Erben über eine erhebliche Geldreserve in Gestalt von Altholz – zwei Generationen später für die Erhaltung des Besitzes ein entscheidender Posten.

Ganz im Gegensatz zu Großpapa war mein Urgroßvater Richard Friedrich Dohna, »die alte Exzellenz«, ein ausgezeichneter Landwirt und ein geschickter Geschäftsmann gewesen. Es wurde erzählt, daß sein Verwalter, Amtmann Becker, am Jahresende zur Abrechnung des Gewinnes die Taler – Scheine gab es damals noch nicht – in einer Schubkarre zu meinem Urgroßvater herübergefahren habe. Hatte mein Urgroßvater zahlreiche Neuerungen eingeführt, so wurde unter seinem Sohn recht altmodisch gewirtschaftet. Es gab viele Brachflächen, auf denen man große Schafherden hielt. Ich erinnere mich, daß die Schafe vor dem Scheren in den kleinen Tümpeln gewaschen wurden, die inmitten der Felder lagen. Ein großer Tümpel hieß denn auch Schafwäsche.

In den letzten Jahren vor dem Ersten Weltkrieg leitete erst Oberamtmann Grommelt, dann Oberinspektor Tittler den Betrieb in Schlobitten; in Prökelwitz war Oberamtmann Vorlauf für die Landwirtschaft verantwortlich, während Oberjäger Krause in Schlobitten die Forsten beider Güter unter sich hatte. Es gab drei Kuhherden: schwarz-weiße Kühe in Schlobitten, braun-weiße in Guhren, grau-weiße in Schönfeld. Der etwas fortschrittlicher eingestellte Amtmann Vorlauf hatte auf den Gütern Prökelwitz, Pachollen und Storchnest das wesentlich ertragreichere schwarz-weiße ostpreußische Herdbuchvieh eingeführt und sich um intensivere Fruchtfolgen bemüht.

*Kaisermanöver 1910. Der Kaiser als Gast bei Richard Wilhelm Dohna in Prökelwitz. V. l. n. r.: Generaloberst von Plessen, Flügeladjutant von Dommes, Kaiser Wilhelm II., Leibarzt Dr. Niedner, Fürst zu Dohna, Flügeladjutant von Gontard. Der Kaiser und einige Herren tragen Hofjagduniform.*

Allerdings war der Boden in Prökelwitz auch sehr viel fruchtbarer als in Schlobitten. Schweine wurden ausschließlich für den eigenen Bedarf gehalten. Nur die Pferde spielten eine besondere Rolle, wobei ich hinzufügen muß, daß sich der Großvater mehr für Reiten und Fahren als für die eigentliche Zucht interessierte. Schon vor dem Ersten Weltkrieg begann man die allzu feinen ostpreußischen Stuten mit belgischem Kaltblut einzukreuzen, um stärkere Ackerpferde zu züchten, da man tiefer zu pflügen begann, nach wie vor vierspännig.

Das große Ereignis des Jahres war der Verkauf der Remonten, der dreijährigen ostpreußischen Warmblutpferde, an die Militärverwaltung. Die Remontemärkte fanden im Sommer statt, einer in Schlobitten, einer in Prökelwitz. Die Armee suchte ausdauernde Tiere mit lebhaftem, aber gutem Temperament und möglichst fehlerfreiem Körperbau. Der Staat als Käufer wurde vom »Präses« vertreten; dieser, meist ein aktiver Major der Kavallerie mit hervorragendem Pferdeverstand, ließ sich die Dreijährigen einzeln vorführen. Dann kam der erlösende Satz: »Geben Sie Nummer.« Ein Oberleutnant oder Rittmeister malte die Zahl mit Kreide auf eine Seite des Pferdes; das bedeutete den Ankauf vorbehaltlich der tierärztlichen Untersuchung. Der Veterinär, ein aktiver Offizier, gehörte ebenfalls zur Remontekommission. Das Geld wurde vom Zahlmeister aus einer mitgeführten eisernen Kiste sofort an den Großvater ausgezahlt, der es für sich persönlich in die Tasche steckte. Die Wirtschaft erhielt keinen Pfennig davon!

Der Großvater war zeit seines Lebens ein leidenschaftlicher Reiter. 1863 hatte er als Leutnant beim Regiment Garde du Corps das damals wichtigste Jagdrennen in Preußen, die Armee-Steeplechaise, gewonnen. Ein Ölbild des Pferdemalers Steffeck aus den sechziger Jahren zeigt ihn auf einem Vollblutfuchs. Anfang der neunziger Jahre, als Richard Wilhelm Master der königlichen Parforcejagden im Grunewald war, ritt er einen schönen Schimmel mit Namen »Glasenapp«; auf diesem Pferd malte ihn der polnische Pferdemaler Albert von Kossack; fast in Lebensgröße reitet der Großvater gewissermaßen aus dem Bild heraus auf den Beschauer zu. Das Fell dieses geliebten Tieres lag in meiner Kindheit als Teppich in der sogenannten Jagdstube, meinem späteren Arbeitszimmer. Als der Großvater jung verheiratet in Cöllmen lebte, einem zu Prökelwitz gehörenden Gut, kam zur Leidenschaft für das Reiten noch die Passion für das Kutschieren hinzu. Er fuhr meisterhaft vier-, fünf- und sechsspännig. Die dritte Seite seiner Pferdeliebe schließlich waren seine hübschen Pferdezeichnungen; hurtig, mit sicherem Strich skizzierte er auf ein Blatt, während wir Enkel, auf seinem Knie sitzend, ihm zusahen.

1898 hatte mein Großvater den westlichen Flügel und die Verbindung zum Hauptschloß, die »rosa Galerie«, umgebaut. Das erst im 19. Jahrhundert eingerichtete Theater mußte weichen, meines Erachtens zu Recht. Als Gegenstück zur alten Bibliothek von Abraham Dohna im östlichen Teil entstand nun ein langer Gang, dem im rechten Winkel unter Ausnutzung des Flügelgebäudes ein zweiter Gang hinzugefügt wurde. An der Hofseite des Westflügels lagen die sogenannte Jagd- und, ganz am Ende, die Billardstube. In den neugeschaffenen Gängen aber wurden rechts und links große Wandschränke aufgestellt. Hier waren von nun an Bibliothek und Archiv untergebracht.

Dies war das Reich des von Großvater angestellten Bibliothekars Dr. Krollmann. Großvater hatte mit diesem hervorragenden Fachmann einen ausgezeichneten Griff getan, und bald verband die beiden nach Alter und Einstellung so verschiedenen Männer eine Art Freundschaft. Dr. Christian Krollmann stammte aus Bremen. Er war mit Wilhelm Busch nahe verwandt und mit Professor Bodo Ebhardt, dem bevorzugten Architekten des Kaisers, befreundet. Als Ebhardt die Deutsche Burgenvereinigung im Jahre 1899 gründete, gewann er meinen Großvater als Gründungsmitglied. Aufgrund dieser Tatsache wurde ich 1924 Ehrenmitglied und habe die Vereinigung später selbst einige Jahre geleitet. Als Dr. Krollmann im Alter von etwa 50 Jahren heiratete, baute ihm Großvater ein eigenes Haus, die spätere Forstmeisterwohnung.

Dr. Krollmann begann mit der Sichtung und Ordnung des Materials und legte eine vorzügliche Kartei an. Sowohl für das Archiv als auch für die Bibliothek standen ihm genügend Mittel zur Verfügung, so daß er eine systematische Komplettierung insbesondere der ostpreußischen Geschichte in Angriff nehmen konnte. War es Weitblick des Großvaters, daß er es Dr. Krollmann ermöglichte, zahlreiche Akten und Dokumente aus dem Schlobitter Archiv zu veröffentlichen? Niemand konnte damals ahnen, daß wenige Jahrzehnte später alle drei Dohnaschen Archive und damit das wichtigste historische Gut der Familie untergehen würden.

Eines Tages forderte mein Großvater Krollmann auf, reiten zu lernen, was der Großstädter als eine Zumutung empfand. Trotzdem sagte er zu und erhielt einige Tage lang von Sattlermeister Rose Unterricht in der Reitbahn. Beim ersten Ausritt mit Großpapa machte das Pferd einen unerwarteten Satz, so daß Krollmann vor dem Schloß auf das Pflaster fiel. Da kein Bruch festgestellt werden konnte, mußte er sich nach drei

*Der einzige unveränderte Raum aus dem ursprünglichen Renaissance-schloß war bis in die Tage des Untergangs hinein die sogenannte Alte Bibliothek, die insgesamt rund 50.000 Bände barg.*

Tagen wieder in den Sattel schwingen. Bei dieser Roßkur lernte er jedoch reiten und hatte später sogar Freude daran. Großpapas dreieinhalb Zentner konnte bei solchen Ausritten kein ostpreußisches Warmblutpferd tragen, daher kaufte er seine Reitpferde bei einem Pferdehändler; ich erinnere mich an zwei ungewöhnlich große und starkknochige Füchse, die er »Koloß« und »Krokodil« taufte.

Die Ehe des Großvaters mit Amélie Dohna aus dem Hause Mallmitz, seiner rechten Cousine, war glücklich. Sein Vater hatte diese energische und kluge Frau für ihn ausgesucht; sie war fast fünf Jahre älter als er und leitete ihn, der auch weiterhin zu einer gewissen Leichtlebigkeit neigte, mit geschickter Hand.

Meine Großmutter war eine hochgewachsene schlanke Frau mit einem ebenmäßigen Gesicht, einer großen geraden Nase und schmalen, braunen Augen. Im Sommer 1906, als wir in Schlobitten waren, erkrankte sie schwer. Als feststand, daß sie sterben würde, durfte ich sie noch einmal sehen. Ich besinne mich genau, wie sie mit gerötetem, eingefallenen Gesicht dalag; sie erkannte mich nicht. Wenige Tage später war sie tot: Schneeweiß, mit gefalteten Händen lag sie im offenen Sarg. Ich erschrak zutiefst und konnte diesen Anblick jahrelang nicht verwinden; man hätte meine Schwester und mich vielleicht darauf vorbereiten sollen. Aber die Eltern selbst waren so tief betroffen, daß sie sich in diesem Augenblick die Erschütterung der Kinder kaum vorstellen konnten.

Nach dem Tode seiner Frau fühlte sich der Großvater sehr allein; daß sie an seinem Geburtstag gestorben war, erhöhte noch sein Leid, und so wurde dieser Tag niemals mehr gefeiert. Seine zahlreichen Ämter füllte er zwar nach wie vor gewissenhaft aus, es blieb jedoch eine gewisse Leere. Etwa zwei Jahre später erwog er, wieder zu heiraten, aber daraus wurde nichts.

Als der Erste Weltkrieg ausbrach, meldete sich Richard Wilhelm trotz seiner 73 Jahre sofort beim Heer und wurde Etappendelegierter des Roten Kreuzes zunächst in Kowno, dann in Wilna beim Stab der Armee. Dort war Hindenburg sein unmittelbarer Vorgesetzter. Die beiden kannten sich von frü-

her, und so war mein Großvater häufig zur Tafelrunde des Feldmarschalls eingeladen. Ich besitze eine amüsante Zeichnung von Busch, die Hindenburg und den Großvater im Kreise des Stabes zeigt; Großvater erzählt gerade eine lustige Geschichte, und Hindenburg schmunzelt.

Im August 1916 starb mein Großvater in Wilna innerhalb weniger Tage an einer Lungenentzündung. Er wurde am 26. August in Schlobitten beigesetzt. Über das Begräbnis, bei dem ich nicht anwesend war, heißt es in den Tagebüchern meines Vaters: »7.15 Uhr früh hielt der Berliner D-Zug, mit dem

*Abraham Burggraf zu Dohna erbaute das ursprüngliche Renaissanceschloß Schlobitten 1625. Im Jahr 1713 wurde der Umbau durch Feldmarschall Alexander Dohna vollendet, durch den das Schloß seine barocke Form erhielt. 1945, bald nach der Eroberung, wurde das Schloß unter ungeklärten Umständen niedergebrannt.*

Generaloberst von Plessen als Vertreter S.M. des Kaisers; ich holte ihn am Bahnhof ab. Es kamen gleichzeitig Excellenz Adolf Batocki, der Erbprinz Taxis als Vertreter des Regiments der Garde du Corps und Verwandte. Um 1/2 12 Uhr fing die Beerdigungsfeier in der Kirche an, zu der noch unzählige Menschen erschienen waren, wie der Oberpräsident von Berg, die Stellvertretenden Kommandierenden Generäle Freiherr von Hollen und Graf Limbrecht von Schlieffen, Regierungspräsident Gramsch, Oberbürgermeister Körte aus Königsberg, Major von Hatten als Vertreter des Oberkommandos der

8. Armee. Heini aus Waldburg (Heinrich Graf Dohna) wies auf dem Bahnhof die Plätze der Wagen an, die zum Teil dreimal fahren mußten. Pfarrer May sprach über Matth. 25, Vers 34: ›Kommet her, ihr Gesegneten meines Vaters, vererbet das Reich, das euch bereitet ist von Anbeginn der Welt‹, danach Generalsuperintendent Schöttler. Vaters Lieblingslied ›Näher, mein Gott zu Dir‹ wurde gesungen. Handwerker und Hofleute trugen den Sarg zu Grabe. Ihm folgte Excellenz Plessen zwischen Marie Mathilde und mir, dann alle anderen. Ein Kommando Wachleute vom Gefangenenlager Preußisch Holland schoß drei Salven übers Grab. Daran anschließend war Büffet im Gartensaal und in der Bibliothek. Mit den Nachmittagszügen fuhren die meisten wieder fort. Generaloberst von Plessen brachte ich zum D-Zug 6.17 Uhr auf den Bahnhof.« Der Vertreter des Kaisers wurde ganz selbstverständlich wie der Kaiser selbst behandelt.

Sein Ostpreußen und sein Schlobitten hatte mein Großvater leidenschaftlich geliebt. Das geht auch deutlich aus mehreren Briefen hervor, die er mir wenige Monate vor seinem Tod nach Darmstadt schrieb, wo ich damals zur Schule ging. Am 15. Februar 1916 etwa ermahnte er mich: »Daß es in Darmstadt augenblicklich und überhaupt sehr schön ist, glaube ich gerne, habe aber durchaus keinen Wunsch, dorthin zu kommen, schon weil für mich, trotz schlechtem Klima und Einförmigkeit der Gegend, in seiner ganz besonderen Eigenart Ostpreußen doch das Liebste und Schönste auf der Welt ist . . . Wir gehen im Deutschen Vaterlande sehr ernsten und schweren Zeiten, erst recht nach dem Kriege, entgegen – da wird der Adel wieder an der Spitze derer stehen müssen, die den Verfall und Untergang von allem, was uns lieb und teuer, verhindern wollen. Dazu muß schon heute jeder sich vorbereiten; zumal jeder junge Mensch aus guter Familie muß trachten, schon jetzt unter seinen Mitschülern eine führende Stellung durch seinen Fleiß, sein Können, seine Tüchtigkeit einzunehmen.« Hier findet sich jene altertümliche Auffassung von den Pflichten des Adels, die auch mich damals noch sehr beeindruckte.

»Zu Kaisers Zeiten« wurden in Schloß Schlobitten über 30 Leute als Personal beschäftigt. In den Jahren 1906/07, als die Eltern mit uns dort lebten, gab es folgende Angestellte:

- 1 Haushofmeister
- 1 Kammerdiener (zuständig für den Weinkeller)
- 1 Diener
- 1 Dienerlehrling
- 1 Hausdiener
- 3 alte Männer (zuständig für die Heizung)
- 1 Kastellanin
- 1 Kammerjungfer
- 3 Hausmädchen
- 1 Koch
- 3 Küchenmädchen
- 1 Gouvernante
- 1 Kinderfräulein
- 1 Leibkutscher
- 1 Kutscher
- 1 Sattelmeister
- 4 Stallburschen
- 1 Gärtner
- 2 Gartenarbeiter
- 3 Lehrlinge
- 1 Maschinenmeister für die elektrische Anlage.

Haushofmeister Hoffmann, ein schlanker, stets glattrasierter und tadellos gekleideter Junggeselle, führte die Hierarchie an. Er war als Sohn eines Landarbeiters auf dem zu Schlobitten gehörenden Gut Schönfeld geboren und bereits mit 14 Jahren als Dienerlehrling ins Schloß gekommen. In Gesprächen mit den beiden jung verstorbenen kranken Brüdern meines Vaters, die Hoffmann jahrelang pflegte, hatte er sich die Grundlagen einer guten Allgemeinbildung erworben, die er konsequent ausbaute; er sprach sogar etwas Französisch.

Hoffmann galt als durch und durch zuverlässig und war bereits mit 35 Jahren zum Haushofmeister aufgestiegen. In dieser Funktion oblag ihm die Aufsicht über das gesamte Personal und über den Haushalt. Vor allem war er verantwortlich für den reibungslosen Tagesablauf; dazu gehörte auch das Aufziehen und Regulieren der zahlreichen Stand-, Wand- und Tischuhren, das er persönlich überwachte. 1939 feierte Hoffmann sein fünfzigjähriges Dienstjubiläum, und wir gaben ihm zu Ehren ein besonderes Fest, an dem auch seine Verwandten und Bekannten teilnahmen. An der langen Tafel saß er auf dem Ehrenplatz zwischen meiner Frau und mir, ich hielt eine Ansprache, in der ich seine ungewöhnlichen Verdienste hervorhob, und Küche und Keller gaben das Beste her. Es war ein unvergeßlicher Abend für alle.

Ein Wort noch zur Beheizung des Schlosses. Hierfür wurden etwa 300 Kubikmeter Holz pro Saison benötigt, die auf dem Holzhof angefahren und für ein Jahr eingelagert wurden. Das Holz zu hacken, zu zerkleinern und für Nachschub zu sorgen, oblag drei – wie mir schien – steinalten, pensionierten Männern. Wenn sie die Holzscheite aus ihren Tragkörben in die großen Truhen auf den Fluren des Schlosses legten, schaute ich ihnen gern zu, waren sie doch stets guter Dinge. Vor dem »kleinen Herrn Graf« zogen sie dann die Mütze, die sie erst wieder aufsetzten, wenn ich weiterging. An zwei von ihnen erinnere ich mich besonders gut: Augustin und Rex.

Damals waren immer Hausgäste in Schlobitten, die oft wochenlang blieben, zumal im Sommer. Meist handelte es sich um Verwandte oder um Freunde des Großvaters, in der Regel ältere, pensionierte Offiziere wie General Rudolf von Rabe, der dem einsamen Großvater die Zeit vertrieb. Schon von Natur aus nicht groß, beugte sich seine Gestalt immer mehr unter der Last der Jahre. Die beiden spielten leidenschaftlich gern Bésigue, ein damals sehr beliebtes Kartenspiel. Jeder hatte ein kleines Brett, auf dem er die gewonnenen Punkte durch kleine Hebel hochstellte, so daß sie am Ende des Spiels addiert werden konnten. Für uns Kinder war das »Hochknipsen«, das die beiden gutmütigen, alten Herren uns erlaubten, ein Hauptspaß. Die nicht allzu hohen Gewinne notierten sie sorgsam und übergaben das Geld am Jahresende Pfarrer May – »für da, wo es am meisten not tut«. Zu Weihnachten schenkte Herr von Rabe regelmäßig einen kleinen Gebrauchsgegenstand aus Silber nach Schlobitten: ein Vergrößerungsglas, einen Aschenbecher oder einen Briefbeschwerer.

Zu den häufigen Besuchern gehörte Onkel Hannibal Dohna. Er galt als gescheiter und gebildeter Mann, aber wir Kinder mochten ihn nicht. Ursula Anna nannte ihn, weil er so dick war, »Onkel Gummiball«. Dies kam ihm zu Ohren, und er hatte nicht genügend Humor, darüber zu lachen. In der Halle stand ein Ohrensessel aus Leder, der in Kopfhöhe einen dunklen Fleck hatte; Ursula Anna und ich waren davon überzeugt, daß der ungeliebte Onkel hier seinen schwitzenden Hinterkopf anlehnte.

Auch die beiden unverheirateten Brüder meiner Großmutter, Stani und Christoph, hielten sich sehr viel in Schlobitten auf. Stani nahm täglich beim Essen mit einem Teelöffel Tropfen und Pillen ein, denn er war im Kriege 1870/71 schwer verwundet worden und litt darunter bis zu seinem Tod. Er bevorzugte süße Gerichte und streute sich auf alles Zucker, sogar in die Suppe. Onkel Christoph liebten wir besonders. Im Krieg gegen Frankreich war er als Artillerieoffizier von einem Blitzschlag getroffen worden und hatte den Soldatenberuf aufgeben müssen. Seine Pension ermöglichte es ihm, jeden Winter eine fünf- bis sechsmonatige Reise zu unternehmen. Meist fuhr er in tropische Gegenden, und man erzählte sich, daß er alle außereuropäischen Städte mit mehr als 50.000 Einwohnern kennengelernt habe.

Als er um die Jahrhundertwende mit seinem Neffen Heinrich Dohna in China war und die beiden in Peking über die Straße gingen, rief jemand hinter ihnen: »Wenn dies hier Berlin wäre, müßten das zwei Dohnas sein!« Es war Albrecht Freiherr von Ledebur, der später die jüngste Schwester meiner Mutter heiratete; er hatte die beiden auf Grund ihrer Körpergröße als Dohnas identifiziert.

Nie vergaß der gute Onkel Christoph, seine Karten und Briefe aus fernen Ländern mit exotischen Marken zu versehen, die der Stolz meines Briefmarken sammelnden Vaters

*Heute stehen nur noch wenige der alten Linden, die 1625, zur Zeit des ersten Baus, gepflanzt wurden. Friedrich Schleiermacher soll mit der von ihm verehrten siebzehnjährigen Friederike Dohna hier lange Spaziergänge gemacht haben. Seine Briefe an die Eltern berichten von dieser unerfüllten Liebesgeschichte.*

waren. Mir imponierte Onkel Christoph vor allem durch seine Güte; nicht einmal eine Mücke oder eine Fliege, die es in Schlobitten in Mengen gab, konnte er totschlagen – »kein lebendiges Geschöpf darf man umbringen!« 1914 meldete er sich freiwillig; als Führer eines Lazarettzuges erlag er 1916 einem Herzschlag. Ihm trauerten wir Kinder sehr nach.

Das weitläufige Schloß in Schlobitten mit Hof, Stallungen und großem Park eignete sich herrlich zum Spielen und Herumtoben. Im Schloß selbst waren die beiden langen Galerien besonders beliebt; bei jedem Wetter veranstalteten wir hier Laufspiele oder vertrieben uns die Zeit mit Federball. Radfahren und »Autofahren« – dazu benutzten wir den mit großen Rädern ausgestatteten Büchertisch – war uns allerdings ziemlich bald verboten worden.

Eine weitere Attraktion bot der Stall mit den vielen Pferden. Der Großvater hatte für uns in einem Berliner Zirkus das Fuchsscheckpony »Koko« erworben. Um die Gutmütigkeit

*Blick in den barocken Ehrenhof von 1720 mit Marstall, ehemaliger Brauerei und Grauem Tor. Eine zweite Anlage dieser Größe und dieses formalen Anspruchs hat es in Brandenburg-Preußen, abgesehen von den königlichen Schlössern, nicht gegeben.*

dieses Ponys zu demonstrieren, war sein Reiter beim Absteigen über den Stummelschwanz des Tieres heruntergerutscht. Aber kaum war »Koko« in einer Holzkiste in Schlobitten eingetroffen, zeigte er seine Eigenheiten: als Ursula Anna aufstieg, fing er plötzlich an zu bocken und warf sie ab. Es war wohl der Rock, den sie als Mädchen unbedingt tragen mußte und der »Koko« hinter dem roten, plüschbezogenen Kindersattel kitzelte.

Der Großvater hatte auch ein Ziegengespann angeschafft, das Carl, der Sohn des Oberamtmanns Grommelt, einfuhr. Grommelts wohnten auf der anderen Seite des »Ehrenhofes«, in der sogenannten »Brennerei«, die Ziegen standen im Stall dahinter. Daß Ziegenböcke störrisch sind, bekamen wir bald zu spüren. Vom Stall konnte man sie kaum wegprügeln, dafür gingen sie auf dem Heimweg oft durch. Nach kurzer Zeit wurden die Bemühungen, ein Vierergespann aus Ziegenböcken zu lenken, wieder aufgegeben.

*Bei den Dohnas spielten die Pferde eine so große Rolle, daß selbst der Marstall mit einem barocken Uhrturm versehen wurde. Der Schlag der Uhr begleitete den Autor sein Leben lang.*

Eine meiner wichtigsten Kindheitserinnerungen sind die häufigen Ausfahrten in Schlobitten. Dann durften meine Schwester Ursula Anna und ich auf dem Bock sitzen, rechts und links vom Großvater, der seine geliebten Pferde meist fünfspännig – vorn drei, hinten zwei – mit sicherer Hand lenkte. Die Linke hielt die vier Lederzügel zwischen den einzelnen Fingern der senkrecht gehaltenen Faust, die Rechte griff nur gelegentlich ein; in ihr lag der lange braune Peitschenstiel sowie das Ende der Peitschenschnur. Die dicken Lederhandschuhe, die der Großvater beim Kutschieren trug, ließen seine an sich schon großen Hände noch gewaltiger erscheinen.

Die Schimmel oder Rappen – andere Farben wurden abgelehnt – liefen stets schnellen Trab, gelegentlich ermuntert durch ein leichtes Berühren mit der Peitschenschnur, die der Großvater mit seiner Rechten sofort wieder geschickt einzufangen verstand. Da nur schwarzlederne Sielengeschirre ohne Kammdeckel und Schwanzriemen mit Ledersträngen angelegt wurden, waren die Körper der Pferde weitgehend frei. Nur die Kopfstücke mit ihren runden Scheuklappen, in deren Mitte das Wappen, die gekreuzten Hirschstangen mit einer silbernen Fürstenkrone, blinkte, wirkten ein wenig schwer.

*Der Autor und seine Schwester Ursula-Anna 1906 bei einer Ausfahrt mit einem zu dieser Zeit in Mode gekommenen Ziegengespann; nur durch vorgehaltenes Futter konnten die Ziegen vom Stall wegbewegt werden.*

Gewöhnlich wurde der Martinique-Wagen benutzt, ein Gefährt, das der Großvater wie alle Wagen bei dem besten Berliner Wagenbauer Neuss gekauft hatte. Die sonderbare Bezeichnung Martinique-Wagen rührte daher, daß ein reicher Plantagenbesitzer auf der Insel Martinique das Vehikel nach seinen Angaben bei Neuss bestellt hatte, aber bevor er den Wagen in Empfang nehmen konnte, war er bei einem Erdbeben ums Leben gekommen. Es war ein breiter Viersitzer mit erhöhtem Kutschbock. Das aufsetzbare Verdeck mit herabhängenden wasserdichten Vorhängen, die wohl als Schutz vor tropischen Regengüssen oder gegen die Hitze gedacht waren, wurde bei uns niemals benutzt.

Als wir 1906 nach Schlobitten kamen, befanden sich die meisten Straßen auf dem Lande noch im gleichen Zustand wie Jahrhunderte zuvor. Man hatte nur zusätzlich Alleebäume gepflanzt und zu beiden Seiten größerer Straßen Gräben gezogen, hauptsächlich um zu verhindern, daß auf den Acker gefahren wurde. Auf dem schweren Schlobitter Boden wechselten ausgefahrene Gleise mit Strecken, die eigentlich nur aus tiefen Löchern bestanden. Im Sommer ging das noch an, aber im Frühjahr und Herbst war nur unter größten Mühen ein Durchkommen möglich. Dazu brauchte man vor allem ein Vehikel mit Langbaum – einer festen Verbindung zwischen vorderer und hinterer Achse; andere Wagen wurden leicht auseinandergerissen.

Der Zustand der Wege war denn auch Anlaß zahlreicher Anekdoten, die der Großvater mit Vorliebe seinen Gästen erzählte. So sei er einst im Herbst auf einem Pony nach dem nahen Dohnaschen Gut Carwinden geritten. Die Wege seien so schlammig gewesen, daß er mit beiden Beinen auf dem Boden gestanden habe, während das Pferd unter ihm immer tiefer eingesunken sei. Plötzlich habe er es unter sich rufen hören: »Auch das noch!«. Tief unter ihm war bereits ein Wagen im Morast versunken!

Eine andere Geschichte dürfte der Wahrheit etwas näher gekommen sein. Bei Fahrten von Schlobitten nach Schlodien habe man in alter Zeit den Damen im Landauer Bleipapageien auf den Schoß gesetzt, damit sie sich die Köpfe nicht am Verdeck stießen, wenn man durch die Löcher fuhr. Daß das Ausbessern der Wege gar nichts half, ja daß es die Lage oft noch verschlimmerte, daran hatte man sich längst gewöhnt. Auf die Frage, ob man diesen oder jenen Weg benutzen könne, lautete die Antwort oft genug: »Um Gottes Willen, nein, der ist doch gebessert.«

In den Jahren vor Ausbruch des Ersten Weltkrieges wurden auf Initiative des äußerst tüchtigen Landrats von Reinhard in Preußisch Holland zahlreiche Chausseen gebaut, die die Verkehrsmöglichkeiten erheblich verbesserten. Sie waren allerdings sehr schmal, da man an der Seite sogenannte Sommerwege anlegte, damit die Pferde nach Möglichkeit nicht auf der harten Straßendecke zu gehen brauchten. Auch jetzt blieben aber noch genug miserable Landwege übrig, die man oft zu fahren gezwungen war.

An Spazierfahrten waren gewöhnlich zwei bis drei Wagen beteiligt, jeder viere lang, das heißt von vier Pferden gezogen. Außer dem Großvater kutschierten mein Vater und der Leibkutscher Will, ein kleiner, dicker Mann mit rotem Gesicht, das zu der dunkelblauen Livrée und zum betreßten Zylinder stark kontrastierte. Will war der Liebling meines Großvaters, sprach einen breiten oberländischen Dialekt und konnte sich allerhand erlauben.

Gelegentlich wurde ein Picknick veranstaltet. Für ein größeres Picknick wurde einige Dienerschaft mit den notwendigen Dingen vorausgeschickt. Das beliebteste Ziel war Davids, ein kleines Barockschloß, das der Familie gehörte. Die Fahrt dorthin führte durch eine abwechslungsreiche, hügelige Landschaft. Zunächst kam man an dem zu Schlobitten gehörenden Hof Nikolaiken vorbei, von dort ging es durch den Guhrischen Wald. Entgegenkommende Wagen machten gebührend Platz; die Männer zogen tief Hut oder Mütze, die Frauen und Mägde knicksten. Im Guhrischen Wald gab es eine berüchtigte Stelle, an der sich selbst im Hochsommer das Wasser hielt und durch die man im Galopp durchfahren mußte, um nicht steckenzubleiben. Danach wurde der Weg etwas besser. Nachdem man

*Das Schlößchen Davids wurde 1730 von dem im Ersten Schlesischen Krieg bei Soor gefallenen Burggrafen Alexander Aemilius gebaut. Nach 1945 verfiel es immer mehr, wurde jedoch bis 1980 von einem polnischen Privatmann wiederhergestellt, der es zur Zeit als Gästehaus nutzt.*

das Dorf Sumpf mit dem gleichnamigen Gutshof passiert hatte, erreichte man die feste Straße, durchquerte dann den Davidser Wald und gelangte schließlich zu dem Vorwerk Davids.

Das reizende Barockschlößchen lag etwas abseits auf einer Anhöhe, umrahmt von alten Eichen und Linden. Es war von einem Vorfahren, dem Feldmarschall Alexander, als Witwensitz um 1730/31 gebaut worden. Der Architekt, Landbaumeister Hindersin, hatte über einem relativ niedrigen Parterre eine großzügige Beletage mit hohen Fenstern errichtet. Leider verunzierte eine Reihe unschöner Umbauten die Innenräume. Überdies hatte man Ende des 19. Jahrhunderts dem Eingang eine Veranda mit Betonsäulen und Geländer vorgesetzt, neumodische Fensterrahmen mit falschem Fensterkreuz und unharmonische Dachluken eingesetzt und das ganze Haus gelbgrau angestrichen.

Wir Kinder achteten natürlich nicht auf solche Äußerlichkeiten, sondern stürmten, kaum angelangt, die Treppe hinauf in die oberen Zimmer und auf den großen Balkon, in dessen Mitte von den vorausgeeilten Dienern ein kreisrunder, weißgedeckter Tisch mit Bergen von Obst und Streuselkuchen bereitgestellt worden war. Von hier aus hatte man einen großartigen Blick über die halbkreisförmig ausgebreitete Landschaft: im Vordergrund schachbrettartig angeordnete Felder, die in verschiedenen Farben leuchteten, entsprechend dem, was gerade angebaut war; dazwischen die Dörfer mit ihren roten Ziegeldächern, aus deren Mitte die Kirchtürme ragten; linker Hand der dunkelgrüne, zu Schlobitten gehörige Laubwald; in der Mitte Preußisch Holland, die Kreisstadt mit dem hochgelegenen Ordensschloß; dahinter am fernen Horizont die bläulichen Forsten der Dönhoffschen Begüterung Quittainen. Bei klarem Wetter konnte man weithin nach Westen den hohen Turm der Marienburg sehen. Über alles wölbte sich der blaßblaue ostpreußische Himmel. Eine sanfte Brise, wie sie stets in der Nähe des Meeres weht, und der Schatten der alten Bäume erhöhten die Annehmlichkeit dieses Platzes.

Nach der ausgiebigen Kaffeetafel stolzierte dann die ganze Gesellschaft – häufig an die zwanzig Personen – in den nahen Davidser Grund. Der Weg führte durch ein parkartiges Zwischenstück mit großartigen Eichen, die einzeln oder in Gruppen standen; dieser baumbestandene Grund wurde als Naturschutzgebiet behandelt. Entlang dem tief unten fließenden Bächlein gelangte man zu einem Platz, an dem Holzbänke zum Verweilen einluden und von wo aus manchmal einige Rehe als rote Flecke in der Ferne sichtbar wurden. Wo die selten benutzte Landstraße von Davids nach dem Dorf Bunden aus dem Wald führte, stand eine der stärksten Schlobitter Eichen, deren Durchmesser fast zwei Meter betrug. Mitte der zwanziger Jahre ließ ich ihren Stamm vom Unterwuchs freischlagen, damit man diesen alten Recken schon von weitem sehen konnte. Ihn haben wir 75 Jahre später noch kerngesund unseren Kindern und einem der Enkel gezeigt.

Zuweilen, wenn besonders viele Gäste ausfuhren, wurde die sogenannte Coach angespannt, in der zwölf Erwachsene bequem Platz fanden. Man bestieg den Wagen über zwei Trittleitern, die mit lautem Knall herausgezogen wurden. Drei Personen – darunter der Kutschierende – saßen vorn, drei hinten, mit dem Rücken entgegen der Fahrtrichtung; die übrigen saßen jeweils zu dritt, Rücken an Rücken in Längsrichtung. Der Wagen war hoch gebaut, hatte riesige rote Räder sowie rot-schwarz-karierte Sitze und Wagendecken. Auf dem Schoß eines Erwachsenen sitzend, litt ich unter der Angst herunterzufallen. Hatte doch einmal der sonst so unfehlbare Kutscher Will auf einer Spazierfahrt beim Wenden seinen Wagen vor meinen Augen zum Kippen gebracht und Ursula Anna darunter begraben. Sie kam mit blutenden Schrammen und einem Schock davon, aber seither hatte ich Angst vor hohen Kutschen.

# Behlenhof

Als wir Schlobitten im Frühjahr 1908 verließen, um nach Behlenhof zu ziehen, waren wir zunächst ziemlich traurig. Dann aber lockte das Neue: Es war das erste Mal, daß wir ein eigenes Haus mit allem Drum und Dran bewohnen sollten. Am Ende wurden die Jahre in Behlenhof für mich der schönste Lebensabschnitt meiner Kindheit.

Mein Vater hatte bereits von Schlobitten aus die total heruntergekommene Landwirtschaft von Behlenhof wieder aufzubauen begonnen. Er hatte sofort erkannt, daß der größte Teil der Felder drainiert, das heißt entwässert werden mußte; da jedoch keine staatliche Genossenschaft zustande kam, weil die Behlenhofer Kleinbauern die Drainage ablehnten – sie glaubten, die Zinsen für das Kapital nicht aufbringen zu können –, mußte mein Vater das Geld aus eigener Tasche zahlen. Mein Großvater unterstützte ihn dabei.

Eine große Hilfe für meinen Vater war der tüchtige Inspektor Schidlowski, ein großgewachsener Junggeselle mit schwarzem Spitzbart. Fast täglich ritten sie über die Felder, und danach sah man die beiden oft im Arbeitszimmer meines Vaters über Pläne und Bücher gebeugt. Kamen wir Kinder zufällig herein, wurden wir auf der Stelle hinausgewiesen, während wir sonst dort gern gesehen waren.

Anders als in Schlobitten gab es in Behlenhof eine direkte Verbindung zu Ställen und Scheunen, die zusammen mit dem Gutshaus drei weiträumige Höfe bildeten. Keine hundert Meter vom Gutshaus entfernt stand der Kuhstall – allerdings hinter Bäumen und Gebüsch versteckt. In diesem Gebüsch habe ich mir bald ein eigenes gemütliches Haus aus Zeltbahnen und Stroh eingerichtet; auch überließen uns die Eltern ein kleines, fruchtbares Stück Land direkt neben dem Gemüsegarten, das wir selbst bebauten und dessen Erzeugnisse wir an die Küche verkauften. Als wir älter wurden, zog ich statt des Gemüses Blumen, die weniger Pflege brauchten. Ursula Anna

*Der Vater des Autors verbrachte die letzten Jahre seines Lebens mit seiner Familie auf Behlenhof, einem Nebengut von Schlobitten, nachdem er wegen einer Krankheit aus dem aktiven Militärdienst ausgeschieden war.*

säte auf ihrem Stück einfach Rasen an, rund um ein kleines Rondell mit bunten Wicken. Im Gegensatz zu mir war sie am Verdienst nicht mehr interessiert.

Eine Lust war der riesige Obstbaumgarten, in dem Kirschen, Birnen, Pflaumen und Äpfel reiften. Mattern, einer der Bauern aus dem Dorf, führte die Aufsicht über das Obst, drückte aber ein Auge zu, solange wir nicht die besten Früchte von den Bäumen holten. Ich bilde mir jetzt noch ein, nie wieder so fabelhaft schmeckendes Obst gegessen zu haben. Mattern war bei dem Vorbesitzer von Behlenhof, Onkel Achatius Dohna, Gärtner, Förster und Waldhüter in einer Person gewesen; im Garten trug er noch seine verschossene grüne Jacke und einen alten Jagdhut. Einmal begleiteten ihn Ursula Anna und ich in den nahen Wald. Auf einem mit Gras bewachsenen Weg lag plötzlich eine Kreuzotter mit vier oder fünf Jungen, die schnell vor uns zu flüchten suchten. Mattern schlug erst das Muttertier tot und ruhte nicht, bis er auch sämtliche Jungen getötet hatte. Die giftige Kreuzotter war damals bei uns schon selten, aber noch immer wurde für ein totes Tier von der Forstverwaltung in Schlobitten eine Prämie, ein sogenanntes Schußgeld, gezahlt.

Wie schon in Potsdam und Schlobitten, wurden wir auch in Behlenhof von Hauslehrern unterrichtet. Für die jüngeren Geschwister war die Gouvernante, Fräulein Dietzsch, zuständig, eine hübsche, dunkelhaarige Darmstädterin, die auch mit uns allerhand unternahm. Die Hauslehrer waren meist jünger und standen noch in der Ausbildung. Der erste war Herr Bittkau, ein kleiner, drahtiger Mann mit roten Haaren, der aus Neuruppin stammte. Wir mochten ihn sehr, weil er so sportlich war. Gleich am ersten Abend spielten wir ihm einen Streich. Zum Abendessen wurde wie immer Smoking getragen, und auch Herr Bittkau folgte diesem Brauch. Nach dem Essen gingen Ursula Anna und ich mit ihm in den Garten. Herr Bittkau verkündete stolz, wie schnell er laufen könne, und wir forderten ihn auf, uns einen Beweis zu geben. Die Strecke, die er laufen sollte, war, wie wir wußten, an einer Stelle sehr abschüssig. Da es geregnet hatte und schon dämmerte, rutschte Herr Bittkau an dieser Stelle dann auch prompt aus und fiel mit seinem schönen Smoking in den Dreck. Wir konnten uns das Lachen kaum verbeißen; so sind eben Kinder.

Auf Herrn Bittkau folgten nacheinander zwei etwas farblose Kandidaten der Theologie, Herr Moritz und Herr Schwede; beide blieben nur kurze Zeit. Herr Schwede heiratete später die Tochter des Lehrers Friedrich Hoffmann in Behlenhof. Sein Nachfolger war Herr Jeroschewitz, ebenfalls Kandidat der Theologie, ein gescheiter, aufgeschlossener, sportlicher Mann, den wir heiß liebten und dem ich sehr viel zu verdanken habe. Er stammte aus bescheidenen Verhältnissen, und mit seinem ersten Gehalt erfüllte er sich drei lang gehegte Wünsche, die in seinen Augen reiner Luxus waren. Damals erschienen die ersten Versandkataloge, und aus einem dieser Kataloge bestellte sich Herr Jeroschewitz eine goldene Uhr mit Klappdeckel, eine Zither und einen Fotoapparat mit Zubehör. Das Entwickeln der Platten und das Herstellen von Abzügen war damals noch ein sehr umständliches Verfahren. Beim

*Alexander Dohna
1914 mit seinem
sieben Jahre
älteren Haus-
lehrer Adolph
Jeroschewitz, mit
dem ihn ein freund-
schaftliches Verhält-
nis verband.*

Kopieren spannte man die Platten zusammen mit Kopier-
papier in Holzrahmen und legte sie anschließend in die Sonne;
oft gerieten die Abzüge dabei entweder zu hell oder zu dunkel,
und bereits nach wenigen Jahren waren sie so stark verbli-
chen, daß kaum noch etwas zu erkennen war.

Herr Jeroschewitz war ein moderner Lehrer, was unter
anderem darin zum Ausdruck kam, daß er uns den politischen
Aufbau des Deutschen Reiches und Preußens erklärte. Immer
war sein Unterricht interessant; Höhepunkt aber war der
Sport, der bei ihm und uns an erster Stelle stand. Da er recht
gut Tennis spielte und der Platz in Schlobitten zu weit entfernt
war, ließ mein Vater einen Rasentennisplatz in Behlenhof
anlegen. Dieser hatte zwar einige Mängel: der Boden war zu
lehmig und trocknete schwer ab, die weißen Linien mußten
fast nach jedem Spiel neu gezogen werden, auch fehlte eine

Walze, aber trotzdem fanden dort wahre Tennisschlachten statt, besonders mit Carl Grommelt. Auch unsere Eltern beteiligten sich gelegentlich, vor allem meine Mutter, die schon in Potsdam kleinere Turniere bestritten hatte und bei weitem am besten spielte.

Etwa 1912 engagierte mein Vater einen Engländer namens Caney als Bereiter. Caney ritt nicht nur ausgezeichnet, sondern spielte auch leidenschaftlich Fußball. So wurde gegen Abend der große Hof in einen primitiven Fußballplatz verwandelt, und zusammen mit Caney, seinen beiden Söhnen und der halben Dorfjugend rannten wir leidenschaftlich hinter dem Ball her. Die Bälle gingen sehr schnell kaputt, bis uns die Eltern eines Tages einen aus echtem Leder mit Gummiblase schenkten; er kostete 20 Mark, damals ein kleines Vermögen. Auf sportliche Betätigung legten die Eltern nun einmal großen Wert. Neben Tennis und Fußball übte man sich vor allem in Leichtathletik und Geräteturnen; in Behlenhof wie auch in Schlobitten gab es Reck, Barren und Ringe. Von Leichtathletik und Geräteturnen waren die Mädchen ausgeschlossen. Vom Fußball natürlich auch.

Mein Vater legte Wert darauf, daß seine Söhne frühzeitig mit dem Jagdgewehr umzugehen lernten. So begannen wir von klein auf, zunächst mit »Heureka-Pfeilen«, die vorn mit einem Sauggummi versehen waren, auf große Scheiben zu schießen. Mit neun oder zehn Jahren bekam ich einen 6-Millimeter-Tesching. Nachdem ich meine Treffsicherheit beim Scheibenschießen demonstriert hatte, wurde mir erlaubt, auf die Spatzen auf dem Hof Jagd zu machen; die »Beute« wurde von der Köchin, die davon allerdings nicht sehr erbaut war, gerupft und gebraten und von mir mit großem Stolz verspeist.

Außer von meinem Vater erlernten wir das Jagen auch von seinem Leibjäger Wilhelm Becker. Dieser großgewachsene, blendend aussehende Mann, der stets die grüne Uniform der Schlobitter Förster trug, betreute den kleinen Behlenhofer Wald und begleitete unseren Vater auch auf auswärtigen Jagden. Es war uns streng untersagt, auf Menschen, auch nur mit einem Kindergewehr, zu zielen oder mit dem Tesching zu hantieren, wenn mein Vater oder Becker nicht dabei waren. Ein weiterer Grundsatz lautete, niemals zu schießen, wenn wir das Ziel nicht genau ausgemacht hatten. Dies prägte sich mir tief ein und bewahrte mich zehn Jahre später vor einem schrecklichen Unglück, das mein ganzes Leben hätte belasten können. Während eines Waldtreibens in Goraj auf Hasen und Kaninchen raschelte es plötzlich im Gebüsch. »Schieß doch!«, forderte mich Willusch Hochberg, der Jagdherr, auf. Ich tat es nicht, und heraus kroch zu unserem großen Schrecken der sechsjährige Sohn von Willusch. Er hatte Häschen spielen wollen.

Als ich dreizehn Jahre alt war, durfte ich das erste Mal allein auf die Jagd gehen, selbstverständlich nur auf Spatzen und Krähen. Es war ein bitterkalter Tag, und ich fuhr mit »Koko« und dem Schlitten ins benachbarte Hermsdorf. Lebhaft unterstützt von der Dorfjugend, schoß ich mehrere Krähen, die nach Körnern auf dem Misthaufen suchten. Als ich dies am Abend stolz meinem Vater berichtete, gab es ein fürchterliches Donnerwetter: Er hatte kein Jagdrecht in Hermsdorf und mußte sich beim Gemeindevorsteher für seinen ahnungslosen Sohn entschuldigen.

Ein besonderer Spaß für uns war es, im Winter in die »Krähenhütte« am Parkrand von Schlobitten zu gehen. Der zuständige, aus Oberschlesien stammende Jäger Kanja, der auch zwei Jahre lang in Schlobitten Fasanen aufgezogen hatte, hielt dort einen lebenden Uhu. Die Hütte war zur Tarnung in den Boden eingegraben, und der Uhu saß neben der Hütte auf einem Ast. Ab und zu zog man an der Leine, die dem Vogel ums Bein gebunden war, und da er dadurch den Halt zu verlieren drohte, schlug er mit den Flügeln. Dies machte die Krähen auf den Uhu aufmerksam, und wenn sie dann auf ihn herunterstießen, konnte man sie leicht schießen. Für Krähen und andere Greifvögel wie Bussard, Hühnerhabicht, Sperber, Wanderfalke und sogar Schreiadler, aber auch für Marder und Fuchs wurde Schußgeld gezahlt. Der Schütze mußte die Ständer der Vögel bzw. den Windfang der Vierbeiner vorzeigen. Mancher Forstangestellte hatte auf diese Weise einen guten Nebenverdienst.

Da mein Vater ein leidenschaftlicher Reiter war und ein ange-
borenes Talent im Umgang mit Pferden besaß, wurden wir
Kinder schon früh auf den Pferderücken gesetzt und mußten
reiten lernen. Das war nicht immer ein Vergnügen, besonders
dann nicht, wenn man uns auf die zweijährigen Vollblüter
meines Vaters setzte, die noch nicht eingeritten waren. Man
hatte sie zwar mit aufgelegtem Sattel vorher longiert, aber die
jungen Pferde begannen dennoch häufig zu bocken, wobei ich
öfters herunterfiel, oder sie gingen durch; dann versuchte
man, sie auf einen Sturzacker oder eine feuchte Wiese zu lenken, deren tiefer Boden sie schnell ermüdete. Ich muß gestehen, daß Ursula Anna viel passionierter war und besser reiten
konnte als ich.

Auch die Kinder, die uns besuchten, meist Vettern und
Kusinen, erhielten Reitunterricht, soweit sie Lust dazu hatten.
Mein Vetter Hermann Otto Solms aus Lich, der vor allem
Hunde liebte, lehnte das Reiten strikt ab, während sein jüngerer Bruder Carl sich sofort aufs Pferd setzte und auf einem
Sandplatz die ersten Reitstunden erhielt. Schon nach wenigen
Stunden saß er recht sicher im Sattel; als dann aber das Pferd
einen unvorhergesehenen Satz machte, fiel er herunter und
blieb unglücklicherweise im Steigbügel hängen. Das Tier
galoppierte zurück in den Stall, und Carl schlug mit dem Kopf
gegen die Türkante. Er zog sich eine klaffende Wunde an der
Schläfe und einen Schädelbruch zu. Es war der einzige folgen-
reiche Reitunfall, den ich erlebte.

Kutschieren lernten wir ebenfalls; schon mit zehn Jahren
lenkten wir »Koko« im Ponywagen. Als wir größer wurden,
fuhren wir mit den Pferden des Vaters. Sechs bis acht Wagenpferde und vier Reitpferde standen den Eltern persönlich zur
Verfügung. Kutscher Liedtke, ein zuverlässiger, wenn auch ein
wenig ängstlicher Mann, war für alles zuständig. Ihm standen
zwei Stallburschen zur Seite; der eine, Jaschinski, der ein
besonders feines Gefühl für Pferde hatte, kam später als Stu-
tengespannführer nach Schlobitten.

Der Stall, die Remise und die Sattelkammer in Behlenhof
wurden tadellos geführt. Die Stände der Pferde waren nach

der Stallgasse hin, genau wie in Schlobitten, mit geflochtenen Strohmatten abgeschlossen, die vom Stallpersonal angefertigt und ein- bis zweimal im Jahr erneuert wurden. Die aus Schlobitten geliehenen Kummetgeschirre wurden nur angelegt, wenn Gäste vom Bahnhof abzuholen waren; für unsere Spazierfahrten benutzten wir Sielengeschirre. Alle Geschirre trugen unser Wappen. Neben den Damen- und Herrensätteln gab es aus früheren Zeiten eigene Kindersättel in verschiedenen Größen, die mit rotem Samt oder hellem Wildleder bezogen waren und zum Teil noch aus der Zeit meines Urgroßvaters stammten.

Ein Hauptvergnügen im Winter waren die ausgedehnten Schlittenfahrten. Die langen Winter in Ostpreußen, oft begleitet von wochenlangen Frostperioden, machten eine besondere Ausrüstung erforderlich: Pelze und dicke Pelzmützen, die man über die Ohren zog, weiße Filzstiefel mit dicken Filzsohlen, an der Spitze und an den Fersen durch braune Lederkappen verstärkt. Die Filzstiefel, die natürlich nur bei trockenem Wetter ihren Zweck erfüllten, wurden von einem bekannten Schuhmacher, Herrn Feuerabend in Zinthen, auf Bestellung angefertigt. Wenn die Stiefel der Familie so vor der Haustür standen, sahen sie aus wie sieben Orgelpfeifen.

Die Pferdeschlitten in Behlenhof waren rot angestrichen. Vorn am Schlitten war ein hohes Schutzschild aus Holz angebracht – bei den Selbstfahrern bestand es aus Drahtgitter –, um die Insassen vor den Schneeklumpen, die bei schnellem Traben hochgeschleudert wurden, zu schützen. Hinten hatten die Schlitten ein stoffbezogenes Trittbrett für die Dienerschaft, das aber selten benutzt wurde. Manchmal sprangen in den Dörfern während der Fahrt Kinder auf, die wir aber leicht loswurden, indem wir ihnen die Wollmützen vom Kopf zogen und in den Schnee warfen. Mitunter spannten wir auch das Pony vor unsere Rodelschlitten – bis zu fünf Schlitten hintereinander – und fuhren damit im Park herum, häufig begleitet von Geschrei und Gelächter, besonders wenn ein Schlitten umkippte.

Es gab unangenehme Schlittenfahrten bei eisigem Wind

oder auch bei Schneesturm, der mitunter meterhohe Schnee-wälle auftürmte. Meist fuhr man über diese bizarren Gebilde einfach hinweg; das Durchschaufeln der Schneewehen wurde erst mit dem zunehmenden Autoverkehr in den zwanziger Jahren erforderlich. Vor dem Ersten Weltkrieg ließen die wenigen Autobesitzer auf dem Lande ihre Wagen im Winter stehen.

Solche Schlittenfahrten waren jedoch die Ausnahme. In unvergeßlich schöner Erinnerung ist mir das völlig lautlose Gleiten durch die in der Sonne glitzernde, schneebedeckte Landschaft Ostpreußens, begleitet nur von dem leisen, rhyth-mischen Klingeln der Glöckchen am Kopfzeug der Pferde. Während einer solchen Fahrt bei Sonnenschein und eisiger Kälte verrutschte meine Mütze, ohne daß ich es bemerkte, und ich erfror mir das eine Ohr. Als ich aus dem Schlitten kletterte, sah meine Mutter, die uns vor dem Haus erwartete, mein schneeweißes Ohr. Die Gefahr sofort erkennend, rieb sie es mir vorsichtig so lange mit Schnee ein, bis es feuerrot wurde. Es schwoll nun unförmig an, und wie bei einer Ver-brennung entstanden große Blasen. Es hieß, daß steifge-frorene Ohren ausfransen oder gar abbrechen können. Zum Glück habe ich meine beiden Ohren noch heute.

Das große Ereignis des Sommers, auf das wir uns lange vor-bereiteten, waren die Ferien in Prökelwitz, wo wir meist meh-rere Wochen blieben. Die Nacht vor der langen Fahrt konnten wir vor Aufregung kaum schlafen. Für die 46 Kilometer über staubige Landwege benötigten wir mit den schnellen ostpreu-ßischen Pferden im Viererzug mit einer Pause drei Stunden. Wegen der Hitze brach man schon frühmorgens auf: die Damen mit Schleiern und Hüten und eingehüllt in dünne Baumwolldecken gegen den alles durchdringenden Staub. Der Gepäckwagen mit der Dienerschaft und den großen Kof-fern fuhr voraus.

Genau auf halber Strecke, im Nahmgeister Grund, einem schattigen kleinen Tal, wurden die Pferde aus mitgeführten Holzeimern, die man im Bach füllte, getränkt. Wir Kinder bekamen Brot und Milch. Weiter ging es, vorbei an einem

Kreuzweg mit hübschem altem Wegweiser, dessen Schilder auf geschnitzten Engelsflügeln angebracht waren, durch den Groebenschen Besitz Wiese, das große Dorf Reichenbach rechts liegen lassend, nach Lippitz mit seinem dem Alkohol zugetanen Besitzer. Kurz vor der Prökelwitzer Grenze, gerade noch auf Lippitzer Seite, stand jener große Stein, auf dem festgehalten war, daß Kaiser Wilhelm II. hier einen kapitalen Rehbock erlegt habe. Mein Großvater hatte die Erlaubnis zum Abschuß dieses Bocks vom Nachbarn in Lippitz eingeholt, der zum Dank dafür vom Kaiser eine Nachbildung des Rehgehörns erhielt. Dann ging es noch zwei Kilometer über Landwege; zwischen den Linden hindurch sah man links das Vorwerk Königsee, rechts das Vorwerk Vatersegen. Und da lag es plötzlich: das geliebte Prökelwitz, der Hof in einer Senke, das Wohnhaus ein wenig abseits auf einer kleinen Anhöhe.

Das alte Haus hatte einen unaussprechlichen Charme, etwas Vollkommenes, gepaart mit ernster Würde. Das Gebäude war einstöckig, mit vorgezogenen kleinen Flügeln zum Hof hin, in denen je ein Zimmer für die Dienstboten lag. Das weit heruntergezogene Dach war von drei gewaltigen, schön profilierten Schornsteinen gekrönt, wie sie die Barockzeit so liebte. Durch eine hohe, rundbogige Tür trat man in einen steinbefliesten Raum. Leider war um die Mitte des 19. Jahrhunderts die alte Treppe herausgerissen und eine neue mit häßlichem Geländer eingebaut worden. Damals hatte man noch einige andere Veränderungen vorgenommen und ohne Rücksicht auf den barocken Stuck am Plafond quer durch den riesengroßen ebenerdigen Wohnraum eine Wand ziehen lassen. Mit dem Verkauf einiger hundert Rehgehörne und einzelner Hirschgeweihe an eine bayerische Knopffabrik habe ich mir zwanzig Jahre später genügend Geld verschafft, um die schlimmsten Geschmacksverirrungen wieder rückgängig zu machen. Dadurch wurde auch die Zahl der »Knochen« in allen Räumen drastisch reduziert.

Unvergeßlich bleibt mir der alljährliche Empfang durch die uralte »Malchen«, die Prökelwitzer Kastellanin mit ihrem kleinen weißen Häubchen. Kaum größer als wir Kinder, begrüßte

*Zum Besitz Schlobitten zählten die Herrenhäuser Schlobitten (1713), Prö-
kelwitz (Ende des 17. Jh.), Davids (1730), Coellmen (1820) und Behlenhof
(umgebaut 1907). Prökelwitz wurde hauptsächlich als Sommerwohnsitz
benutzt, ein Ferienparadies für die Kinder. Hier wohnten auch Jagdgäste,
darunter mehrmals der letzte Kaiser.*

sie uns knicksend, um uns nach oben in den »Saal« zu begleiten, wo wir in vier Himmelbetten mit blumenbemusterten
Kattunvorhängen schliefen. Durch die großen Giebelfenster
hatte man einen schönen Blick nach draußen. Die alten Wal-
nußbäume im Park – eine Rarität in Ostpreußen – trugen
Sommer für Sommer reichlich Nüsse. Hinter dem Rondell
begann eine Weißbuchenallee, der man ansah, daß sie in alter
Zeit beschnitten worden war. Unter den Baumkronen hindurch schweifte der Blick weithin gegen Westen über das
fruchtbare Land bis in die Marienburg-Elbinger Niederung
hinein.

Die Sommerwochen in Prökelwitz waren für uns Kinder voller Abenteuer; es gab hier vieles, was es in Schlobitten und Behlenhof nicht gab, zum Beispiel das nicht ganz geheure »Hexenhäuschen«, ein kleines Gebäude mit tief herabgezogenem Strohdach, in dem der einäugige Gärtner Schmidt allerlei merkwürdiges Gartengerät aufbewahrte. Vor allem gab es hier viel Wald, in dem man nach Belieben fahren und reiten konnte. Die Prökelwitzer Wälder bargen manches Geheimnis. In der nahe gelegenen Heide war die »Schwedenschanze« ein besonders beliebter Ort. Auf diesen versteckten Hügel hatte sich die Prökelwitzer Bevölkerung während der Schwedeneinfälle im 17. Jahrhundert zurückgezogen. In unmittelbarer Nähe lag der um 1850 von Oberjäger Ehm angelegte »Pflanzgarten«; die seltenen Bäume gediehen an diesem vor Wind und Kälte geschützten Fleck mitten im Wald erstaunlich gut.

Am geschichtsträchtigsten war wohl der »Schloßberg« im Sakrinter Wald, auf den Landkarten Grevose genannt. Es handelte sich ursprünglich um eine Holzburg der Prußen, die in der zweiten Hälfte des 13. Jahrhunderts vom Deutschen Ritterorden besetzt wurde. Kurze Zeit darauf, nach der Überlieferung in einer Weihnachtsnacht, als die Ordensbrüder zum Gebet versammelt waren, eroberten die Prußen die Festung zurück. Als sie der Orden einige Jahre später endgültig in seine Gewalt brachte, brannte er sie vollkommen nieder. Zur Zeit meines Großvaters hatte der stets neugierige Wildmeister Schmidt ohne Genehmigung einige Scherben und Bronzeteile ausgegraben. Mein Großvater machte ihm deshalb heftige Vorhaltungen; die interessantesten Stücke gab er an das Prußia-Museum in Königsberg. Der »Schloßberg« war etwa 60 Meter hoch und lag in einer Schleife des Flüßchens Sorge. Die dreifachen Festungswälle, auf denen wohl einst Palisadenzäune gestanden hatten, waren noch immer deutlich erkennbar, und für uns Kinder war dieser geheimnisumwitterte Hügel der ideale Ort für alle möglichen Spiele.

Von Prökelwitz aus fuhren wir oft nach Finckenstein. Dieser schöne und große Besitz mit dem prachtvollen Barockschloß war in der zweiten Hälfte des 18. Jahrhunderts durch

Kauf an meinen dreifachen Urgroßvater Friedrich Alexander Dohna gefallen, der ihn seinem jüngeren Sohn vererbte, während der älteste Schlobitten erhielt. Onkel Georg und Tante Gertrud, die Besitzer von Finckenstein, waren kinderlos und baten meine Eltern deshalb häufig, uns mitzubringen. Da die Bahnverbindung schlecht war, nahmen wir für die etwa 25 Kilometer den Pferdewagen. Einmalig schön war vor allem der letzte Teil der Fahrt, die 7 Kilometer lange, schnurgerade Chaussee durch Finckensteiner Wald.

Das Schloß war von Onkel Georg mit Sachverstand und großem Einfühlungsvermögen renoviert worden. Dies war um so notwendiger gewesen, als sein Vorgänger, der unverheiratete Onkel Rodrigo, der ein halbes Jahrhundert lang Besitzer von Finckenstein gewesen war, alles sehr vernachlässigt hatte. Aus den entlegensten Winkeln holte Onkel Georg schöne Einrichtungsstücke hervor, unter anderem eine prachtvolle Barockgarnitur, ein Sofa und eine Reihe von hochlehnigen Sesseln und Stühlen, alle mit alter Petitpoint-Stickerei bezogen, die bis dahin unbeachtet in der Patronatsloge der Kirche gestanden hatten. Zwei vergoldete und sparsam mit Blumen bemalte hohe venezianische Eckschränke waren die Zierde des chinesischen Saals; da dieser große, repräsentative Raum nur mit wenigen Möbeln bestückt war, kamen der edle Stuck des Plafonds und der prachtvolle Fußboden aus großen, abwechselnd schwarzen und weißen Marmorplatten gut zur Geltung. Die mit vielen kleinen chinesischen Figuren besetzte Ledertapete machte auf mich einen ebenso starken Eindruck wie die Seidentapete in einem der Nebenräume, der sogenannten »Schmelzenstube«: Auf gelbem Untergrund waren silbern wirkende Säulen aus Glasperlen aufgestickt, was dem Zimmer einen ungewöhnlich festlichen Charakter verlieh.

Von dem zentral gelegenen chinesischen Saal eröffnete sich durch eine große verglaste Tür eine wunderbare Aussicht auf den von Onkel Georg wiederhergerichteten französischen Garten mit geschorenen Bäumen und Hecken, Blumenbeeten, Sandsteinfiguren und einem Springbrunnen. Am Ende des Parks schimmerte der Gaudensee, auf dem zahllose wilde

Schwäne schwammen. Kunst und Natur verbanden sich in Finckenstein in seltener Harmonie.

Onkel Georg, der mit gütigen Augen in die Welt blickte und zu dem wir Kinder sehr schnell Vertrauen faßten, hatte eine Glatze und trug einen Vollbart. Er kleidete sich nach englischer Art mit großgemusterten Anzügen und Knickerbockern; die Mütze war jeweils aus gleichem Stoff. Die Tante mit ihrer feinen, etwas näselnden Stimme hielt bei schönem Wetter stets einen elfenbeinfarbenen Sonnenschirm aufgespannt. Auch sie war freundlich, aber obwohl sie sich besonders um uns Kinder bemühte, fanden wir kein rechtes Verhältnis zu ihr.

Mit Kinderaugen registrierten wir kritisch die Unterschiede zu Schlobitten. Die Diener trugen graue Anzüge, was uns weniger vornehm schien als die schwarzen bei uns. Pferde und Geschirre konnten es mit den unsrigen erst recht nicht aufnehmen. In Finckenstein wurde häufig im Schritt gefahren; der Kutscher, den wir darauf ansprachen, gab eine wenig einleuchtende Antwort: »Bergauf schon' mich, bergab halte mich.« Das mußten recht schlechte Pferde sein! Dagegen schmeckte das Essen in Finckenstein weitaus besser. Allerdings wurden auch stets unsere Lieblingsspeisen aufgetischt.

1912 starb Onkel Georg. Mein Vater notierte in seinem Tagebuch: »Am 7. Februar starb Onkel Georg in Finckenstein, mit dem ich mich besonders nahe stand. Unvergeßlich wird mir, wie sein Beispiel, die Feier seiner Beerdigung am 12. Februar bleiben. In den 12 Jahren seines Besitzes von Finckenstein hatte er mit Tante Gertrud zusammen es verstanden, aus einem halbverfallenen, schlecht bewirtschafteten Finckenstein ein vorzüglich gehaltenes, soigniertes und mit dem größten Verständnis zurechtgemachtes Schloß mit Park, sowie einen großartig verwalteten Besitz zu machen, dem er alle seine Kunstinteressen und seinen nie ermüdenden Fleiß zuwandte. Da Onkel Alfred [Georgs Bruder], sein Erbe, in Petersburg Militärbevollmächtigter ist und für diese Kunstinteressen gar kein Verständnis hat, wird wohl leider alles mit so viel Liebe Angelegte bald zerstört sein!«

Mein Vater mochte Onkel Alfred an sich sehr gern, und

auch ich habe ihm manches zu verdanken. Ihm und Tante Änni, geborene von Wallenberg, fehlte jedoch jeglicher Sinn für Kunst. So kam es, wie mein Vater vorausgesehen hatte: Die Schloßräume wurden mit den Einrichtungsgegenständen aus der Generalswohnung von Onkel Alfred überfrachtet, die schönen alten Möbel traten in den Hintergrund. Die wunderbare Gartenanlage ließ Onkel Alfred zum Glück unangetastet, ebenso die gut funktionierende Forst- und Landwirtschaft, die der wirtschaftlich sehr tüchtige Onkel Georg aufgebaut hatte.

Im Frühjahr, wenn es in Behlenhof noch kalt und unwirtlich war, reisten wir mit den Eltern meist nach Lich, wo meine Mutter herstammte. In Hessen überzog dann schon das erste Grün Bäume und Felder. Auf die Besuche in Lich freuten wir Kinder uns vor allem wegen der drei Kusinen Anna Agnes (Agi), Elisabeth und Johanna Solms, die auch vom Alter her ausgezeichnet zu uns paßten. Ihr Bruder Philipp war einige Jahre älter und spielte selten mit uns. Alle drei Kusinen waren sehr musikalisch und schauspielerisch besonders begabt. Gewöhnlich wohnten wir auf der gleichen Etage wie sie, später auch im Dachgeschoß, das zahlreiche ausgebaute Mansarden hatte. So gut wie die Kinder standen sich auch die Eltern miteinander, nicht nur weil meine Mutter mit ihrer Schwägerin, sondern auch weil mein Vater ausgezeichnet mit seinem Schwager, dem Fürsten Carl zu Solms-Lich, harmonierte.

Die günstige finanzielle Lage vor dem Ersten Weltkrieg nutzte auch Onkel Carl, um sein Schloß zu vergrößern. Die ursprüngliche Wasserburg mit ihren beiden Rundtürmen war schon früh in ein Barockschloß und dann in der ersten Hälfte des 19. Jahrhunderts noch einmal sehr geschickt umgebaut worden. Nun errichtete Onkel Carl einen Neubau, dessen Kernstück ein großer quadratischer Saal bildete. Durch die Bauarbeiten wurden uns zusätzliche Spiel- und Turnmöglichkeiten geboten. Niemand konnte damals ahnen, daß die folgenden Generationen keine Freude an diesem Anbau haben würden: Der Erste Weltkrieg veränderte die gesellschaftliche und wirtschaftliche Lage des Adels so grundlegend, daß ein Festsaal in diesen Ausmaßen zu einem weitgehend überflüssigen, kostspieligen Relikt wurde.

Von Lich aus besuchten wir ein paarmal die zum Solmsschen Besitz gehörende Burg Hohensolms. Bis auf ein in der Barockzeit umgebautes großes Gebäude im ehemaligen Innenhof war die Burg eine Ruine. Der halbverfallene Bau in der Mitte wirkte auf uns Kinder besonders gruselig. Das lag vor allem an dem »Schwarzen Gemach«, das mit einer verblaßten blaugoldenen Ledertapete ausgeschlagen war. Im Alkoven stand ein gewaltiges schwarzes Himmelbett. Am Kopf des Bettes waren auf heller Seide in Gold die Buchstaben »LL« für Ludwig Graf zu Solms und Louise Burggräfin zu Dohna gestickt. Als Louise 1687 starb, stellte Ludwig, der sich nicht von ihr trennen konnte, ihren Sarg auf einen Katafalk, den er mitten im Raum aufbauen ließ. Gleichzeitig brachte man am Bett und an den Fenstern schwarze, bis zum Boden fallende Vorhänge an. Lediglich zwei große Spiegel mit reich vergoldeten Rahmen hellten den düsteren Raum ein wenig auf, in dem Ludwig nun neben seiner toten Frau schlief. Nach seinem Tod wurde dieses unheimliche Gemach nie mehr benutzt, hieß es doch, Louise sei noch immer nicht zur Ruhe gekommen und wandle als Geist umher.

Im 19. Jahrhundert, als der Sarg schon über hundertfünfzig Jahre in der Familiengruft lag, wettete ein Solmser Nachfahre mit Freunden, daß er genug Mut habe, mit einer Pistole bewaffnet eine Nacht auf dem Katafalk zu verbringen. Genau um Mitternacht krachte ein Schuß. Die Freunde eilten erschrocken ins Schwarze Gemach. Da lag der Vetter lachend auf dem Katafalk: Er hatte in einen der beiden großen Spiegel geschossen. Der Einschlag der Kugel war noch zu meiner Zeit zu sehen.

Trotz all der erlebnisreichen Ausflüge blieb Behlenhof für mich der Mittelpunkt meiner Kindheit. Im Schoß der Familie fühlte ich mich glücklich und geborgen. Anders als in vielen Familien des landbesitzenden Adels waren wir Kinder täglich oft viele Stunden mit den Eltern zusammen. Sie kümmerten sich intensiv um uns und machten sich viele Gedanken über unsere Erziehung: Wir sollten selbständig und frei von Standesdünkel aufwachsen und uns in allen Lebenslagen selbst helfen können. Um unsere eigenen Sachen mußten wir uns von früh auf selber kümmern, und eine Zeitlang mußten wir sogar unsere Schuhe selbst putzen.

Der damaligen Mode entsprechend trugen alle Geschwister Matrosenblusen mit großen blauen Kragen, alltags blau-weiß gestreift, sonntags weiß. Die Mädchen hatten dazu dunkelblaue Faltenröcke, wir Jungen gleichfarbene kurze Hosen. Kochfeste Gummibänder für die Wäsche gab es damals noch nicht. Wir benutzten Hosen mit sechs Knöpfen für die Hosenträger, durch deren Enden die Schlaufen der Unterhosen gezogen wurden.

Es wurde nicht nur vor und nach dem Essen ein kurzes Gebet gesprochen, sondern auch täglich morgens um 9.00 Uhr eine Andacht abgehalten, zu der alle Dienstboten erschienen. Wir sangen drei Verse eines Liedes, zu dem uns Herr Jeroschewitz auf dem Harmonium begleitete. Dann las mein Vater aus der Heiligen Schrift. Den Abschluß bildete das Vaterunser, das wir Kinder im Wechsel vorbeten mußten. Wenn wir dabei steckenblieben, sprang der Vater freundlich ein.

Während die Mutter mehr den praktischen Teil der Erziehung überwachte, oblag dem Vater unsere geistige Fortbildung. Anhand aktueller Fragen sprach er mit uns über historische Zusammenhänge, manchmal las er uns aus der Zeitung vor, und als wir älter wurden, lehrte er uns Schach und Bridge. Nicht zuletzt leitete mich der Vater zum Sammeln von Schmetterlingen und ihrer Präparierung an. Bald hatten wir fast alle vorkommenden Arten mit Ausnahme einiger Nachtfalter beisammen; unser Prunkstück war ein »Blaues Ordensband«. Um die seltenen Schmetterlinge wie den »Schwalbenschwanz« zu schonen, wurde von jeder Art nur ein Exemplar gefangen.

Der Vater hatte ein großes ebenerdiges Wohnzimmer mit Fenstern nach der Hof- und Gartenseite. Wie oft habe ich ihn hier am Schreibtisch seines Großvaters sitzen sehen! Dann schrieb er an seinem Tagebuch, das er sehr genau führte, oder er stellte Pedigrees (Abstammungstafeln) für die Zucht seiner Voll- und Halbblutstuten auf. In der ersten Zeit grübelte er wohl auch oft genug über Wirtschaftsplänen und Ertragslisten, um das stark verschuldete Gut zu sanieren. An den Wänden hingen, wie dazumal üblich, in dichten Reihen Rehgehörne und Hirschgeweihe.

Vaters zweiter Arbeitsraum lag direkt daneben; hier war seine Bibliothek untergebracht. Auf einem riesigen Tisch wurden oft Wirtschaftskarten oder genealogische Tafeln ausgebreitet. Zwischen den beiden Fenstern stand, wie schon in Potsdam, der für mich so aufregende Schrank mit der großen Briefmarkensammlung meines Vaters, die inzwischen auf fünf dicke Bände angewachsen war und die er regelmäßig ergänzte.

Großen Wert legte Papa auf das Urteil seiner Frau. Oft ging er von seinem Arbeitszimmer hinüber in das ihre, oder er pfiff draußen nach ihr, um sie nach ihrer Meinung zu fragen. Wie glücklich meine Eltern in diesen Jahren waren, beweist ein Brief meiner Mutter an meinen Vater vom 26. Januar 1908: »In unserer Verlobtenzeit habe ich manchmal gedacht, es wäre besser, wir heirateten gar nicht, und dann ganz allmählich bin ich vielleicht die glücklichste Frau auf Erden geworden dank Deiner Liebe und Geduld. Mit den Jahren sieht man nicht mehr die kleinen, einen störenden äußeren Eigenschaften des anderen. Man weiß, was dahinter steckt. Man schleift sich gegenseitig ab und wächst so gegenseitig zusammen, daß man nicht mehr ohne den anderen leben kann. Die Liebe der Brautzeit ist nur selten gleich so, wie die Poeten es schildern. Die wahre Liebe kommt nach meiner Erfahrung erst im Eheleben.«

Ein besonderer Tag in Behlenhof, wie im gesamten Reich, war der 2. September, der Sedanstag zur Erinnerung an die Schlacht bei Sedan und die Gefangennahme Napoleons III. Bei Anbruch der Dunkelheit stieg man auf einen kleinen Hügel östlich von Behlenhof, von wo aus man einen weiten Blick in das Land hatte, und zündete eine Tonne an, die mit Teer gefüllt war. Rundum im Land sah man viele solcher Freudenfeuer flackern. Mein Vater hielt eine kleine Rede, die mit einem Hoch auf den König von Preußen endete. Anschließend wurde das Lied »Ich bin ein Preuße, kennt Ihr meine

Farben« gesungen. Es war das einzige Mal im Jahr, daß man des Königs von Preußen gedachte, während sonst immer der Kaiser genannt wurde.

Im Sommer 1910 stand ein lange angekündigtes Ereignis bevor: Am Himmel sollte ein seltsames Gestirn erscheinen, der Halleysche Komet, ein Stern mit einem funkelnden Schweif, der alle 76 Jahre wiederkehrt. Die Eltern hatten den Kometen als einen guten Stern beschrieben, und unter ihrer Anleitung beobachteten wir etwa drei Wochen lang den Himmel. Der Komet war zunächst nur schwer zu erkennen; dann stieg er langsam auf, bis er in seinem Zenit stand und als glitzerndes Phänomen den halben westlichen Himmel überstrahlte. Meiner Erinnerung nach wies der Schweif nach Süden. Als ich mich dann schlafen legte, konnte ich den Kometen von meinem Bett aus sehen: Er leuchtete in meinen tiefen Kinderschlaf wie der Stern von Bethlehem, mit dem ihn die Eltern verglichen hatten. Daß ein Komet auch Bote von Unheil und Weltuntergang ist, von diesem mittelalterlichen Aberglauben wußten wir damals noch nichts.

Im gleichen Jahr fand in den Kreisen Preußisch Holland und Mohrungen ein Kaisermanöver statt, bei dem zum ersten Mal die feldgrauen Uniformen ausprobiert wurden. Zehntausende von Soldaten in dieser Gegend »kämpften« gegeneinander. Das Militär weckte damals völlig andere Gefühle als nach dem Zweiten Weltkrieg. Es war ehrenvoll zu »dienen«, und man war stolz, Soldat gewesen zu sein. So dachte die gesamte Bevölkerung, vor allem auf dem Lande. Daher war die Begeisterung über das Manöver groß, zumal der Kaiser tagelang in Schlobitten residierte und sich im Übungsgelände zeigte.

Onkel Ebsi war zu diesem Anlaß aus Waldburg mit seinem neuen Auto gekommen. Sein Chauffeur Ruhnau, der bisher sein Kutscher gewesen war, beherrschte jedoch sein neues »Handwerk« noch nicht richtig. Wir drei älteren Geschwister waren mit Onkel Ebsi im Manöver unterwegs, als Ruhnau plötzlich erschreckt meldete: »Herr Graf, das Benzin geht zu Ende!« Da es noch keine Tankstellen gab und die einzige Benzinquelle im weit entfernten Schlobitten war, beschloß Onkel Ebsi, zur Drogerie in die nahe Kreisstadt Preußisch Holland zu fahren. Dort kaufte er von dem kleinen, rundlichen Inhaber, Herrn Grimm, den gesamten Benzinbestand. Ich sehe noch, wie das Personal, einschließlich der Lehrlinge, unzählige kleine Flaschen mit Fleckenbenzin in den Tank leerte.

Der Kaiser hatte wohl den Wunsch geäußert, uns fünf Kinder zu sehen. Festlich ausstaffiert durften wir nach Schlobitten fahren. Ich trug meinen schwarzen Eton-Anzug mit Kniehose und langen schwarzen Strümpfen, dazu einen breiten, weißen Umlegekragen mit dunkelroter Schleife und gleichfarbener Schärpe.

Meine beiden Brüder waren ebenfalls feierlich angezogen, die beiden Schwestern trugen weiße Kleidchen, in ihr lang herunterhängendes Haar waren farbige Schleifen eingebunden. Nach der Größe aufgereiht standen wir mit Herzklopfen in der »Kaminstube«, als der Kaiser in Uniform hereinschritt. Er gab jedem von uns die Hand, die wir – wie vorher eingeschärft – küßten; mir gab er noch einen Kuß auf die Stirn, weil ich sein Patenkind war. Darum beneideten mich meine Geschwister noch lange Zeit. Für seinen dreitägigen Aufenthalt gab der Kaiser als »Trinkgeld« die ungeheure Summe von 1.000 Goldmark.

Fast täglich ritten die Eltern mit uns für ein bis zwei Stunden aus, wobei der Vater den Zustand der Felder inspizierte. Die Ernten wurden dank der Drainage Jahr für Jahr besser. 1909 kaufte mein Vater die bereits stillgelegte Mühle Behlenhof und bald darauf von einem Herrn Rempel das kleine Gut Teschenwalde, zu dem eine Wassermühle gehörte. Die Mühle Behlenhof wurde innen vollkommen umgebaut. Meine Mutter richtete dort ein Jahr später ein Heim zur Erholung mittelloser Arbeitermädchen aus Königsberg ein, meines Wissens das erste Heim dieser Art in Ostpreußen. Als Vorsitzende des Vereins »Freundinnen junger Mädchen« für Ostpreußen, der damals auf allen großen Bahnhöfen eine Mission unterhielt, leitete meine Mutter zusammen mit Frau Kühns aus Königsberg, die dem Vorstand dieses Vereins angehörte, die Erholungsstätte in Behlenhof. Es waren stets alle Plätze besetzt. Ich erinnere mich noch gut an die blassen Gesichter der Mädchen, die in dem hübschen Tal der Weeske auf den alten Mühlsteinen vor dem Haus saßen oder am Wehr im Gras lagen. Meine Mutter wurde stets mit großer Dankbarkeit begrüßt, und manchmal sangen die Mädchen ein Lied. In den Wintermonaten blieb das Heim geschlossen.

Drei bis vier Kilometer flußabwärts, dort, wo sich das Tal weitete und sich der Schlobitter Wald mit seinem alten Kiefernbestand bis an die Weeske ausgedehnt hatte, lag Teschenwalde. Die Eltern ließen einen schmalen Fußweg zwischen den beiden Mühlen anlegen, der das Flüßchen zweimal überquerte. Die Pflanzen- und Tierwelt im Tal der Weeske war völlig unberührt. Das Wurzelwerk der das Ufer säumenden Bäume diente den Krebsen als Schlupfwinkel. Besonders vielfältig war die Vogelwelt; gelegentlich sah man sogar einen der seltenen Eisvögel mit ihrem blauen Gefieder und der orangefarbenen Brust. Das Wasser plätscherte, und an heißen Tagen war es unter dem schattigen Laubdach der Erlen angenehm kühl.

Rechts der uralten Mühle aus Fachwerk war schon von weitem der Mühlteich mit weißen Wasserrosen und gelben »Mummeln« zu sehen, deren fleischige Blätter auf dem Wasser schwammen. Das Holzwehr auf der anderen Seite der Mühle hatte mein Vater abreißen und durch ein Wehr aus Beton und Eisen ersetzen lassen. Mit Hilfe eines großen Rades und einer Handkurbel wurden die »Schutzbretter« hochgezogen oder heruntergelassen, je nachdem, wie hoch man den Wasserstand haben wollte.

An Regentagen schoß das Wasser aus einer Höhe von etwa zehn Metern mit Wucht weißschäumend in die Tiefe, dort einen kleinen, tief ausgewaschenen Teich bildend. Hier angelte ich mit dem Rendanten Arnheim Hechte und Aale, was mir besonderen Spaß bereitete, auch wenn das Ergebnis oft mager ausfiel. Im Hintergrund hörte man das Klappern der Mühle. Das gewaltige hölzerne Mühlrad mochte einen Durchmesser von drei Metern haben. Die gesamte Maschinerie im Innern bestand, bis auf die Mühlsteine, aus Holz. Die waagrecht liegende, vom Mühlrad angetriebene Welle setzte über Zahnräder eine senkrecht stehende Welle in Bewegung, die die Mühlsteine mahlen ließ. Der Müller, ein kleiner, untersetzter Mann, der stets helles Leinen nebst Zipfelmütze trug, war von oben bis unten mit Mehl bestäubt. Die Mehlsäcke wurden von den Bauern der Umgebung mit kleinen Wagen abgeholt. Alles war hier wie auf alten holländischen Bildern – die Zeit schien stehengeblieben.

65 Jahre später bin ich wieder an diesem Ort gewesen und stand dort wie versteinert. Weder von der Mühle noch von dem dazugehörigen Hof war mehr das geringste zu erkennen. Nach 1945 muß sich kein Mensch mehr um das verlassene Teschenwalde gekümmert haben. Dem immer stärker werdenden Druck des Wassers hatten Wehr und Damm schließlich nicht mehr standgehalten, alles war beim Bersten der Stauanlage mit einer gewaltigen Flutwelle davongerissen worden. Das Flüßchen plätscherte friedlich vor sich hin, so als ob an dieser Stelle niemals etwas von Menschenhand Geschaffenes gestanden hätte.

1911 erkrankte meine Mutter schwer an einem Herzleiden. Damals kam Fräulein von Gehren, eine Krankenschwester vom Auguste-Victoria-Krankenhaus aus Berlin, zu uns. Ursula Anna und ich wehrten uns dagegen, daß wir unsere Mutter oft tagelang nicht sehen durften, weil sie das angeblich zu sehr anstrengte. Die Isolation meiner Mutter zog sich lange hin, und in dieser Zeit freundete sie sich immer mehr mit »Tank« an. Das Wort entstand aus Anna-Margarete – Ann-Gret – Tankred und hatte nichts mit den späteren Kampfwagen im Ersten Weltkrieg zu tun. Tank begann, an uns »herumzuerziehen«, und dagegen lehnten wir uns auf. Einmal versteckte ich mich in einer dunklen Ecke, und als Tank vorbeiging, schrie ich, so laut ich konnte, Buh, um sie zu erschrecken. Sie verpetzte mich sofort bei meinem Vater, und eine Tracht Prügel – die letzte von dreien – war die Folge. Tank wurde dadurch bei mir noch unbeliebter.

1913 unternahmen meine Eltern zusammen mit Ursula Anna, Fräulein von Gehren und dem Schlobitter Diener Karl Hoffmann eine längere Reise nach Abbazia am Adriatischen Meer. Ursula Anna war wegen einer Knochentuberkulose am Knie operiert worden und sollte sich dort gründlich erholen. Die Eltern schickten uns vier Geschwister während dieser Zeit samt Hauslehrer und Gouvernante ins 90 Kilometer entfernte Waldburg. Die dortigen Kinder waren sehr viel jünger. Ebo, fünf Jahre alt, versteckte sich manchmal hinter der Schürze seines Kindermädchens, drohte mir mit der Faust und rief mir auf echt ostpreußisch »Du Kret!« zu. Wenn mich das auch im Augenblick ärgerte, so wurde es doch nicht ernst genommen. Es gibt noch ein Foto, auf dem ich als »Pferd« vor Ebo als »Kutscher« an einer Leine herlaufe.

Dieser Besitz war durch die Heirat meines Urgroßvaters Richard Friedrich Dohna mit Mathilde Gräfin Truchseß zu Waldburg, dem letzten Sproß aus dem ostpreußischen Zweig der süddeutschen Familie Waldburg, an die Dohnas gefallen. Der vorletzte Besitzer Eberhard, Onkel Ebsi, rechter Vetter und Freund meines Vaters, mit dem ihn ein starkes genealogisches Interesse verband, war etwa 1,90 Meter groß, von massiger Figur und wog über 120 Kilo. Seine große Liebenswürdigkeit nahm uns schon als Kinder sehr für ihn ein. Seine Frau, Tante Renata, geborene Gräfin Hochberg – ihr Bruder Fänzi war mit der Schwester von Onkel Ebsi, Tante Nora, verheiratet –, ähnelte ihrem Mann, wenn sie auch nicht ganz so füllig war. Sie besaß eine auffallend tiefe Stimme. Ich hatte sie gern, aber der Onkel stand mir näher.

Im Haupteingang des Schlosses stand ein riesiger Tisch, der den Raum fast ausfüllte und auf dem allerlei Jagdutensilien wie Gewehre, Patronenkästen, lederne Jagdtaschen, Ferngläser und Jagdhüte in buntem Durcheinander herumlagen. Man merkte sogleich, daß man sich in einem Haus befand, in dem die Jagd eine besonders große Rolle spielte. Wir Kinder wurden im obersten Stockwerk untergebracht, in sehr niedrigen, nur etwa zwei Meter hohen Räumen, die ich als bedrückend empfand.

Das einzig Bestaunenswerte schienen mir – neben einem Auto, das es weder in Behlenhof noch in Schlobitten gab – die alten Wasserklosetts zu sein. Sie bestanden aus einem langen, dunkelbraunen, schön polierten Mahagonibrett, das in den etwa zwei Meter breiten Räumen von Wand zu Wand reichte. Die Vorderseite war mit einer Blende versehen, ebenfalls aus Mahagoni. In der Mitte des Brettes befand sich eine tadellos verarbeitete, versenkte Klappe; hob man sie hoch, gab sie eine kreisrunde Öffnung mit einem weißen Emaillebehälter frei. Am Rand der Klappe war ein Mahagonigriff angebracht, den man hochziehen mußte, um dem Spülwasser freien Lauf zu lassen.

Was mir besonders auffiel, waren die Tischbräuche. Anders als in Schlobitten oder auch in Finckenstein, wo sich Hausherr und Hausfrau an der Mitte des Tisches gegenübersaßen, residierte Onkel Ebsi am oberen Ende. Beim Gebet hielt er zwischen den gefalteten Händen die große Suppenkelle, mit der er persönlich die Suppe austeilte; auch Fleisch und Geflügel wurden von ihm tranchiert und in großen Stücken – oft unter Protest des Empfängers – auf die ihm zugereichten Teller gelegt. Der einzige Diener servierte lediglich die Zutaten oder stellte die Schüsseln bei vielen Gästen auch einfach auf die Tafel. Schließlich standen mehrere riesige Kannen mit kalter Milch auf dem Tisch, aus denen Onkel Ebsi und seine Brüder sich reichlich einschenkten. Das war alles sehr anders als in Schlobitten: Wir tranken nur Wasser, und, wenn Gäste da waren, Wein; auch wurde stets in der Küche tranchiert, und sämtliche Speisen wurden von den Dienern serviert.

Ich hatte das große Pech – und das mag meine Erinnerungen an Waldburg ein wenig trüben –, die steile Hintertreppe etwa 20 Stufen herunterzufallen und mir dabei das Knie zu verletzen. Monatelang habe ich mich damit herumgeplagt, und mehrmals wurde mir aus dem Knie Wasser abgezogen. Es gab eine große Vitrine mit Figuren der Königlichen Porzellanmanufaktur in Berlin nach Vorlagen des 18. Jahrhunderts. Onkel Ebsi und sein Vater hatten sie im Laufe der Jahre ihren Frauen geschenkt. Ohne jeden äußeren Anlaß brach plötzlich eine Glasplatte, die zahllosen Figuren stürzten auf die darunterstehenden und zerstörten auch diese. Ich sehe noch den Scherbenhaufen vor mir und die Tanten, die in den folgenden Wochen mühsam versuchten, die einzelnen Teile mit »Syndetikon« zusammenzukleben. Besonders die Flügel der Putten brachten sie immer wieder zur Verzweiflung.

Das Leben der Großfamilie unter Führung von Tante Lisa, der Mutter des Hausherrn, verlief sehr harmonisch, und man zeigte sich in Waldburg überaus gastlich. Dennoch waren wir glücklich, als wir nach Behlenhof zurückkehren und dort wieder mit den Eltern und Ursula Anna zusammensein konnten.

1913 stand Ostpreußen ganz im Zeichen der zahlreichen Feiern zum hundertjährigen Gedenken an die Befreiung Europas vom Joch Napoleons. In Königsberg gab es eine große Ausstellung, zu der auch viele Gegenstände aus Schlobitten ausgeliehen wurden. Zwei Mitglieder der Familie Dohna waren 1812 an der Konvention von Tauroggen beteiligt gewesen, in der das preußische Hilfskorps, das Napoleon gegen Rußland führte, für neutral erklärt wurde. Alexander Dohna, 1808 bis 1810 preußischer Staatsminister des Innern, war als Generallandschaftsdirektor 1813 einer der Begründer der preußischen Landwehr und damit maßgeblich an der Erhebung gegen Napoleon beteiligt. Sein eigenhändiger Entwurf mit handschriftlichen Anmerkungen des Freiherrn vom Stein befand sich im Schlobitter Archiv. Anläßlich der Hundertjahrfeier wurden sogenannte Vivat-Bänder ausgegeben, auf denen in verschiedenen Farben hervorragende Persönlichkeiten aus den Freiheitskriegen abgebildet waren, unter anderem auch Alexander Dohna.

Während mein Vater keine nahen Verwandten hatte – seine Brüder waren jung und unverheiratet gestorben –, kamen in den Sommerferien die zahlreichen Vettern und Kusinen aus der großen Familie meiner Mutter. Alle ihre sechs Geschwister waren verheiratet, und die meisten Kinder paßten altersmäßig gut zu uns. Wilhelm und Hermann Lynar – Söhne der ältesten Schwester meiner Mutter – waren zwar etwas älter, kletterten aber trotzdem noch mit uns auf die Kirschbäume.

Als sich Wilhelm beim Herumturnen auf den Obstbäumen seine neuen langen Hosen zerriß, hatten Ursula Anna und ich mehr Angst vor der Schelte als er. Am besten standen wir uns mit den Kindern des zweiten Bruders meiner Mutter, Reinhard Prinz zu Solms-Hohensolms-Lich, Offizier der Garde du Corps in Potsdam. Rosi war nur wenig jünger als ich, Hermann Otto wenig jünger als Ursula Anna.

Mit ihnen sind wir in den Jahren vor dem Ersten Weltkrieg mehrmals in dem Seebad Kahlberg gewesen. Die Väter kamen nicht mit, sie fanden den Aufenthalt dort zu langweilig – ich handelte eine Generation später ebenso, wenn meine Familie im Sommer nach Norderney ging. Im Gegensatz zu dem Namen Kahlberg war die ganze Gegend der »Frischen Nehrung« von hohem Kiefernwald geprägt. Das eigentliche Fischerdorf mit seinen niedrigen, schilfgedeckten Häusern war noch ganz in ursprünglichem Zustand. Vor den Gebäuden waren Leinen gespannt, auf denen dicht aneinandergereiht die geräucherten Flundern zum Trocknen hingen.

Die Frische Nehrung zieht sich, etwa drei Kilometer breit, sattelförmig zwischen der Ostsee und dem Frischen Haff, einem Süßwasser, hin. Sie ist etwa 60 Kilometer lang. Ein wenig außerhalb des einzigen größeren Ortes, den man als Dorf bezeichnen konnte, hatte sich vor der Jahrhundertwende auf der Höhe des Sandrückens ein Hotel mit Namen »Kaiserhof« angesiedelt, ein häßlicher Backsteinbau mit Türmchen und Fachwerk. Wir wohnten ein paar hundert Meter weiter in der Villa Meta. In den Jahren 1910 bis 1914 verbrachten wir dort die Sommerferien: meine Mutter mit fünf Kindern sowie Tante Marka Solms mit ebenfalls fünf Sprößlingen; ein oder zwei Dienstmädchen kamen auch mit.

Von Behlenhof aus ging es erst mit der »großen« Eisenbahn nach Elbing, dann mit der »kleinen«, ständig bimmelnden Haffuferbahn nach Tolkemit. Dort bestieg man einen bescheidenen Dampfer und war nach einer halben Stunde Fahrt über das Haff in Kahlberg. Bis auf eine Fahrrinne von Elbing nach Pillau war das Haff sehr flach und daher an manchen Stellen mit Schilfrohr bestanden, wo sich viel Wassergeflügel tummelte. Der noch nicht ausgebaute Hafen von Kahlberg begrüßte einen mit Schlamm- und Fischgeruch. Als Kurgast ließ man das Fischerdorf links liegen und wanderte auf einem Sandweg bergan, vorbei an kleinen Holzbauten, in denen man Postkarten, Bonbons und Andenken kaufte oder auch stehend etwas zu sich nahm. Oben lag die Villenkolonie; von dort ging der Blick über hohen Kiefernwald hinunter zum Strand der Ostsee. Auf einem vorgelagerten, etwa hundert Meter breiten Sandstreifen sonnten sich die wenigen Familien, die hier, ähnlich wie wir, die Ferien verbrachten.

Gleich am nächsten Morgen begannen wir Kinder damit, unsere Burgen zu bauen, ein bis eineinhalb Meter hohe runde Wälle, in denen man liegen konnte, ohne von den anderen gesehen zu werden. Die Burgen gut instand zu halten, bedeutete tägliche Arbeit, an der sich auch die Erwachsenen beteiligten.

Es gab zwei Badeplätze, die mit langen Pfählen und Seilen abgegrenzt waren. Das eine war das Männer-, das andere das Frauenbad, dazwischen lagen mindestens zweihundert Meter. Wir Kinder gingen mit den Müttern ins Frauenbad. Die Damen trugen Badeanzüge mit Rüschchen und Falten, die die weiblichen Formen weitgehend verdeckten. Die Badeanzüge der Männer reichten vom Hals bis fast an die Knie. Baden außerhalb der markierten Plätze war verboten, kleine Kinder durften nur unter der Aufsicht Erwachsener bei ruhiger See im Wasser herumplanschen. Jeder Badeplatz hatte seinen Bademeister, der auf einem kleinen Holzturm saß und in ein Horn blies, sobald einer der Badenden sich zu weit hinauswagte. Zum Umziehen standen aneinandergereihte primitive Bretterkabinen zur Verfügung.

Jedes Jahr fanden wir unter den Kindern der anderen Feriengäste neue Freunde. 1912 waren es zwei Schwestern aus Graudenz im Alter von 12 und 14 Jahren, die mit ihren Eltern ebenfalls in der Villa Meta, eine Etage über uns, wohnten. Die jüngere hieß Ruth. Beim Versteckspielen im Wald lag ich einmal mit Ruth zusammen hinter einem Busch in einer Erdvertiefung; plötzlich nahm sie meinen Kopf in ihren Schoß und bedeckte mein Gesicht mit Küssen. Ich war völlig überrascht, ziemlich erschrocken, fand es aber doch sehr schön. Nun seien wir verlobt, meinten wir, und später könnten wir heiraten. Der Abschied von Ruth Hoevel war besonders traurig. Wir schrieben uns noch zwei- oder dreimal, dann war die »erste Liebe« vergessen.

Im Sommer 1914 waren wir wieder in Kahlberg. In der zweiten Julihälfte breitete sich eine sonderbare Unruhe aus. Die Erwachsenen sprachen von Kriegsgefahr, und auch wir Kinder spürten etwas von der allgemeinen Spannung. An einem der letzten Julitage brachen wir auf Wunsch meines Vaters in aller Eile unsere Zelte ab und reisten nach Hause. Ich hatte mich mit dem ein Jahr älteren Ferdinand Kramer aus Frankfurt am Main angefreundet, und Ferdi kam für ein paar Tage mit nach Behlenhof. Siebzig Jahre später – Ferdi Kramer war inzwischen ein bekannter Architekt und Professor an der Universität Frankfurt/M. geworden – erzählte er mir, daß es zu seinen unvergeßlichen Eindrücken gehöre, wie mein Vater am 1. August 1914 ins Wohnzimmer trat und mit tiefbewegter Stimme erklärte: »Der Krieg ist ausgebrochen.« Mein Vater sah wohl den Schmerz und die Tränen voraus, die jeder Krieg mit sich bringt. Vermutlich noch stärker aber war das Gefühl der Pflicht, der Treue zu Vaterland und Königshaus, was zu dem bei ihm seltenen Gefühlsausbruch geführt hatte.

Der Krieg beendete für immer das Zusammenleben im Schoß der Familie.

# Evakuiert 1914–1918

Als im August 1914 der Erste Weltkrieg ausbrach, schickten meine Eltern aus Angst vor einer möglichen Invasion der Russen in Ostpreußen ihre fünf Kinder im Alter von 8 bis 14 Jahren nach Darmstadt zu Onkel Ernie. Onkel Ernie, der Großherzog von Hessen, war mit einer Schwester meiner Mutter verheiratet. Von unserer französischen Gouvernante Fernande Rosset und der 18jährigen Martha Rose wurden wir zunächst nach Berlin gebracht. Der Zug war völlig überfüllt, da Tausende von Menschen Ostpreußen in diesen Tagen verließen, aber zum Glück hatten wir ein Abteil vorbestellt. In Berlin übernachteten wir in der Wohnung unseres Großvaters in der Hindersinstraße 11, in unmittelbarer Nähe des Reichstages.

Am nächsten Tag ging es unter der Obhut eines Angestellten von Onkel Ernie weiter nach Darmstadt. Dort wurden wir zunächst sehr bequem im obersten Stockwerk des Neuen Palais untergebracht; nach wenigen Wochen zog die großherzogliche Familie mit den Söhnen, unseren Vettern Don und Lu, in den Renaissanceflügel des Schlosses, der einfach zu beheizen war. Tante Onor sowie die Hofdame Fräulein von Rotsmann kümmerten sich auf rührende Weise um uns, und auch sonst waren alle freundlich zu den »Flüchtlingen«. Noch heute erinnere ich mich an das fremd, aber lustig klingende »Gute Morsche« der Hausmädchen.

Bald danach wurde ich in die Untersekunda des Ludwig-Georg-Gymnasiums aufgenommen. Daß ich mich mit dem Lehrplan nur sehr schwer anfreunden konnte, lag vor allem an den vielen Ablenkungen, die das erste Kriegsjahr bot. So wurden wir im Herbst 1914 von der Schule beauftragt, die damals im Umlauf befindlichen goldenen Zehn- oder Zwanzigmarkstücke gegen Papiergeld einzutauschen. Im Kreis von Verwandten und Bekannten brachte ich es auf einige hundert Goldmark und zu einem entsprechenden Lob des Klassenlehrers. Auch die zahlreichen Siegesfeiern, an denen es schulfrei gab, wirkten sich nicht gerade günstig auf meine philologischen und sonstigen Kenntnisse aus. Es gab eben zu viele interessante Tätigkeiten im Zusammenhang mit dem Krieg. Ich hatte mir von meinem Taschengeld eine Landkarte erworben und war nun täglich damit beschäftigt, die von den Deutschen gerade eroberten Städte mit kleinen, schwarzweißroten Fähnchen zu markieren. Nicht zuletzt besorgte ich mit dem Fahrrad Botendienste für das Rote Kreuz. Etwa zehn Schüler unserer Schule waren dafür ausgesucht worden. Weil ich die Schreiben von Tante Onor auszutragen hatte, waren auf meine Rote-Kreuz-Armbinde in den Balken des Kreuzes vier großherzogliche Kronen aufgestickt.

Besonders gut ist mir der Auszug des Infanterieregiments 115 in Erinnerung. Feldgrau, mit tuchbezogenen Pickelhauben marschierten die Soldaten vorbei an jubelnden, dichtgedrängten Zuschauermassen. Viele von ihnen trugen Blumenkränze und hatten Sträußchen in den Gewehrläufen; Bräute, Frauen und Mütter, sie alle stimmten in die Begeisterung ein. Auch wir Kinder wurden davon mitgerissen. Der Haß auf die »Feinde« allerdings, der durch Propagandasprüche millionenfach geschürt wurde, blieb uns schon damals fremd. »Jedem Ruß ein Schuß, jedem Franzos ein Stoß, jedem Brit ein Tritt, jedem Japs ein Klaps«, diesen Postkartenvers fanden wir komisch, aber die Emotionen, die mit solchen Sprüchen geweckt werden sollten, stellten sich nicht ein. Sowohl durch unsere Beziehungen zu der zahlreichen ausländischen Verwandtschaft als auch durch die englischen und französischen Gouvernanten waren wir dagegen besser geschützt als andere.

Onkel Ernie machte keinen Hehl daraus, daß er entgegen der damals allgemein verbreiteten Ansicht den Soldatenberuf keineswegs für den wichtigsten hielt. Anders als viele deutsche Landesfürsten, anders vor allem als sein Vetter Kaiser Wilhelm II., trug er fast immer Zivil. Nur bei Paraden und militärischen Anlässen trat er in Uniform auf. Als der Krieg ausbrach, zeigte er sich häufiger in Feldgrau – er hatte den Rang eines Generalleutnants –, und er hielt es auch für seine Pflicht, die hessischen Truppen an der Front zu besuchen. Tante Onor fuhr einige Male als Schwester mit einem Lazarettzug nach Frankreich, um Verwundete nach Darmstadt zu holen. Ich wünschte mir nichts sehnlicher, als mitgenommen zu werden, was natürlich ausgeschlossen war.

Bei Kriegsbeginn hatten sich zahlreiche Angehörige aus den regierenden Häusern als Kriegsfreiwillige gemeldet. Ich erinnere mich an einen Abend im September 1914. Wir saßen mit Onkel Ernie, Tante Onor und der Schwester des Kaisers, Mossi, im Theater in Darmstadt, als Mossi die Nachricht erhielt, ihr Mann Fischi (Friedrich Landgraf von Hessen) sei schwer verwundet worden. Kurz zuvor war der älteste Sohn des Landgrafen gefallen, und so wurde die Nachricht mit um so größerer Bestürzung aufgenommen.

Ein anderes Bild, das in meinem Gedächtnis haften geblieben ist, sind die Prinzen Philipp Hessen und Philipp Solms in weißen Drillichanzügen und Krätzchen (schirmlosen Mützen). Sie waren gerade bei den Darmstädter »weißen Dragonern« eingetreten und sahen äußerst vergnügt aus; übertrieben zackig standen sie aus Spaß an der Gartentür des neuen Palais Doppelposten. Philipp Solms, der einzige Sohn und Erbe von Lich, fiel 1918, kurz vor Kriegsende.

Was mir sehr bald auffiel, war die übertriebene Spionagefurcht, die damals grassierte und die bis zu Onkel Ernie drang. Einmal mokierte er sich über einen angeblich als Frau verkleideten Mann, der anstelle des Busens zwei Bomben unter seiner Bluse trage. Tante Onor war entsetzt, daß ein solches Gespräch in Anwesenheit der Kinder geführt wurde. Als wir Dohna-Kinder bei anderer Gelegenheit unter der Leitung des ältlichen Fräuleins von Rotsmann im Theater »Rheingold« sahen, verbot sie mir kategorisch, die in blauen Schleiern schwimmenden, spärlich bekleideten Rheintöchter durch den Operngucker zu betrachten. Ich war tief gekränkt.

Die Jahre in Darmstadt waren die schwierigen Jahre der Pubertät, mit denen ich zu Hause wohl besser zurechtgekommen wäre. So hatte ich oft Heimweh. Die Mädchen begannen mich zu interessieren, aber ich war viel zu schüchtern, um mich den Angebeteten zu offenbaren. Die Klassenkameraden hänselten mich, und als Außenseiter und Verwandter des regierenden Großherzogs hatte ich ohnehin einen schweren Stand. Einen wirklichen Freund fand ich nicht.

Als ich eines Abends im Neuen Palais auf mein Zimmer ging, hörte ich es im Badezimmer plätschern. Neugierig blickte ich durch das Schlüsselloch. Ein tiefer Schreck durchfuhr mich: Da stand die schöne Martha Rose splitternackt in der Badewanne und ließ aus einem Schwamm das Wasser immer wieder an sich herabrinnen – für einen 15jährigen ein einschneidendes Erlebnis. Mehr als ein Jahrzehnt später habe ich ihr von dieser einseitigen Begegnung erzählt; von da an herrschte eine geheime Verbindung zwischen uns, die zwar durch ihre Heirat und ihren Fortgang von Schlobitten unterbrochen wurde, die aber bis zu ihrem Tode nicht abriß. Martha Rose stammte aus einer alten Schlobitter Familie, die sich durch besondere Zuverlässigkeit und Treue auszeichnete. Ihr Vater Fritz war Sattelmeister bei meinem Großvater, ihr Onkel Gottfried war Kammerdiener bei ihm und dessen unverheirateter Sohn Maschinenmeister. Martha, der letzte Rose-Sproß, war ein mit allen Gaben der Natur ausgezeichnetes Menschenkind, das allen, die sie gekannt haben, unvergessen bleibt.

Onkel Ernie war von mittelgroßer Statur mit glatt zurückgekämmtem dunklem Haar und Oberlippenbart; seine blauen Augen leuchteten temperamentvoll, und alles, was er tat, geschah blitzschnell, ohne daß es jemals unüberlegt gewesen wäre. Seine Muttersprachen waren Englisch und Deutsch, wobei er im Familienkreise – wenigstens bis zum Krieg – das Englische bevorzugte. Für uns Kinder war es mitunter schwierig, ihn zu verstehen, da er sehr schnell sprach; auch mußte man bei Tisch hastig essen, denn im Moment, wo er einen Gang beendet hatte, wechselten die Diener umgehend alle Teller. Das Essen war für ein regierendes Haus schon vor dem Krieg eher bescheiden gewesen, und nach Kriegsausbruch wurde die Haushaltsführung noch einmal stark eingeschränkt. Kurz vor dem Krieg hatte Onkel Ernie sich in einem Zimmer im ersten Stock des Neuen Palais eine Orgel einbauen lassen. Der ganz im Jugendstil gehaltene Raum war rundum goldfarben getäfelt, und hinter der Täfelung waren die Orgelpfeifen angebracht, so daß die Musik von allen Seiten ertönte. Die farbige Beleuchtung, mit der sich auch merkwürdige Hell-Dunkel-Effekte erzielen ließen, schien mir in Verbindung mit dem Orgelspiel zu stehen, aber ich bin nie ganz hinter das Geheimnis gekommen.

Onkel Ernie war künstlerisch vielseitig begabt. Er nahm nicht nur Einfluß auf die Auswahl der Operndirigenten am Darmstädter Theater – ich erinnere mich an ein Konzert des damals berühmten Dirigenten Felix Weingartner –, sondern er wirkte auch bei der Regie und bei der Ausgestaltung der Bühnenbilder mit. Seine Hauptliebe galt jedoch der bildenden Kunst; auf dem Gebiet der Malerei und Plastik, der Keramik und Glastechnik, der Goldschmiedekunst und des Buchdrucks hat er den von ihm favorisierten Jugendstil nach Kräften gefördert. Die Darmstädter Mathildenhöhe legt davon Zeugnis ab und hatte ihre Wirkung weit über die Zeit hinaus.

Weihnachten 1914 fuhren die Dohna-Kinder zurück nach Schlobitten. Bereits Ende August waren die Russen in der Schlacht bei Tannenberg geschlagen worden, und Mitte September hatten sie sich aus Ostpreußen zurückziehen müssen. Für mich waren es lediglich kurze Weihnachtsferien, denn Anfang Januar mußte ich nach Darmstadt zurück und wurde zu Oberhofprediger Ehrhardt und seiner Frau, geb. von Hombergk zu Vach, in Pension gegeben.

Herr Ehrhardt, ein hochgewachsener, hagerer Mann mit bleichem Gesicht und kalten Augen, war mir von Anfang an unsympathisch, fast hatte ich Angst vor ihm. Stets trug er einen langen schwarzen, bis zu den Knien reichenden und bis zum Hals geschlossenen Rock. Seine trockene Art, die Konfirmanden zu unterrichten, langweilte mich bis zum Überdruß. Er seinerseits hielt mich für einen verstockten Burschen und erklärte schließlich, er sei nicht bereit, mich zu konfirmieren. Mir war das sehr recht, denn auf diese Weise wurde ich in den Osterferien 1916 von dem Schlobittener Pfarrer May eingesegnet, den ich sehr gern hatte.

Frau Ehrhardt war nicht nur freundlich, sondern im Gegensatz zu ihrem Mann kümmerte sie sich auch viel um mich. Ihr einziges Kind, eine Tochter, war ein Jahr zuvor im Alter von zwanzig Jahren an Leukämie gestorben. So übertrug sie ihre mütterlichen Gefühle auf mich, was mich einerseits tröstete, weil ich unter Heimweh litt, mir andererseits aber auch ein wenig lästig wurde. Sicherlich habe ich ihr in den anderthalb Jahren, die ich in ihrem Haus verbrachte, manchen Kummer bereitet, zumal ich alles andere als ehrgeizig war und lieber Fahrrad fuhr oder mit den Freunden spielte, als mich den Hausaufgaben zu widmen. Gelegentlich ging ich auch in die Stadt, um Läden anzusehen oder um mir von den zwei Mark Taschengeld, die ich monatlich erhielt, Briefmarken zu kaufen.

Ehrhardts wohnten im Prinz-Christian-Weg 4, am Stadtrand von Darmstadt, in jener »Künstlerkolonie« am sanft ansteigenden Westhang der Mathildenhöhe, mit deren Anlage um die Jahrhundertwende auf Anregung des Großherzogs begonnen worden war. Die Häuser dort, jedes auf seine Art ungewöhnlich, betrachtete ich mir oft und genau – ein Interesse, das durch einen privaten Zeichenlehrer unterstützt wurde. Bei gemeinsamen Spaziergängen durch die Künstlerkolonie machte er mich auf diesen oder jenen Bau aufmerksam und fertigte sehr fein ausgeführte Bleistiftskizzen an, die er mir dann schenkte. Zwei dieser Blätter, das Olbricht-Haus und einen kleinen Musikpavillon mit geschnitzten Holzsäulen, ließ ich mir einrahmen und nahm sie später mit nach Schlobitten. Bei einsamen Spaziergängen durch die terrassenartigen Gartenanlagen der Mathildenhöhe machte ich immer neue Entdeckungen; besonders beeindruckten mich die Plastiken von Hoetger und anderen, die oft überraschend unter Bäumen auftauchten.

In Richtung Stadt und ganz am Anfang dieser damals sehr umstrittenen Kolonie, lag das von Ehrhardts bewohnte bräunlich getönte Haus. Das Auffälligste daran war der übermäßig hohe, mit einem ovalen Ornament und Girlanden verzierte Giebel. Drei Stufen führten hinauf zum überdachten Eingang.

Links lag das Zimmer des Hausherrn, zu dem man drei Stufen hinabstieg und das ebenso düster wirkte wie er selbst. Vor dem einzigen Fenster zur Straßenseite, stand der große Schreibtisch des Hausherrn. Gegenüber, die ganze Wand ausfüllend, befand sich eine riesige Kreuzigungsszene, davor ein Betpult. Meist war ein dunkler Vorhang vor das Bild gezogen. Ich habe diesen mir unheimlichen Raum nur wenige Male betreten.

Auf der anderen Seite des Flurs lag das gemütliche Wohnzimmer, das allerdings auch ziemlich dunkel gehalten war. Um so auffallender war die Tischlampe, die einen aus verschiedenfarbigen Glasstückchen zusammengesetzten Schirm hatte. Durch eine Glastür gelangte man in das hübsche Eßzimmer, dessen hellblaue Tapete mit großen Blumen- und Blattornamenten einen ebenso freundlichen Charakter verbreitete wie die weißgestrichenen Möbel. Von hier trat man direkt in den kleinen Garten hinaus; links ging es in die Küche. Eine weißgestrichene Treppe im Jugendstil führte in die erste Etage. Hier lagen die Schlafräume des Ehepaares, die ich nie betreten habe, sowie ein weiterer Raum und das Bad. Ich durfte ab und zu baden, ging jedoch häufiger mit den Klassenkameraden in das nahe gelegene neue Hallenbad oder im Sommer in das Freibad im »Großen Woog«.

Mein Zimmer lag im Dachgeschoß. Es hatte schräge Wände, ein großes, dreiteiliges Giebelfenster nach der Gartenseite und war trotz Bulleröfen mit Brikettheizung im Winter mitunter empfindlich kalt. An die Wände heftete ich Postkarten von Darmstädter Jugendstilkünstlern, meist Schattenrisse, die den tristen Raum aufheitern sollten.

Unter den Klassenkameraden am Ludwig-Georg-Gymnasium überwogen die Darmstädter aus wohlhabenden Kreisen. Ich erinnere mich an einen begabten jungen Dichter namens Würth, dessen Gedichte in Zeitungen und Zeitschriften veröffentlicht wurden, der aber leider nicht lange lebte. Auch ein skurriler Bursche namens Müller war schriftstellerisch recht begabt; nur war er ganz in sich gekehrt und ein wenig absonderlich. Als die Klasse einmal etwas ausgefressen hatte, meldete er sich als Anstifter. Keiner der Lehrer glaubte ihm, und die Mitschüler machten sich einen Spott daraus. Er hatte sich für uns opfern wollen und war über unsere Reaktion offensichtlich tief gekränkt. Wenig später machte er seinem Leben ein Ende.

Einer der Besten der Klasse, ein jüdischer Mitschüler mit Namen Stern, war wegen seiner Kameradschaftlichkeit besonders geschätzt. Hanskarl Kißner ist trotz seiner Faulheit später ein angesehener Arzt und Homöopath geworden. Am bekanntesten wurde Karl Wolff, der spätere Adjutant Himmlers. Er war ein guter Kamerad, aber schon damals etwas engstirnig. Eitel und ehrgeizig, wurde Wolff bereits mit 17 Jahren Leutnant.

Die Lehrer am Ludwig-Georg-Gymnasium waren fast durchweg alte Herren mit langen Bärten. Besonders gespannt war mein Verhältnis zu »Pü«, dem Mathematiklehrer; meine Leistungen auf diesem Gebiet waren entsprechend kläglich. Zu dem Religionslehrer waren wir unausstehlich; er hieß »Ziegenbock« und sah auch genauso aus. Wäre er mit Hörnern ausgestattet gewesen, hätte er vielleicht gehabt, was ihm gänzlich fehlte: Autorität. Für unseren Deutschlehrer Abt dagegen gingen wir alle durchs Feuer. Als er im Winter 1914/15 eingezogen wurde und wenig später fiel, wurde sein Tod von uns tief betrauert. Erwähnen möchte ich zuletzt noch den tüchtigen Direktor Professor Mangold, »Beppo« genannt. Wir konjugierten seinen Spitznamen als unregelmäßiges griechisches Verbum so: Béppo, mandrillō, eschímpansa, gegoríllaka, bebúlldogmai, eglátzthen, pedanteuthésomai.

Im ganzen ließ meine Mitarbeit in der Schule sehr zu wünschen übrig. Nachhilfestunden bei dem Oberprimaner Maurer, der später Universitätsprofessor in Freiburg wurde, nützten nichts, soviel Mühe er sich auch gab. Ostern 1915 blieb ich in der Untersekunda sitzen. So fiel es mir nicht allzu schwer, dem Wunsche meiner Eltern zu folgen und ein Jahr später, nachdem ich knapp die Obersekundareife erlangt hatte, Darmstadt zu verlassen, um die deutsche Auslandsschule Fridericianum in Davos zu besuchen.

Im Herbst 1915 war bei meinem Bruder Victor Adalbert eine Lungentuberkulose festgestellt worden. Meine Eltern hatten daraufhin beschlossen, daß die gesamte Familie mit Ausnahme meines Vaters nach Davos gehen sollte. Ich freute mich, nach der etwas einsamen Zeit in Darmstadt wieder in den Schoß der Familie zurückzukehren. Der Altersunterschied zu den Geschwistern war inzwischen weniger spürbar geworden; vor allem Ursula Anna, mit der ich in Potsdam und Behlenhof oft in Streit geraten war, hatte sich zu einem nach meiner Ansicht vernünftigen Mädchen entwickelt. Wir schlossen uns immer enger zusammen, wobei unsere gemeinsame Ablehnung von Tank eine wichtige Rolle spielte; ihre Herrschsucht, auch gegenüber unserer Mutter, wollten wir als 15- und 16jährige einfach nicht hinnehmen. Auch mit meinen jüngeren Brüdern Vicbert und Christof konnte ich nun vernünftig reden. Wir fingen an, uns sportlich zu messen, und vertrieben uns die Zeit mit Brettspielen. Agnes, die jüngste mit ihren hellblonden Haaren, war ein hübsches Mädchen geworden, und mit ihr verstand ich mich besonders gut. Es war das letzte Mal in unserem Leben, daß wir fünf Geschwister so zusammenlebten.

Ein weiterer Hausgenosse, der nicht unerwähnt bleiben darf, war der Kurzhaardackel Iwan. Ich selbst habe nie einen Hund besessen, bin aber mein ganzes Leben von Hunden begleitet worden, zuerst von denen meiner Mutter, später von denen meiner Frau. Iwan gehörte meinem Bruder Christof. Eines Tages, während der Dackel ausgestreckt auf dem Teppich schlief, näherte ich mich leise auf allen vieren, stieß mit meiner Nase an seine Schnauze und knurrte drohend. Blitzschnell biß er mich empfindlich in die Nase, auf der ich für einige Tage ein großes Pflaster trug, das Geschwister und Schulkameraden erheiterte. Niemand hatte Mitleid, was mir recht geschah. – Drei Hunde haben in meinem Leben eine Rolle gespielt: der eben genannte Iwan, Lumpi, ein Rauhhaardackel, den ich auf dem Treck verlieren sollte, und Chan-Tsi, ein besonders kluger Chow-Chow, den wir nach dem Krieg besaßen.

Zunächst hatten wir im Hotel National in Davos-Platz gewohnt, aber da dies auf Dauer zu kostspielig wurde, mietete
man die Villa Valsana, zu jener Zeit das letzte Haus im Süden
von Davos-Platz. Die Villa mit dem für die Gegend typischen
umlaufenden Holzbalkon war erst kurz zuvor fertiggestellt
worden. Innen war sie, wie zu der Zeit üblich, im Art-deco-Stil
eingerichtet. Den Mittelpunkt bildete eine große Halle, die
über zwei Stockwerke reichte; eine offene Treppe führte hinauf zu den Schlafräumen und in das Badezimmer. In der Halle
stand ein großer Tisch mit Sesseln; im Kellergeschoß befand
sich die Küche mit den Nebengelassen.

Das Fridericianum, das wir alle mit Ausnahme von Ursula
Anna besuchten, hatte einen ausgezeichneten Ruf. Dies war
in erster Linie den beiden Direktoren Bach und Rüdiger zu
verdanken. Auch viele Schweizer schickten ihre Kinder auf die
deutsche Schule. Das Verhältnis der Schweizer zu den Deutschen war ausgesprochen freundlich. Zwar betonte man als
Schweizer seine Neutralität, aber ich kann mich nicht erin-
nern, daß es je zu Auseinandersetzungen zwischen deutschen
und einheimischen Schülern gekommen wäre. Es herrschte
ein gutes Einvernehmen.

Die Schweiz nahm damals zahlreiche Internierte auf, verwundete oder kranke Soldaten aus den im Krieg stehenden
Nachbarländern. Unter den deutschen Invaliden war auch
Gory Schlieben, dessen Vater das schöne Gut Sanditten in
Ostpreußen besaß; er besuchte uns ein paarmal. Mit Schwei-
zern verkehrte man wenig; nur Pfarrer Fahrenberger aus
Davos-Platz war eine Ausnahme. Meine Mutter und Fräulein
von Gehren hatten nicht das Bedürfnis, in Abwesenheit meines Vaters, der uns nur gelegentlich besuchte, ihren Bekanntenkreis zu erweitern. Wir Kinder hingegen brachten ohne
Unterschied Schweizer und Deutsche mit nach Hause.

Arthur von Freymann, genannt Thury, ein gutaussehender
großer Junge aus dem Baltikum, stand allen drei Brüdern
besonders nahe. Er war hochmusikalisch, spielte vorzüglich
Geige und wurde später Berufsmusiker. Als er Anfang der
zwanziger Jahre mit seiner blauäugigen, blonden Schwester

nach Schlobitten kam, verliebten wir drei Brüder uns auf der Stelle in sie. Bis zu ihrem Tode habe ich Briefe mit ihr gewechselt, und als wir uns im Alter wiedersahen, gestand sie mir, daß ich ihre große Liebe gewesen sei.

Auch Professor Jessen, der Leiter des Sanatoriums auf der Schatzalp, besuchte uns nach dem Krieg in Schlobitten. Thomas Manns »Zauberberg« hält die Atmosphäre in diesem Sanatorium eindrücklich fest, und Züge von Professor Jessen selbst sind eingegangen in die Figur des Professor Behrens. Unter den Patienten von Professor Jessen befand sich damals ein junger Deutscher, Freiherr von Bottlenberg, der auf der Schatzalp eine schwere, verschleppte Tuberkulose ausheilen wollte. Seine Magerkeit, die tief eingefallenen Wangen und seine großen, traurigen Augen sind mir unvergeßlich geblieben. Er starb ein halbes Jahr, nachdem wir ihn kennengelernt hatten.

Der Wintersport war damals noch nicht sehr verbreitet. Immerhin gab es einmal ein Skispringen. Die Sprungschanze war sehr kurz, und um möglichst weit zu kommen, drehten die Springer die Arme wie Propeller. Warm eingepackt, sahen wir diesem Vergnügen zu. Wir selbst begnügten uns mit Rodeln. Bobfahren auf Bahnen mit überhöhten Kurven war den Schülern des Fridericianums leider verboten; trotzdem bin ich einmal herzklopfend auf einem Zweierbob als Bremser mitgefahren – es war wundervoll! Meistens liefen wir jedoch Schlittschuh; die Kufen wurden mit richtigen Schrauben an gewöhnliche Schnürstiefel angeschraubt und erst im späten Frühjahr wieder abgenommen. Bis dahin hatten wir nur Schlittschuhe mit Klammern gekannt, die man erst auf dem Eis befestigte.

Auf der großen Davoser Kunsteisbahn tummelten sich Scharen von Schlittschuhläufern beiderlei Geschlechts; es gab darunter einige richtige Kunstläufer, die sehr bewundert wurden, wenn sie ihre Achter und Dreier liefen oder sich gar wie ein Kreisel blitzschnell auf der Stelle drehten. Ich brachte es in zwei Wintern mit Mühe auf Vorwärts- und Rückwärtsbogen; Eistanzen blieb ein unerfüllter Wunsch.

Im ersten Davoser Winter wurde ich Zeuge eines schweren Unglücks, bei dem nach meiner Erinnerung acht Menschen ums Leben kamen. Eine Lawine hatte den von Klosters heraufkommenden Zug unter sich begraben. Die größeren Schüler des Fridericianums halfen, die unter dem Schnee verschütteten Menschen zu befreien und die Waggons freizuschaufeln.

Die Umschulung war für mich auch diesmal nicht einfach gewesen, weil der Lehrplan von dem der Darmstädter Schule in vielem wieder abwich. Da ich in Darmstadt sitzengeblieben war, wiederholte ich zwar zum Teil bekannte Stoffe, aber auch jetzt wurde aus mir kein guter Schüler; in Französisch und Griechisch war ich schlecht, in Mathematik miserabel. Nur in Geschichte und vor allem in Deutsch hatte ich gute Noten.

Auch meine Brüder hatten Schwierigkeiten, im Unterricht mitzukommen, und so engagierte meine Mutter einen Hauslehrer, Herrn Söffing, der infolge einer schweren Kriegsverletzung nur einen Arm gebrauchen konnte. Herr Söffing fühlte sich so unglücklich in den Bergen – »man kommt sich vor wie ein Maikäfer in einer Streichholzschachtel« –, daß er uns schon nach einigen Monaten wieder verließ.

Zum 1. Juni 1918 war ich beim Regiment Garde du Corps in Potsdam als Fahnenjunker angenommen worden. Mein Vater hatte ein Gesuch eingereicht, weil der Kaiser sich die Genehmigung der Offiziersanwärter in diesem Regiment vorbehalten hatte. So mußte ich mich im Frühjahr 1918 auf das Notabitur vorbereiten. Da das Fridericianum als deutsche Auslandsschule der obersten württembergischen Schulbehörde in Stuttgart unterstand, mußte zur Abnahme der Reifeprüfung eigens ein Oberschulrat nach Davos kommen. Ich sah dem mit Bangen entgegen.

Ein Mitschüler aus dem der Schule angeschlossenen Internat erbot sich, nachts in das Lehrerzimmer einzudringen und die Maturathemen in den einzelnen Fächern zu beschaffen. Das gelang; nur die Themen für den Deutschaufsatz fehlten. Das beunruhigte mich wenig, ich schrieb in Deutsch einen sehr guten Aufsatz über Lessings »Laokoon« und bestand mein Abitur – wenn auch mit schlechtem Gewissen.

Am 13. Mai 1918 legte ich die Prüfung ab, und gut zwei Wochen später trat ich meinen Dienst in Potsdam an. Es war eine völlig andere Welt, die mich nun aufnahm.

# Fahnenjunker und Eleve

Mein Vater war stolz auf seinen Sohn, der nach dem bestandenen Notabitur bei seinem früheren Regiment eintreten sollte. Aus einer seiner Uniformen ließ er mir einen wunderschönen Extrarock aus dunkelblauem Tuch mit rotem Kragen und roten Ärmelaufschlägen mit aufgesetzten Silbertressen schneidern. Dazu trug ich, wenn ich Ausgang hatte, feldgraue Breeches statt der unpraktischen weißen Hosen und abends im Casino lange schwarze Hosen mit schmalen roten Biesen sowie schwarze Zugstiefel und Sporen mit runden Rädchen. Damit die Hosen stets glatt waren, hatten sie unten Gummistege.

Ich wohnte auf einer Stube mit dem zweiten Fahnenjunker von Helldorff, der gleichzeitig mit mir eingetreten war. Wir hatten gemeinsam Dienst und verbrachten auch die Freizeit miteinander; dennoch kamen wir uns menschlich nicht näher, denn Helldorff blieb mir wie auch allen anderen gegenüber sehr reserviert. Einmal waren wir beide so stark erkältet, daß wir morgens nicht zum Dienst erschienen. Der kommissige Chef der Ersatzeskadron, Rittmeister von Boddien, erschien höchstpersönlich auf unserer Stube; weil er meinte, wir drückten uns, machte er einen Riesenkrach und gab sich erst zufrieden, als der Arzt Fieber feststellte.

Die Eskadron setzte sich fast ausschließlich aus älteren Männern zusammen, die im letzten Kriegsjahr noch eingezogen wurden, und aus Verwundeten, die bald wieder an die Front sollten. Während man mit ihnen milder umging, sollten die beiden Fahnenjunker tüchtig geschliffen werden, genauso wie die Rekruten in Friedenszeiten. Von einem nur für unsere Ausbildung abgestellten Unteroffizier wurde uns zunächst das Exerzieren beigebracht: Griffekloppen, grüßen, rechtsum – linksum, hinlegen – aufstehen, dann »Gewehr über« und »Präsentiert das Gewehr« – eine öde Schinderei, die man fast bis

*Im letzten Jahr
des ersten Welt-
kriegs meldete sich
der 18jährige Alex-
ander Dohna zum
Regiment Garde du
Corps.
Der Kaiser mußte
in diesem Regi-
ment die Offiziers-
anwärter persön-
lich bestätigen.
Die Aufnahme
zeigt Alexander
Dohna 1918 in der
Gegend von Kursk
(Rußland) als
Fahnenjunker.*

zum Umfallen durchführen mußte. Übungen mit aufgesetzter
Gasmaske, die der Ausbilder selbst allerdings gleich wieder
abnahm, waren besonders quälend, weil der Filter kaum Luft
durchließ.

Da wir beide reiten konnten, wurde jedem von uns nach
wenigen Tagen ein altgedienter Soldatengaul zugeteilt; dies
war eine kleine Abwechslung in dem ansonsten langweiligen
Dienst. Kurioserweise begann die Ausbildung zu Pferde mit
der Lanze. Diese vorsintflutliche Waffe hatte das Regiment
zwar sehr bald nach Kriegsbeginn abgelegt, aber die Ausbil-
dungsvorschriften waren den neuesten Erkenntnissen der
Kriegstechnik noch nicht angeglichen. Es galt, mit eingelegter
Lanze zunächst im Schritt, dann im Galopp eine Strohpuppe
zu durchstechen; ein Kunststück war es, unter dem ständigen

Geschimpfe der Vorgesetzten die Lanze anschließend wieder in den am rechten Steigbügel befestigten »Schuh« hineinzustecken.

Im Dienst trugen wir normales Feldgrau, meist in Drillich, und das sogenannte Krätzchen, eine sehr wenig kleidsame Soldatenmütze ohne Schirm. Das Essen war mäßig, auch im einzigen Offizierskasino, in das wir bisweilen eingeladen wurden. Wir hatten eigentlich immer Hunger. In unserer karg bemessenen Freizeit am Sonntag gingen wir manchmal in ein Café, aber auch hier gab es nur Ersatzkaffee, Ersatztee und einen kaum genießbaren Kuchen.

Mitte September 1918 rückten Helldorff und ich ins Feld, schwer bepackt mit Tornister, Karabiner, Stahlhelm, Gasmaske, Decke und Handgepäck. Wir fuhren 3. Klasse auf Holzsitzen Richtung Osten; in Brest-Litowsk mußten wir auf die russische Breitspurbahn umsteigen. Insgesamt waren wir etwa eine Woche unterwegs. Das Regiment lag in der Nähe von Kursk nahe bei Kiew weit auseinandergezogen. Ich kam zur 4. Eskadron, deren Chef, Kuno Graf Hahn, ein netter, aber etwas schrulliger Junggeselle mit einer riesigen Hakennase, keinen Offizier mehr in seiner Abteilung hatte und daher froh war, in mir einen Gesprächspartner zu finden. Da ich natürlich bei den Mannschaften in einem Massenquartier untergebracht war, durfte ich nur nach dem Dienst, der hauptsächlich der Pflege der Pferde galt, ab und zu Kuno Hahn aufsuchen.

Am 10. November 1918 gab der Kommandeur, Oberst von Langermann, vor dem ganzen Regiment feierlich, mit sehr bewegten Worten und stockender Stimme, die Abdankung des Kaisers bekannt. Das Ende der Monarchie bedeutete für mich in erster Linie das Ende des Krieges, und darüber war ich froh. Welche Folgen die Abdankung des Kaisers haben würde, wurde mir erst später klar.

Am Tag nach der Abdankung beförderte der Kommandeur Helldorff und mich zu Fahnenjunker-Unteroffizieren – der höchste Dienstgrad, den der Kommandeur verleihen durfte. Von manchen Soldaten wurde dies bei dem wachsenden Unmut über den Krieg als unnötige Bevorzugung übel vermerkt. Dunkel entsinne ich mich eines Auftrags an den Fahnenjunker-Unteroffizier Graf Dohna, in einer 20 Kilometer entfernten Ortschaft zu erkunden, ob dort alles ruhig sei und nicht gekämpft werde. Das war ja die Aufgabe der deutschen Truppen in Rußland: für Ruhe zu sorgen, sich aber unter keinen Umständen in die Kämpfe zwischen Weißen und Roten einzumischen. Für meine Umsicht bei der Erledigung des Auftrags wurde ich im Regimentstagesbefehl gelobt, was einen 18jährigen natürlich freut.

Anfang Dezember bekam ich Typhus und wurde in das Feldlazarett in Kiew eingeliefert. Ich hatte lange Zeit sehr hohes Fieber und befand mich in einem Dämmerzustand, aus dem ich nur manchmal erwachte. Dann bat ich um Morphium, denn die wunderschönen Morphiumträume enthoben mich der grenzenlosen Einsamkeit, in der ich mich befand. Mitte Dezember, als es mir etwas besser ging, traf die Nachricht ein, daß mein Vater am 18. November gestorben sei. Zwei Monate zuvor, kurz bevor ich zur Feldtruppe kam, hatte ich ihn das letzte Mal gesehen. Ich war völlig verzweifelt und weinte haltlos, sobald ich mich unbeobachtet wußte. In so jungen Jahren den Vater, meinen besten Freund, verloren zu haben, bedrückte mich ebenso wie die Aussicht, nun Besitzer eines so großen Betriebes wie Schlobitten zu sein. Es erschreckte mich fast, daß ich nun Fürst geworden war und manche Leute mich nun mit Durchlaucht titulierten. Nur dunkel ahnte ich damals, wie schlimm es ist, in jungen Jahren den Rat des Vaters entbehren zu müssen. Und wie mußte es erst meiner Mutter ergehen, die in diesen schwierigen Wochen ohne jede Nachricht von ihrem ältesten Sohn war!

Ich erhielt jetzt häufiger Besuch. Ganz rührend war Simming Solms (Hermann Graf zu Solms-Baruth), der Regimentsadjutant. Er kam fast täglich ins Lazarett, und am 24. Dezember brachte er mir einen winzigen, künstlichen Weihnachtsbaum, den er in eine Flasche steckte.

Anfang Januar teilte mir der Arzt mit, daß ich soweit wiederhergestellt sei, um im Lazarettzug in die Heimat transportiert werden zu können. Ich hatte das unglaubliche Glück, fast möchte ich es Fügung nennen, daß ich mit einem Offizier unseres Regiments, dem ebenfalls kranken Rittmeister Attila Graf Neipperg aus Schwaigern, im gleichen Abteil fuhr. Diesem reizenden und äußerst kameradschaftlichen Mann habe ich es in erster Linie zu danken, daß trotz der Strapazen der dreiwöchigen Reise sich mein Gesundheitszustand verbesserte. In den ersten Tagen, als ich noch kaum auf den Beinen stehen konnte, half er mir zur Toilette, später machte er kleine Gänge mit mir, wenn der Zug irgendwo auf offener Strecke stundenlang stehenblieb. Der Grund waren meist Schießereien zwischen Weißen und Roten, und Attila Neipperg bemühte sich, in Verhandlungen mit dem Bahnpersonal die Weiterfahrt zu erreichen.

Attila Neipperg war Mitte dreißig, sah blendend aus, hatte einen herrlichen Humor und war hochmusikalisch. Ich bin in meinem Leben nie wieder einem Menschen begegnet, der in der Lage war, ganze Opernszenen mit allen Solopartien vom Baß bis zum Sopran zu singen und mit den entsprechenden Gesten zu begleiten. Das war ein ausgezeichneter Zeitvertreib in einem Lazarettzug, der aus russischen 3. Klasse-Wagen bestand.

Man lag auf Holzbänken, Offiziere und Unteroffiziere jeweils zu zweit, die einfachen Soldaten zu viert oder auch zu sechst in einem Abteil. Matratzen gab es nicht, nur eine Decke und ein ziemlich dreckiges Kopfkissen. Ein Arzt und das Pflegepersonal kümmerten sich nach Kräften um uns. Meist waren die Waggons geheizt; das Heizmaterial besorgte die Zugbegleitung bei jeder sich bietenden Gelegenheit.

Von Kiew bis Brest-Litowsk waren wir 14 Tage unterwegs. Dort mußten alle in die große Entlausungsanstalt. Sämtliche Haare mit Ausnahme der Kopfhaare wurden einem abrasiert, dann ging es in einen riesigen Duschraum, wo man mit Wasser, Chemikalien und einer nach Jod riechenden Spezialseife abgeseift wurde. Anschließend gab es frische Unterwäsche, und nach längerem Warten erhielt man seine Uniform mit den Stiefeln zurück, die inzwischen in Heißluftkammern entlaust worden waren. Dabei legte man anscheinend äußersten Wert auf Gründlichkeit, denn meine Jacke war teilweise angesengt und hatte mehrere braune Ränder. Attila blieb auch während des Entlausens stets in meiner Nähe.

Der deutsche Lazarettzug, den wir in Brest-Litowsk bestiegen, verfügte über richtige Betten mit Matratzen. Daß mein Bett nicht bezogen war und große Blutflecken von den Wunden meiner Vorgänger zeugten, störte mich nicht, lag ich doch endlich weich. Zielbahnhof war Dresden. Als wir dort nach acht Tagen ankamen, empfing uns am Hauptbahnhof ein riesiges Spruchband mit der Aufschrift: »Proletarier aller Länder vereinigt Euch!« In Dresden mußten wir noch drei Tage in Quarantäne bleiben; wir wurden gründlich untersucht, erneut entlaust und dann entlassen. Hier trennten sich die Wege von Attila und mir; ich habe ihm viel zu verdanken.

Nachdem ich in Potsdam beim Regiment Garde du Corps die Formalitäten erledigt hatte, traf ich Ende Januar, sechs Wochen nach dem Tod meines Vaters, endlich in Schlobitten ein. Die Freude des Wiedersehens mit meiner Mutter und Ursula Anna und die Trauer um den Tod des Vaters vermischten sich und erzeugten in mir eine Stimmung, die unmöglich mit Worten zu beschreiben ist. Als erstes gingen wir gemeinsam an sein Grab, das noch mit welken Kränzen bedeckt war.

Außer meiner abgerissenen Uniform besaß ich nur noch Kleider aus meiner Schulzeit. Meine Mutter gab mir einen großen Teil der Sachen meines Vaters, die Hemden und Anzüge mußten kaum geändert werden, Unterhemden haben wir nie getragen. Seine Schuhe waren mir leider zu klein, dagegen paßten mir seine Hüte und Mützen. Damals verließen weder Mann noch Frau das Haus ohne Kopfbedeckung. Wir hatten überhaupt kein Geld, so daß ich mir erst vier Jahre später in Bonn eigene Kleidung anschaffen konnte.

Klug vorausschauend hatte sich meine Mutter vorgenommen, daß ich spätestens mit 24 Jahren den Besitz übernehmen sollte. So blieb nur wenig Zeit für meine Ausbildung. Am 1. April 1919 begann ich meine Lehre als landwirtschaftlicher Eleve bei Herrn Görg, einem renommierten Landwirt in Kalthof, etwa 25 Kilometer von Schlobitten entfernt.

Das Gut von Herrn Görg war ca. 450 Hektar groß und hatte sehr unterschiedliche Ackerflächen, von schwersten Lehm- bis zu reinen Sandböden, ähnlich wie in Schlobitten. Die drei Eleven, Kurt Hagemann, Wulff von Borcke und ich als der jüngste, wurden von Herrn Görg mit allen Tätigkeiten eines Landarbeiters vertraut gemacht; daneben kümmerte er sich intensiv um unsere theoretische Ausbildung, und ab und zu prüfte er unsere Kenntnisse. Er war ein fleißiger und energischer Mann, der seine »Wirtschaft« im Griff hatte, ohne daß das Betriebsklima darunter litt, auch wenn er manchmal recht ausfällig werden konnte. Seine zurückhaltende, eher stille Frau führte den großen Haushalt mit Umsicht. Bei der Betreuung ihrer sieben Kinder half ihr eine jüngere unverheiratete Schwester, Erika Cleve, und die 24jährige Hofbeamtin Irmgard Arendt, der auch die Buchführung oblag. Irmgard war der von mir bewunderte Mittelpunkt, und wenn sie ihre mit langen bunten Bändern geschmückte Gitarre zur Hand nahm, um mit dunkler Stimme Volkslieder anzustimmen, sangen wir voller Begeisterung mit, soweit wir die Lieder kannten.

Wir verstanden uns alle recht gut. Hagemann, entlassener Leutnant zur See, ausgezeichnet mit dem Eisernen Kreuz I. Klasse, war ein grundsolider, anständiger Mann. Nach einem dreiviertel Jahr verließ er uns, um nach Peru auf die großen Besitzungen der Familie Gildemeister zu gehen. Wulff Borcke, ausgeschiedener Leutnant der Infanterie, neigte zum Leichtsinn; sein bißchen Geld verwettete er beim Pferderennen, und so war er stets in finanziellen Nöten. Bei einem Sturmangriff in Frankreich hatte ihm eine Kugel beide Backen durchschlagen, ohne daß dabei sein Gebiß wesentlich beschädigt wurde. Er erklärte dies damit, daß er Hurra geschrien und daß ihn das Geschoß deshalb bei weit geöffnetem Mund getroffen habe. Wulff begann einen Flirt mit der molligen Erika. Später heiratete er ein wohlhabendes Mädchen, die Ehe ging auseinander, und wir verloren uns aus den Augen. Nach dem Zweiten Weltkrieg traf ich ihn noch einmal zufällig in Hamburg; mir schien, daß er nirgends so recht Fuß fassen konnte. Er machte einen heruntergekommenen Eindruck. Ich versuchte, ihm zu helfen, freilich ohne Erfolg.

Im Frühjahr 1920 übernahm Herr Görg die Bewirtschaftung der über 600 Hektar großen, wertvollen Domäne Littschen im Kreis Marienwerder. Sein Schwiegervater, Herr Cleve, hatte sich über einen Streik seiner Landarbeiter so aufgeregt, daß er sich weigerte, den Betrieb weiterzuführen, und Herrn Görg bat, die Bewirtschaftung zu übernehmen. Dieser setzte in Kalthof den tüchtigen Verwalter Schulz ein, der zuvor unter Herrn Cleve in Littschen gearbeitet hatte. Während der letzten sechs Monate als Eleve in Kalthof lernte ich Herrn Schulz in seiner ruhigen und gewissenhaften Art besonders schätzen. Seine hochschwangere Frau war mir ebenfalls sehr sympathisch, und als ein Mädchen zur Welt kam, wurde ich Pate. Der Täufling heiratete später einen Herrn Löffke, 68 Jahre nach der Taufe haben wir uns dann zum ersten Mal wiedergesehen.

Bei meiner Umsiedlung nach Kalthof hatte mir meine Mutter einen Dogcart gekauft und einen schnell trabenden Rappwallach für mich ausgesucht. Damit fuhr ich jedes Wochenende nach Schlobitten. Motorräder waren damals noch recht unzuverlässig, und wahrscheinlich wollte meine Mutter nicht, daß ich mich auf ein so gefährliches Vehikel setzte. Dafür erlaubte sie mir im Herbst 1919, die Automobil-Führerschein-Fahrprüfung, wie es damals hieß, abzulegen. Der Fahrlehrer, ein Beamter des Regierungspräsidiums in Marienwerder, kam zum Unterricht eigens angereist. Der Unterrichtswagen, ein offener Stoever, hatte das Steuerrad rechts; da die Schaltung an der rechten Außenseite der Karosserie angebracht war, mußte man von links einsteigen. Das Schalten ging schwer und war kompliziert, weil man noch zwischenkuppeln mußte. Der Motor mußte angeworfen, das heißt unter großem Kraftaufwand mit einer herausziehbaren Kurbel unter dem Kühler angekurbelt werden.

Im Sommer 1920 holte mich Herr Görg, der mich offenbar schätzte, weil ich mich, wie er sagte, vor keiner Arbeit drückte, nach Littschen. Auf diesem Staatsgut vervollständigte ich meine praktische Ausbildung. Ich lernte, mit dem Traktor zu pflügen, zu eggen, zu walzen, und bin tagelang hinter der Drillmaschine hergegangen, um das gleichmäßige Herauslaufen der Samenkörner aus den »Schuhen« zu kontrollieren. Es erforderte große Geschicklichkeit, die Drillmaschine so zu steuern, daß die Getreideaussaatreihen schnurgerade verliefen, und dies überließ man uns Eleven nicht. Hingegen mußten wir in der Kolonne mit den Arbeitern und Arbeiterinnen Kartoffeln legen, Rüben vereinzeln und von Hand hacken. Gras- und Getreidemäher, die damals noch von Pferden gezogen wurden, habe ich nicht bedient, weil an den Maschinen immer wieder Pannen auftraten, die nur von Spezialisten behoben werden konnten. Lagergetreide, das nicht mehr aufrecht stand, wurde mit der Sense gemäht, weil die Messer der Maschinen die flach liegenden Halme nicht erfaßten. Mit der Sense habe ich nicht gearbeitet. Statt dessen ging ich hinter den Sensenmähern in der Kolonne mit den Arbeiterinnen und band die Garben, eine unangenehme Tätigkeit, wenn Disteln im Getreide waren. Schließlich leisteten die Eleven die wegen des schrecklichen Staubes bei weitem unangenehmste Arbeit auf der Dreschmaschine: die Garben zu öffnen und in die Trommel zu werfen. Der Dreck kroch einem in jede Pore, vor allem in Nase und Rachen.

Diese und andere Obliegenheiten eines Eleven, etwa das Umstechen von Getreide auf dem Speicher, waren anstrengend, und abends schmerzte einem oft der Rücken. Aber nur auf diese Weise lernte man, die harte körperliche Arbeit auf dem Lande richtig zu beurteilen, eine wesentliche Voraussetzung für meinen späteren Umgang mit den Arbeitern. Am Ende unserer Lehrzeit absolvierten wir Eleven eine Abschlußprüfung bei Herrn Görg. Ich erinnere mich, daß wir verschiedene Säcke mit Getreide- und Pflanzensamen bestimmen mußten; dazwischen stand ein Sack mit trockenem Sand, der einem Grassamen sehr ähnlich sah. Obwohl wir alle auf diesen Trick hereinfielen, war Herr Görg mit unseren Leistungen zufrieden.

Littschen wurde trotz seiner Größe zentral, also ohne Vorwerk oder Nebengut geleitet, und daher gab es zwei Hofmeister, besonders tüchtige, aus dem Arbeiterstand hervorgegan-

*Alexander Dohna mit Landarbeitern zur Erntezeit in Kalthof 1919.*
*Damals wurde das Getreide meist noch mit der Sense gemäht.*

gene Leute, die die Aufsicht führten. Der eine war für die
Arbeiten auf dem Feld, der andere für die Arbeiten auf dem
Hof zuständig. Während ersterer aus meinem Gedächtnis ent-
schwunden ist, erinnere ich mich an den anderen sehr genau.
Es war ein vergnügter, zur Leibesfülle neigender Mann mit
weißen Haaren, der stets Späße auf Lager hatte, und wir Eleven mochten ihn gern. Seine Spezialität war das Schlachten
der Schweine. Böse Zungen behaupteten, wenn ein Schwein
natürlichen Todes gestorben sei, habe er den beim Durch-
schneiden der Kehle typischen Schweineschrei selbst ausge-
stoßen, damit das Tier noch verwertet werden konnte.

Und noch eine andere Erinnerung an Littschen bleibt nach-
zutragen. Littschen gehörte zum Regierungsbezirk Marienwerder, und am 11. Juli 1920 fand hier sowie im Bezirk Allenstein eine Volksabstimmung darüber statt, ob die Bezirke
beim Deutschen Reich verbleiben oder an Polen fallen sollten.
So war es im Versailler Vertrag festgelegt worden. Weil sowohl
in Marienwerder als auch in Allenstein unzweifelhaft weit
mehr Deutsche als Polen wohnten, stand der Ausgang der
Abstimmung für die meisten von vornherein fest, und so

betrachtete ich den ganzen Aufwand lediglich als interessante Abwechslung, zumal ich als Nichteinheimischer ohnehin nicht wählen durfte.

Herr Görg war als Amtsvorsteher eines größeren Gebietes für den Wahlkreis zuständig. Eines Tages fuhren zwei amerikanische Limousinen der Internationalen Kontrollkommission in Littschen vor. Während die Herren mit Herrn Görg sprachen, besah ich mir ihre Wagen. Ich kam aus dem Staunen nicht heraus: Die Schaltung war innen angebracht, so daß man von beiden Seiten einsteigen konnte; es gab einen elektrischen Anlasser und vor allem elektrisches Scheinwerferlicht. Die Azetylenbeleuchtung unserer Wagen kam mir dagegen fast mittelalterlich vor: In einem Behälter tropfte Wasser auf Karbidbrocken, und das dadurch entstehende Gas wurde in Gummischläuchen zu den Scheinwerfern geleitet. Nach dem Öffnen der Scheinwerfer mußte man das Gas mit Streichhölzern entzünden. Fuhr man langsam über schlechte Wege, tropfte das Wasser stärker und erzeugte mehr Gas, das Licht leuchtete heller. Waren die Straßen eben und wollte man schneller fahren, fielen weniger Tropfen. Es war genau umgekehrt, wie man es brauchte.

Die Herren der Internationalen Kontrollkommission kamen noch mehrmals nach Littschen, und wir hatten durchaus den Eindruck, daß die Abstimmung gut überwacht und korrekt durchgeführt wurde. Herr Görg mußte Listen der Abstimmungsberechtigten in seinem Bezirk führen. Als Briefmarkensammler interessierte es mich vor allem, daß für die niedrigen Werte besondere Marken herausgegeben wurden; für die hohen Werte nahm man deutsche Marken, die mit dem Aufdruck »Abstimmungsgebiet Marienwerder-Kwidzyn« versehen waren. Diese waren sehr selten; ich konnte nur eine einzige bei der Post erwerben. Bei der Abstimmung votierten 92 Prozent der Bevölkerung für den Verbleib von Marienwerder im Deutschen Reich.

Im Herbst 1920 verließ ich als letzter der drei Eleven Littschen. Ein Nachfolger für mich, Herr Glüer, Sohn eines Gutsbesitzers aus dem Kreis Mohrungen, war schon einige Monate vorher eingestellt worden. Und ich hatte noch einen weiteren Nachfolger: Da ich viel bei Herrn Görg gelernt hatte, ging kurze Zeit später der Vetter meines Vaters, Heinrich Dohna, für einige Zeit ebenfalls nach Littschen, um sich auf die Landwirtschaft vorzubereiten.

Es war ein herzlicher Abschied von der Familie Görg und den übrigen Bekannten. Auch hier war ich bei der jüngsten Tochter Pate und sah sie ebenfalls erst wieder, als sie bereits Großmutter war. Von Irmgard trennte ich mich nur schwer, und mein erster längerer Liebeskummer war die Folge. Wenig später habe ich mich mit ihr und mit ihrem jüngeren Bruder in Berlin getroffen. Wir besuchten eines der damals vielgespielten Stücke von Wedekind, deren Aufführung bis 1918 verboten war. Irmgard und ich tauschten in den folgenden Monaten noch einige Briefe, dann trennten sich unsere Wege.

Von Littschen ging ich im Herbst 1920 direkt nach Schuenhagen bei Stralsund in Vorpommern. Forstmeister Mueller war weithin bekannt als Züchter des Hannoverschen Schweißhundes, der sich besonders für die Nachsuche von angeschossenem Wild, vor allem Rotwild, eignete; und er galt als ein großer Nimrod, der in seinem staatlichen Forstrevier schon manchen kapitalen Hirsch erlegt hatte. Zwei Zimmer der Oberförsterei waren über und über mit Geweihen, Rehkronen und Hauern behängt. Ich selbst wollte in Schuenhagen vor allem die praktische Forstwirtschaft erlernen.

Forstmeister Mueller war ein stattlicher, leicht fülliger Mann mit langem weißem Schnurrbart. Um meine Ausbildung kümmerte er sich nicht viel, sondern schickte mich meist mit einem der Förster in den Wald. Beim Fällen der Bäume, bei den Durchforstungen, beim Aufsetzen des Holzes, beim Vermessen und Numerieren, beim Pflanzen der Kulturen, kurz, bei allem war ich dabei und lernte so den Forstbetrieb kennen. Im Gegensatz zu meiner landwirtschaftlichen Ausbildung arbeitete ich jedoch nie mit den Waldarbeitern zusammen.

Neben ihrem Mann, der gewohnt war, stets die erste Rolle zu spielen, und der mir ein kleiner Despot zu sein schien, trat

Frau Muëller in den Hintergrund. In ihrer bescheidenen, lieben Art hatte ich sie gern. Vor allem aber befreundete ich mich mit dem jüngsten Sohn, Hans Wilhelm, einem großen, blonden, blauäugigen Mann, mit dem man Pferde stehlen konnte. Er hatte im Ersten Weltkrieg als aktiver Offizier bei der Marine gedient, dann im Freikorps »von Loewenfeld« gekämpft und gehörte zu den wenigen, die in das sogenannte 100.000-Mann-Heer als Kapitänleutnant übernommen wurden. Hans Wilhelm war ein glühender Patriot. So hatte er zusammen mit wenigen anderen Mutigen im letzten Moment die alten preußischen Fahnen, die von den Franzosen bereits als Siegestrophäen beschlagnahmt worden waren, aus dem Zeughaus in Berlin geschafft. Fahnen hatten damals noch einen hohen symbolischen Wert, ihre Rettung bedeutete eine Heldentat.

Wenn Hans Wilhelm auf kurzen Urlaub kam, gingen wir gemeinsam in den Wald, und ich ließ mir dann gern von seinen Tagen bei der Marine erzählen. So freundeten wir uns immer mehr an. Da Vater Muëller Gesellschaft liebte, kamen gelegentlich auch interessante Gäste nach Schuenhagen. Besonders gut erinnere ich mich an Herrn von Loewenfeld, einen verwegenen Kerl, der vor 1914 als Seemann alle Kontinente kennengelernt hatte und interessant und witzig zu erzählen wußte. Mit seiner leicht eingedrückten Nase sah er aus wie ein Landsknecht, und es paßte zu ihm, wenn er sich rühmte, mit Mädchen aller Hautfarben geschlafen zu haben, was sehr interessante Vergleiche zulasse. Er soll sehr spät noch geheiratet haben und beendete seine Karriere als Vizeadmiral.

Hans Wilhelm kam 1921 mehrmals nach Schlobitten. Er hatte ein Kommando in Pillau und brachte gelegentlich auch seinen vielseitig interessierten Vorgesetzten, Kapitän zur See Carls, mit. Die Besuche von Hans Wilhelm galten in erster Linie meiner Schwester Ursula Anna. Meine sonst so modern eingestellte Mutter und auch ich waren zunächst in alten Vorurteilen befangen: eine Frau Muëller in unserer Familie! Ursula Anna setzte sich mit ihrem starken Willen jedoch durch, so daß wir uns mit der offiziellen Verlobung einverstanden erklärten. Das Paar war überglücklich. Kurze Zeit später traf die furchtbare Nachricht ein, daß Hans Wilhelm sich beim Kopfsprung in einen der Masurischen Seen an einer seichten Stelle das Rückgrat gebrochen habe. Ursula Anna, meine Mutter und ich fuhren in größter Eile mit dem Auto quer durch ganz Ostpreußen, aber wir kamen zu spät; bei unserer Ankunft war Hans Wilhelm tot. Meine Schwester hat diesen Schlag nie ganz verwunden. Erst 1943 heiratete sie den über 20 Jahre älteren Professor Oskar Bruns, Chefarzt für innere Medizin in Königsberg. Er war Witwer und hatte schon erwachsene Kinder. Obwohl er schon drei Jahre später starb, hat Ursula Anna doch ihr spätes Glück gefunden.

Meine Schwester blieb in Kontakt mit Muëllers, vor allem mit der Mutter. Vater Muëller starb bald nach seiner Pensionierung, und der älteste Sohn Franz trat in seine Fußstapfen als staatlicher Forstmeister. Er bekam das berühmte Forstrevier Darß zugeteilt, eine bewaldete Landzunge vor der pommerschen Küste. Dort pirschte er mit Göring, der sich dieses Gebiet als Jagdrevier auf Rothirsche angeeignet hatte. Beim Einmarsch der Russen versteckte sich Franz Muëller wochenlang im Wald. Nach dem Krieg schrieb er ein interessantes Buch über diese Zeit.

Das halbe Jahr in Schuenhagen verging wie im Fluge, und es schien ratsam, nach dieser sechsmonatigen praktischen Ausbildung in Forstwirtschaft auch noch etwas Theorie zu lernen. Willusch Hochberg, der meine Mutter geschäftlich beriet, hatte die sächsische Forsthochschule Tharandt bei Dresden empfohlen. Diese Akademie sei älter als die preußische in Eberswalde und verfüge seiner Ansicht nach über größere Erfahrung.

In Dresden lebte sehr zurückgezogen die älteste Schwester meiner Mutter, Tante Anni, mit ihrem Mann, Johannes Graf Lynar. Er hatte als Offizier der Garde du Corps wegen Homosexualität den schlichten Abschied erhalten und war obendrein mit zwei Jahren Festungshaft bestraft worden. Groß, schlank, mit einem auffallend geröteten Gesicht, Anfang 70, so steht Onkel Johannes in der Erinnerung vor mir. Er und Tante Anni hatten mich gern und genossen es offenbar sehr, in der großen, etwas spärlich möblierten Stadtwohnung wieder Jugend um sich zu haben. Von ihren beiden Söhnen war der jüngere, Hermann, gefallen. Wilhelm kam selten nach Hause. Er war etwa acht Jahre älter als ich, interessierte sich für Kunst und Literatur. Er hatte eine kleine Bibliothek mit schönen Lederbänden und erzählte mir von Stefan George, dessen Gedichte er bewunderte, den er aber wegen seines absonderlichen Auftretens ablehnte.

Die Forstakademie Tharandt war von Dresden aus mit der Eisenbahn in einer halben Stunde bequem zu erreichen. Ich besuchte regelmäßig die Vorlesungen; einige Theorien, besonders über die Forsteinrichtung, kamen mir später in Schlobitten sehr zustatten, als dort der Wald eingerichtet wurde. Es handelt sich dabei, vereinfacht gesagt, um die Aufnahme der Holzbestände und Einschlagsplanung für ein oder zwei Jahrzehnte. Zunächst vermißt man die Fläche des Waldes und gliedert die Bestände in Altersklassen von jeweils zehn oder zwanzig Jahren, das heißt in fünf oder zehn Klassen und eine Klasse »älter als 100«. Die Holzmenge der jungen Bestände wird aufgrund von Tabellen geschätzt, das Altholz durch Probekluppen (Vermessung der Stämme) festgestellt. Die auf diese Weise ermittelte Gesamtholzmenge teilt man so ein, daß nicht mehr Holz eingeschlagen wird, als zuwächst. Dementsprechend setzt man den jährlichen Hiebsatz (Einschlag) gleichmäßig für zehn beziehungsweise zwanzig Jahre fest. Danach findet eine Neuschätzung statt.

Bald lernte ich drei nette, etwas ältere Studenten kennen: Herrn von der Gablentz, Graf Wallwitz und Herrn von Sahr. Wir nannten uns »Gawasado« nach den Anfangsbuchstaben unserer Nachnamen und machten gemeinsame Ausflüge in die Umgebung. Ich besuchte häufig Theater und Museen und habe in Dresden auch meine ersten kleinen Antiquitäten gekauft: einen Krug und eine kleine Silberschale aus Nürnberg, die ich heute noch besitze.

# Corpsstudent in Bonn

Die Verbindung der Familie Dohna zum Corps Borussia in Bonn ist ungewöhnlich alt. Bereits von 1837 bis 1839 war Rodrigo Burggraf zu Dohna-Schlobitten in Bonn aktiv gewesen, zuletzt als erster Chargierter; später wurde er Ehrenmitglied, eine seltene Auszeichnung. Das Corps galt vor dem Ersten Weltkrieg als das feudalste, weil Kaiser Wilhelm II. als eine Art Schirmherr der Borussia angehörte; ein großes Brustbild von ihm mit Band und Stürmer, der feierlichen studentischen Kopfbedeckung, hängt noch heute im Corpshaus. Auch mein Vater war Bonner Preuße gewesen und hätte meinen Entschluß, an der landwirtschaftlichen Hochschule in Poppelsdorf Landwirtschaft zu studieren, sicherlich sehr begrüßt.

Der Krieg, in dem auch zahlreiche Corpsbrüder ihr Leben gelassen hatten, lag erst vier Jahre zurück, und alle standen noch sehr unter dem Eindruck dieses Weltbrandes. Vor jeder Kneipe gedachten wir feierlich der Gefallenen, indem wir stehend sangen:

>»Brüder, eh' der Becher kreise
> Bei des Lichtes frohem Glanz,
> Singet eine fromme Weise,
> Denkt des deutschen Vaterlands.
>
> Denkt der Brüder, die ihr Leben,
> Wie es unser Bund gebeut,
> Brav und tapfer hingegeben.
> Ihnen sei dies Glas geweiht.«

Im Corpsleben schien die Zeit stehengeblieben, und auch der Kastengeist war ziemlich unverändert erhalten. Das Corps nahm in der Regel nur Adelige auf, ganz selten einen Bürgerlichen als »Konzessionsschulzen«. Niemand zerbrach sich den

Kopf darüber, daß mit dem Ende der Monarchie auch die Situation der schlagenden Verbindungen eine grundsätzlich andere geworden war.

Als ich im Wintersemester 1922 nach Bonn kam, führte Heini Dönhoff als erster Chargierter das aktive Corps; er war häufig abwesend und wurde dann von dem stillen, aber beliebten Quirin von Kalckstein vertreten. Wir waren vier Füchse (Anwärter): Dieter Graf Dönhoff (Brüderchen) aus Friedrichstein, jüngerer Bruder von Heini, Wolf Prinz zu Schönburg (Maxe) aus Guteborn, Paul Graf Yorck von Wartenburg (Bia) aus Klein-Oels und ich. Mit Bia hatte ich manchen Tort, er machte mir mitunter allzu verrückte Sachen. Man konnte ihm seine gelegentliche Unbeherrschtheit jedoch schnell wieder verzeihen, zumal er nicht nachtragend war. Ansonsten verstanden sich die Füchse gut.

Um Mißverständnisse auszuschließen: Ich ließ mich zwar immatrikulieren, bin aber zu meiner Schande nicht ein einziges Mal in einem Kolleg in der landwirtschaftlichen Hochschule gewesen! Wenn ich gelegentlich Vorlesungen besuchte, dann solche, die mich interessierten, zum Beispiel in Kunstgeschichte. Die meisten Corpsbrüder hielten es nicht anders; man lebte sorglos in den Tag hinein und begann erst nach Abschluß der aktiven Zeit wirklich zu studieren.

Unter pauken verstanden wir ausschließlich Fechtübungen, die täglich mehrere Stunden in Anspruch nahmen. Wir hatten insgesamt mindestens acht Partien zu fechten. Man trug eine dick gepolsterte Schutzweste, die bis zu den Oberschenkeln reichte, verlängerte Handschuhe, die auch die Arme schützten, sowie einen Helm mit einem Eisengitter vor dem Gesicht. Beim Fechten »auf der Mensur« blieb der Kopf ungeschützt; man trug lediglich eine kleine Brille, die mit einem Lederriemen möglichst fest um den Kopf geschnallt wurde. Weil ich eitel war und keinen Schmiß im Gesicht haben wollte, hatte ich gutes Abdrehen gelernt, das heißt auf Deckung fechten. So blieb es bis zum Ende bei einem kleinen Kratzer auf der linken Backe. Bei meiner siebten Partie verlor ich durch »Kniesen«, weil ich bei einem Treffer zuckte, meine Position als dritter Chargierter, obgleich ich als sicherer Fechter galt und mich auch gegen die gefürchteten Linkshänder gut hielt. Auf unseren Fechtlehrer Nüsse, einen Meister in seinem Fach, hatte ich folgenden Rätselvers verfaßt:

»Das Erste ist das Oberste von Dir,
Das Zweite ein bekannter Mann allhier.
Das Zweite teilt das Ganze aus,
Man hat davon oft Kopfgebraus!«
(Kopfnüsse)

Neben dem Fechten standen auch andere Sportarten auf dem Programm, vor allem Leichtathletik, aber ebenso Schwimmen und Tennis. Da ich ein leidlicher Mittelstreckenläufer war, wurde ich vom Corps ausersehen, auf der »Rheinischen Olympiade« in Aachen die 1500 Meter zu laufen. Trotz täglichen Trainings konnte ich mich in Aachen nur im Mittelfeld behaupten. Beim gemeinsamen Sport kamen wir auch mit anderen Corps in Verbindung, vor allem mit den Pfälzern, dem Corps Palatia, dessen Mitglieder meist aus rheinischen Industriellenfamilien stammten. Ich habe unter ihnen besonders nette Leute kennengelernt, so auch Jacques Koerfer, der dem Corps Guestphalia angehörte. Er war schon vom Vater her vermögend und wurde ein bekannter Rechtsanwalt, dem ich manchen guten Rat verdanke.

Wegen der hohen Inflation hatten wir alle sehr wenig Geld, und da der Wert der Mark Woche für Woche, später täglich sank, zahlte man sein Essensgeld sicherheitshalber am Monatsanfang. Dafür war der Ökonom, Herr Klaes, zuständig, ein netter Mittfünfziger mit blondem Spitzbart und, wie es sich für sein Amt gehörte, etwas beleibt. Wie er es fertigbrachte, uns bis zum Monatsende mit Speise und Trank zu versehen, weiß ich nicht – jedenfalls haben wir nicht gehungert. Herr Klaes hatte drei hübsche Töchter, die in der Küche mithalfen. So wie es uns streng untersagt war, in die Küche zu gehen, so war es den Töchtern Klaes verboten, sich jemals in unseren Corpsräumen blicken zu lassen. Mit der jüngsten traf ich mich einige Male zum Spaziergang und Kaffeetrinken am Nachmittag. Auch mit 23 Jahren war ich noch immer schüchtern.

Neben Herrn Klaes sorgte Herr Sauer, den wir Sauerchen nannten, für unser leibliches Wohl. Ihm oblagen alle Pflichten eines Corpsdieners. Sauerchen hatte eine viel engere Beziehung zum Corps als der auf einen gewissen Abstand bedachte Herr Klaes. Auch sprach er, was ihm in seiner Stellung nicht zu verübeln war, erheblich dem Alkohol zu; aus seinem geröteten Gesicht mit der noch röteren Nase blickten stets verschmitzt zwei gutmütige dunkle Augen. Vor dem Krieg war er im Corps dafür berühmt gewesen, daß er, ohne abzusetzen, eine ganze Flasche Sekt austrinken konnte und hinterher Fanfarenstöße von Kohlensäure von sich gab. Aufgrund einer Wette animierten wir ihn dazu, auch uns einmal dieses bemerkenswerte Kunststück vorzuführen. Noch heute schäme ich mich dafür.

Der Bierkonsum bei den wöchentlichen Kneipen war bisweilen leicht gesundheitsschädlich. Einmal, in meinem letzten Semester, waren es acht Liter pro Kopf, allerdings verteilt auf acht Stunden, von 19 Uhr bis 3 Uhr in der Früh. Solche Gelage waren jedoch die Ausnahme, denn dem Biertrinken wurden durch Geldmangel Grenzen gesetzt. Zur Zeit der höchsten Inflation standen auch schon einmal Kannen mit Wasser statt Bier auf dem Kneiptisch.

Unvergeßlich bleibt mir die Pfingsttour 1922, Pfingstspritze genannt. Zwei Wochen lang waren wir unterwegs, zunächst durch die Eifel zu dem berühmten Weingut Lieser an der Mosel, wo wir von Freiherrn von Schorlemer überaus liebenswürdig bewirtet wurden, anschließend über Heidelberg und durch den Schwarzwald an den Bodensee. Um Geld zu sparen, wanderten wir große Strecken zu Fuß, übernachteten in den billigsten Quartieren und fuhren selbstverständlich nur 4. Klasse.

Politisch war man deutschnational eingestellt und schon von daher gegen den Staat von Weimar. Das um so mehr, als die schlagenden Verbindungen von der Regierung verboten worden waren und wir nur in den Hinterstuben schäbiger Lokale, die wegen der Polizeikontrollen öfter gewechselt werden mußten, unsere Mensuren austragen konnten. Kaum einer wäre auf den Gedanken gekommen, sich für die Republik einzusetzen, im Gegenteil, viele hofften auf die Wiedereinführung der Monarchie, aber alles in allem interessierte man sich wenig für Politik – mit einer Ausnahme.

Im Januar 1923 besetzten Franzosen und Belgier das Ruhrgebiet, um ihren Reparationsforderungen Nachdruck zu verleihen. Hier war Patriotismus gefordert. Wir folgten dem Aufruf der Reichsregierung zum passiven Widerstand und betrachteten die fremden Truppen gewissermaßen als Luft. Im Corpshaus waren eine Zeitlang die französische Forstverwaltung und anschließend Farbige aus den französischen Kolonialtruppen untergebracht; den Aktiven blieben nur zwei Räume, die zur Wohnung von Herrn Klaes gehörten. Nach Abzug der Forstbeamten wurden einige der unteren Räume wieder frei. Da wir alle auswärts wohnten, war die zeitweilige nächtliche Ausgangssperre besonders unangenehm.

Mit der Verschärfung der Anordnungen der Besatzungsmächte wuchs der nationale Stolz eines großen Teils der Bevölkerung und so auch bei uns. Als bekannt wurde, daß einige der verhafteten Wirtschaftsführer des Ruhrgebiets sowie der beliebte Oberbürgermeister von Duisburg, Jarres, freigelassen worden seien und auf ihrem Weg zurück durch Bonn kämen, begab sich eine große Menschenmenge, darunter zahlreiche Corps, zum Bahnhof in Bonn und brach in Ovationen für die »Märtyrer« aus. Mehr konnten wir nicht unternehmen.

Das Sommersemester 1923 brachte mancherlei Ärger mit zwei der anderen Bonner Corps. Während wir uns mit Rhenania schon länger nicht gut standen – es waren hauptsächlich Meinungsverschiedenheiten über das Fechten, die dann auf verschärften Mensuren ausgetragen wurden –, kam nun noch Saxonia als erbitterter Gegner hinzu. Der erste Chargierte der Sachsen, ein untersetzter, bulliger Kerl namens Farst, hatte am Ende des Wintersemesters dem aus dem aktiven Corps ausscheidenden Heini Dönhoff einen ungewöhnlich langen und tiefen Durchzieher auf die linke Backe verpaßt, wobei die Speicheldrüse in Mitleidenschaft gezogen worden war. Die Heilung nahm mehrere Wochen in Anspruch, weil die Wunde nicht genäht werden konnte, und später mußte sich Heini die Narbe nachoperieren lassen. Wir sannen auf Rache. Da wir in Bia Yorck einen ungewöhnlich begabten Fechter hatten, wurde er als Gegner von Farst für eine Schlägerpartie aufgestellt, und tatsächlich zog er ihm die Klinge lang und tief über seine fette Backe. Damit war Heini Dönhoff gerächt, wie wir meinten.

Hätten wir nicht einen so ruhigen, vernünftigen ersten Chargierten wie Mucki (Hans Carl von Rosenberg) gehabt, wäre es wahrscheinlich zu dem viel riskanteren Säbelfechten mit entblößtem Oberkörper gekommen. Pistolenduelle gab es zu dieser Zeit glücklicherweise nicht mehr. Allerdings hatte Ottfried Graf Finckenstein bei einem solchen Duell zwei Jahre zuvor seinen Gegner durch die Hand geschossen. Ich erfuhr erst später davon, unter dem Siegel der Verschwiegenheit; wäre es ruchbar geworden, wären die Beteiligten dafür ins Gefängnis gewandert.

Mit Mucki bin ich ein ganzes Leben lang befreundet gewesen. Auffallend klein, rothaarig und sommersprossig, strömte er eine ungewöhnliche Liebenswürdigkeit aus, und ich hatte absolutes Vertrauen zu ihm. Als Volljurist brachte er es später zu einer angesehenen Stellung bei der HAPAG. Sein Vater wurde als Nachfolger Rathenaus 1922/23 für einige Monate Reichsaußenminister; in dem schönen Amtssitz des Ministers in der Wilhelmstraße in Berlin bin ich mit Mucki ein- oder zweimal gewesen.

In meinem letzten Semester, 1923/24, war Dieter Dönhoff erster Chargierter, während Bia Yorck aufgrund seiner fechterischen Leistungen im Laufe des Semesters zum zweiten Chargierten aufrückte. Ich wurde dritter und betreute als »FM« (Fuchsmajor) die Füchse, eigentlich das wichtigste Amt im Corpsleben.

Aus dieser Zeit stammt meine Freundschaft mit Dieter

Dönhoff, dem ausgeglichensten der drei Brüder. Heini, der älteste, verunglückte bei einem Fliegereinsatz im Zweiten Weltkrieg; den jüngsten, Christoph (Toffi), der ebenfalls bei der Borussia aktiv war, verlor ich mit der Zeit aus den Augen. In die bis heute bestehende Verbindung mit Dieter ist auch seine Frau Karin (Sissi), geb. Gräfin Lehndorff, einbezogen, mit der ich seit ihrer Jugend eng befreundet bin. Dieter und Sissi Dönhoff kauften sehr bald nach dem Krieg ein Gut in Irland, das sie hervorragend verwalteten; ihre gründlichen landwirtschaftlichen Kenntnisse, ihre Leidenschaft für Pferde und ihre Großzügigkeit kamen ihnen dabei sehr zustatten.

Im Sommersemester 1923 bekamen wir ungewöhnlich großen Zuwachs. Unter den sieben Füchsen war auch mein Bruder Vicbert, der aber bald aus Gesundheitsgründen beurlaubt wurde und erst nach meinem Weggang aus Bonn dorthin zurückkehrte. Der bedeutendste meiner Konaktiven war Peter Yorck, der Bruder von Bia, den ich in seiner ruhigen überlegenen Art sehr schätzte. Später bin ich ihm noch einige Male begegnet, aber immer nur flüchtig. Peter Yorck gehörte zum engsten Kreis derjenigen, die am Attentat auf Hitler am 20. Juli 1944 beteiligt waren und dafür hingerichtet wurden.

In diesem Sommer unternahmen die vier Konsemester Dieter Dönhoff, Wolf Schönburg, Bia Yorck und ich eine Fahrt nach Holland. Wir folgten einer Einladung von Adolf Baron Steengracht auf Schloß Moyland, der ein Semester später als wir in das Corps Borussia eingetreten war. Steengracht durfte als Holländer auch während der Besatzungszeit ein Auto benutzen, und so fuhren wir in ausgelassener Stimmung und bei prachtvollem Wetter den Rhein entlang und dann kreuz und quer durch halb Holland. Neben Steengracht waren in einem zweiten Wagen noch Peter Yorck und ein etwas älterer Corpsbruder, Conrad von Schubert (Männchen), mit von der Partie.

Der Ausflug hatte für uns ein unangenehmes Nachspiel: Ein Saxoborusse, Angehöriger unseres Cartellcorps in Heidelberg, schrieb an einen Herrn von Klitzing, »Graf Yorck von Wartenburg, Graf Dohna Schlodien und Prinz Schönaich«

hätten im Auto von Steengrachts Mutter, die zur Lebensmittelbeschaffung eine nicht übertragbare Fahrerlaubnis der belgischen Besatzung besäße, eine »Vergnügungsreise nach Holland« gemacht und obendrein ihr Gepäck mit der belgischen Eisenbahn befördern lassen. Wörtlich hieß es in dem anonymen Schreiben vom 1. August 1923: »Du wirst wissen, daß die feindlichen Züge von der [deutschen] Bevölkerung peinlichst gemieden werden, daß diejenigen, die das nicht tun, von allen anständig gesinnten Menschen mit Verachtung gestraft werden ... Die Empörung in der Bevölkerung ist deshalb um so größer, weil es sich um Leute handelt, die sonst ihre *besonders* gute nationale Gesinnung hervorheben.« So schnell wurde damals aus einem harmlosen Ausflug nationaler Verrat. Bia antwortete drei Wochen später, indem er die zum Teil abenteuerlichen Behauptungen richtigstellte und den Anonymus darauf hinwies, daß es »üble Folgen haben kann, Gerüchte in die Welt zu setzen, die zum Teil stark gefärbt sind, zum anderen überhaupt jeder Grundlage entbehren«. Damit war die Angelegenheit erledigt.

Auch wenn ich die landwirtschaftliche Hochschule kaum je von innen sah, so habe ich in Bonn doch vieles gelernt, was für mich später von Belang wurde. Vor allem kam ich mit vielen Leuten zusammen, die mein Urteilsvermögen schärften. Unter den nicht mehr aktiven Corpsbrüdern, den sogenannten Alten Herren, möchte ich den Diplomaten Kurt Freiherrn von Lersner erwähnen, der 1919/20 Vorsitzender der deutschen Friedensdelegation in Versailles und Paris war. In ihrer eleganten Villa in Berlin gaben Lersners Ende der zwanziger Jahre öfter ein Essen für Angehörige des Corps Borussia; es handelte sich um einen Kreis von etwa dreißig Personen, und es ging sehr lustig zu. Manchmal galt der »Kneipkomment«: Unter »Prost, ein ganzer rechtsherum« stieß jeder, beim Hausherrn beginnend, mit seinem rechten Nachbarn an. War die Reihe wieder am Hausherrn, leerten alle ihre Gläser, und der Umtrunk konnte von neuem beginnen, bisweilen auch linksherum. Auf diese Weise konsumierte man ziemlich viel Wein, aber ich muß hervorheben, daß bei diesen sehr beliebten Veranstaltungen, die ich mit meiner Frau drei- oder viermal besuchte, keiner sich so die Nase begossen hat, daß er unangenehm auffiel. Das hatten wir in Bonn schließlich gelernt. Der starke Kaffee hinterher brachte einen wieder einigermaßen ins Gleichgewicht.

Ferner denke ich an Carl Baron von Manteuffel auf Katzdangen, dem angeblich die ganze Nordspitze von Kurland gehört hatte. Botze war 1892 zusammen mit meinem Vater in Bonn aktiv gewesen. Wir schätzten ihn wegen seines Humors, aber auch wegen seiner guten Ratschläge. Er war ein wohlbeleibter, gemütlicher Junggeselle, und nachdem die Bolschewiken seinen Besitz im Baltikum enteignet hatten, zog es ihn immer wieder nach Bonn. Mir als dem Sohn seines Konaktiven blieb er auch später besonders zugeneigt, und seine breite baltische Aussprache habe ich noch heute im Ohr.

Da ich Bonn nur aus der schlimmen Zeit der Inflation und Ruhrbesetzung kannte, bin ich 1925/26 mehrmals zu kurzen Besuchen dort gewesen. Damals studierten in Bonn neben zahlreichen Konaktiven meine beiden jüngeren Brüder Vicbert und Christof, mein bester Freund und Vetter Hermann Otto Erbprinz zu Solms (Hos), Hans Erhard von Sperber (Spatz), Mortimer Graf Eulenburg (Morti) und Wilfried Graf Dürckheim. Als Alter Herr war ich in der glücklichen Lage, zahlreiche Corpsbrüder nach Schlobitten einladen zu können, darunter auch Wilhelm Prinz von Preußen. Der älteste Sohn des Kronprinzen wurde 1927 erster Chargierter der Borussia. Meine Frau und ich mochten diesen großen, schlanken, sehr hohenzollerisch aussehenden Mann besonders gern; er war von unbedingter Zuverlässigkeit und bescheiden im Auftreten. Wilhelm von Preußen fiel 1940 in Frankreich.

Nach den mageren Jahren meiner aktiven Zeit mit all ihren Einschränkungen war das Corpsleben in Bonn kaum mehr wiederzuerkennen. Man aß üppig, trank neben dem obligaten Bier auch Wein, gab rauschende Feste und besuchte die Theater und Nachtlokale in Köln. Für die Kosten kam weitgehend der AH-Verband auf. Eines Tages riß den Alten Herren die Geduld, und sie schickten eine Kommission nach Bonn, die auf Sparsamkeit drängen und gleichzeitig prüfen sollte, warum die Aktiven soviel Geld verbrauchten. Der Kommission wurde ein spartanisches Mittagessen aufgetischt und dann eifrig das Fechten vorgeführt. Als bei der Kneipe am Abend auch noch das Bier recht spärlich floß, wurde es den Alten Herren gar zu langweilig, und sie luden die Aktivitas zu besseren Getränken ein. Bald hatte die Sparkommission selbst alle guten Vorsätze vergessen. Nach der Kneipe verfielen einige der Alten Herren auf die Idee, nach Köln zu fahren, und es erscholl der übliche Ruf »Sauerchen, ein Auto nach Köln«. Als jedoch mein Bruder Christof lässig einstimmte: »Sauerchen, mir auch eins«, war das den Alten Herren dann doch zuviel, und es gab ein fürchterliches Donnerwetter.

Ich habe die Tage meiner Nachstudienzeit in Bonn sehr genossen. Wir trieben allerlei Unsinn, wie andere junge Leute in diesem Alter auch, feierten die Nacht durch und fuhren, ohne zu schlafen, morgens früh im Smoking auf den Tennisplatz. Unter den zahlreichen jungen Damen, die wir zu unseren Festen ins Corpshaus einluden und in deren Familien wir verkehrten, war Baby von Salviati wegen ihrer Natürlichkeit besonders beliebt; sie heiratete später Wilhelm von Preußen. Damals schloß ich Freundschaft mit Allard von Arnim aus Kriebstein und dem hochmusikalischen Ferdinand Prinz zur Lippe, einem Vetter meiner Frau – beide sind im Zweiten Weltkrieg gefallen –, mit Gerd von Below, der sich besondere Verdienste um das Corps erwarb und Ehrenmitglied wurde, sowie mit Jesco von Puttkamer aus Nippoglense.

Ein Ruhmesblatt in der Geschichte des Corps ist seine Selbstauflösung im Dritten Reich. Bereits 1933 hatten die Nationalsozialisten vom HKSCV (Hoher Kösener Senioren Convent Verband), dem Dachverband aller Corps, verlangt, daß die nichtarischen Corpsbrüder aus den Verbindungen ausgeschlossen werden sollten. Die Mehrheit der Alten Herren der Bonner Borussia fand sich nicht dazu bereit, einem Corpsbruder aus »rassischen« Gründen das Band zu entziehen. Als im Sommer 1935 die befristete Anweisung kam, den Vollzug des sogenannten »Arier-Paragraphen« zu melden, berief unser Corpsbruder Bodo Graf von Alvensleben als Vorsitzender des AH-Verbandes für den 13. Oktober eine Mitgliederversammlung nach Berlin in das Hotel Kaiserhof ein. Sie war außerordentlich stark besucht, ging es doch um die Frage »Auflösung oder Unterwerfung«. Damit sich kein Fremder in die Versammlung einschleichen konnte, fand am Saaleingang eine sonst völlig unübliche Kontrolle statt. Noch vor Beginn der Diskussion stand mein Konsemester Bia Yorck auf, bezeichnete es als unwürdig, überhaupt über eine Unterwerfung zu diskutieren, und erklärte seinen Austritt aus dem Corps, indem er sein Band herunterriß, auf den Tisch warf und den Saal verließ. Die meisten Corpsbrüder reagierten mit Unverständnis und meinten, Bia sei wieder mal übers Ziel hinausgeschossen. Bodo Alvensleben – er war alter Parteigenosse – eröffnete die Diskussion, indem er vorschlug, die Wünsche der Partei zu erfüllen, um den Fortbestand der Borussia zu sichern. Sofort nach Alvensleben stand nach meiner Erinnerung Fritz Graf Eulenburg aus Prassen, der Vater des kurz nach mir aktiv gewesenen Mortimer, auf und hielt eine flammende Rede: Kein Corpsbruder dürfe in diesen Zeiten einen anderen verlassen. Corps Borussia müsse sich daher auflösen. Daraufhin gab Bodo Alvensleben nach. Es kam zu dem einstimmigen Beschluß, den AH-Verein aufzulösen. Das aktive Corps suspendierte sich unmittelbar danach. Fast alle deutschen Corps beugten sich den Forderungen der Nationalsozialisten und entzogen den jüdisch versippten Corpsbrüdern das Band. Damit retteten sie zunächst den Fortbestand ihrer Corps. Wir gehörten zu den wenigen Corps, die sich den Forderungen des neuen Staates nicht beugten und nicht dem Nationalsozialistischen Deutschen Studentenbund beitraten. Sehr viel später erst wurde mir bewußt, daß der ostentative Austritt von Bia Yorck die noch Schwankenden endgültig überzeugt hatte.

Nach dem Zweiten Weltkrieg hat sich das Corps sehr zu seinem Vorteil verändert. Da ich das Fechten nach all dem furchtbaren Blutvergießen als nicht mehr zeitgemäß empfand, trat ich in mehreren Briefen an das Corps dafür ein, es ganz abzuschaffen. Leider blieben meine Einwände weitgehend wirkungslos, das Fechten in gemäßigter Form wurde beibehalten.

In Bonn selbst bin ich nach dem Krieg nur ein- oder zweimal gewesen, aber noch heute kommen die Aktiven gelegentlich zu uns nach Basel, so daß das Band – im doppelten Sinne – niemals gerissen ist.

# Verlobung und Hochzeit

Im Herbst 1925 verlobte sich mein Bruder Vicbert mit Carmen Freiin von Stenglin. Das erregte in der Familie großes Aufsehen, nicht nur weil Vicbert erst 22 Jahre alt war, sondern vor allem weil ich, der Älteste, noch keine Heiratsabsichten gezeigt hatte.

Kurz darauf wurde ich zu einer Jugendjagd nach Oels, dem Besitz des Kronprinzen, eingeladen. Unter den zehn bis fünfzehn jungen Leuten, die dort zusammenkamen, gefiel mir bei weitem am besten die schöne und kluge Freda Antoinette Gräfin von Arnim aus dem Hause Muskau. Es wurden zwei vergnügliche Tage. Dann fuhr ein Teil der Gesellschaft, darunter meine »Auserwählte«, allgemein Titi genannt, und ich, mit der Eisenbahn zurück nach Berlin. Dabei fand ich bestätigt, was ich in Oels gespürt zu haben glaubte, daß Titi meine Zuneigung keineswegs erwiderte. Am Anhalter Bahnhof begleitete ich sie zum Auto und lernte so ihre Mutter kennen, die Titi abholte. Durch diese kurze Bekanntschaft mit meiner späteren Schwiegermutter erhielt ich für Januar 1926 eine Einladung nach Muskau, wiederum zur Jagd.

Am Abend vor der Jagd fuhren Titis Eltern mit einem Teil der Gäste zu einem Ball der schlesischen Adelsgenossenschaft nach Cottbus. Ich geriet in die ausgelassenste Stimmung, nachdem ich bereits bei meiner Ankunft einige Anzeichen dafür gefunden hatte, daß ich meiner Angebeteten nicht mehr so gleichgültig war wie bisher. Dies wurde mir auf dem Ball zur Gewißheit, auf dem ich fast ausschließlich mit ihr tanzte. Am folgenden Tag jagte man im Wald auf Hasen, und Titi kam öfter auf meinen Stand.

Unsere Zuneigung muß schon am Abend des Balles von ihren Eltern bemerkt worden sein; jedenfalls ließen sie uns am Morgen nach dem Frühstück allein zurück. Wir fanden, daß wir gut zueinander paßten, und besiegelten unsere Verlobung mit einem schüchternen Kuß. Anschließend schlichen

*Antoinette Gräfin von Arnim, die spätere Frau des Autors, 1925 mit den von ihr geliebten Vollblutjährlingen aus dem Besitz des Vaters.*

wir uns in das Zimmer von Titis Bruder Hermann (Hermi), um ihm die Neuigkeit mitzuteilen. In diesem Augenblick tauchte am Fenster der Kopf von Franz, Titis zweitem Bruder, auf; er hatte gespürt, daß etwas in der Luft lag, und war auf einem Sims außen am Haus von nebenan herüberbalanciert. Zu viert überlegten wir, was nun zu unternehmen sei. Schicklicherweise wollte ich den Vater offiziell um die Hand seiner Tochter bitten. Da ich keine entsprechende Garderobe bei mir hatte, borgte mir Hermi das Notwendige. So konnte ich schon eine halbe Stunde später in Cut und Zylinder bei Adolf Arnim um Titis Hand anhalten. Ich bat alle, die Verlobung so lange geheimzuhalten, bis ich meine Mutter in Schlobitten von dem Ereignis in Kenntnis gesetzt hatte.

Noch am gleichen Nachmittag brach ich in Muskau auf und

nahm den Nachtschnellzug über Berlin und Königsberg nach Waldburg. Auch dort war eine Hasenjagd. Im Laufe des Tages nahm mich Onkel Ebsi beiseite und meinte, am Namen Alexander hinge offenbar ein gewisser Fluch, sie heirateten nämlich nicht. In der Tat waren die jeweils ältesten Söhne aus der Generation meines Urgroßvaters und meines Ururgroßvaters ledig geblieben; sie hießen beide Alexander. Ich versicherte meinem Onkel, daß ich keineswegs die Absicht hätte, Junggeselle zu bleiben. Von meiner Verlobung sagte ich ihm nichts.

Als ich meiner Mutter am nächsten Morgen die Neuigkeit mitteilte, war sie über diesen für sie plötzlichen Entschluß zunächst erstaunt, akzeptierte dann jedoch meine Wahl. Am Tag darauf wurde die Verlobung gleichzeitig in Schlobitten und in Muskau bekanntgegeben.

Bei einer Visite meiner zukünftigen Schwiegereltern mit ihrer Tochter in Schlobitten wurde Titi meiner Mutter und sämtlichen Geschwistern, die eigens angereist waren, vorgestellt. Ich war kritisch genug, mich in diesen Monaten der Verlobung zu prüfen, ob meine Wahl die richtige war, aber es gab keinen Zweifel.

Unterdessen wurden in Muskau umfangreiche Vorbereitungen für die Hochzeit der einzigen Tochter getroffen. Adolf Arnim hatte 1921 in das Muskauer Schloß eine Zentralheizung legen und es bei dieser Gelegenheit von dem bekannten Architekten Broslauer etwas umbauen lassen. Anschließend wurde das Gebäude auch von außen erneuert und dunkelrosa angestrichen. Böse Zungen sprachen unter Anspielung auf den Vorbesitzer von einer riesigen »Fürst-Pückler-Eisbombe«. Außerdem sollte dann noch ein großer Saal angebaut werden, der aber im Rohbau steckenblieb. Um den Raum am Hochzeitstag benutzen zu können, wurden die rohen Ziegel mit Pappe abgedeckt, die in der Muskauer Pappfabrik hergestellt worden war und auf die der zur Verwaltung gehörende Architekt Lehmann eine barocke Scheinarchitektur gemalt hatte. Die Decke wurde mit Nesselbahnen verhängt, so daß tatsächlich ein schön ausstaffierter, festlich wirkender Saal entstand, in dem die Hochzeitstafel aufgebaut werden konnte. Da die

*1926 heiratete Alexander Dohna Antoinette Gräfin von Arnim aus dem Hause Muskau. Durch den berühmten Park, den Fürst Pückler um 1850 angelegt hatte, verläuft heute die deutsch-polnische Grenze. Als der Schwiegervater des Autors nach der Beseitigung des alten Efeus das Schloß rosarot mit weißen Gesimsen verputzen ließ, behaupteten böse Zungen in der Familie, der Bau sähe aus wie eine riesige »Fürst-Pückler-Eis-Bombe.«*

wirtschaftliche Lage sich bald verschlechterte, ist dieser Raum nur das eine Mal benutzt worden.

Mein Schwiegervater wünschte, daß ich in Uniform heiratete. Ich wandte mich daher an den ehemaligen Chef des Zivilkabinetts des Kaisers, Geheimrat von Berg, mit der Frage, ob ich mir die alte ostpreußische Ständeuniform anfertigen lassen dürfe. Der Schnitt dieses Kleidungsstücks aus dunkelblauem Tuch mit roten Ärmelaufschlägen stammte noch aus der Mitte des 18. Jahrhunderts. Die Rockschöße reichten bis zu den Kniekehlen; dazu trug man eine weiße Weste und weiße, lange Hosen. Ein Stichdegen in weißer Scheide und ein Zweispitz vervollständigten die Ausstattung. Ich habe dieses besonders schöne Kleidungsstück nur ein einziges Mal, zu meiner Hochzeit, getragen.

Mein Schwiegervater, der Standesherr der Herrschaft Muskau, hatte zahlreiche Gäste, an die hundert Personen, eingeladen, unter anderem den Großherzog und die Großherzogin von Hessen sowie die Kronprinzessin von Preußen mit ihrem ältesten Sohn Wilhelm. Das Schloß, die Stadtkirche und auch die Stadt Muskau waren mit Girlanden und Fahnen geschmückt. Bei den Aufführungen am Polterabend wurde in äußerst witziger Weise über mich, den Bräutigam, und etwas zurückhaltender auch über die Braut hergezogen. Der Vetter meiner Frau, Ulrich Wilhelm Graf Schwerin-Schwanenfeld – der nach dem 20. Juli von den Nazis ermordet wurde –, imitierte mich als Corpsstudenten im Sommeranzug und mit der für mich typischen, etwas schräg geneigten Kopfhaltung.

In der Muskauer Stadtkirche, einem hübschen Barockbau, wurden wir von Superintendent Ney getraut; in die Trauringe hatte ich nach alter Schlobitter Sitte »G g G« (Gott gebe Gnade) eingravieren lassen. Vor der brechend vollen Stadtkirche hatten sich trotz eines heftigen Regengusses zahlreiche Schaulustige eingefunden. Im Rausch des Festes haben sich mir nur ganz wenige Augenblicke eingeprägt, am tiefsten die Rührung meines Schwiegervaters bei seiner Ansprache auf die frisch vermählte Tochter.

Als Mitgift erhielt meine Frau zwar kein Vermögen, aber ein Nadelgeld von 1000 Mark monatlich. Dazu kam ihre umfangreiche persönliche Ausstattung, Kleider und Wäsche. Besonders schön waren die Tischtücher mit dem eingewebten Allianzwappen Dohna–Arnim. Ich hatte mir das gewünscht, weil traditionsgemäß alle Frauen, die nach Schlobitten heirateten, solche Tischtücher mitgebracht hatten. Mit dem Allianzwappen versehen waren auch die Dessertteller des Tafelservices, das meine Frau in Meißen ausgesucht hatte. Schließlich gehörten zur Aussteuer noch zwei komplette Ehebetten; am Fußende waren unsere Wappen eingelegt.

Während die Gäste noch feierten, brachen meine Frau und ich am Nachmittag zur Hochzeitsreise auf. Unser Auto, ein

*Der Einzug des à la Daumont gefahrenen Sechserzuges; voraus ritt der Vorreiter, hinten auf der Kutsche saß der Leibjäger.*

nur in wenigen Exemplaren hergestellter Isotta Fraschini, wurde von unserem Schlobitter Chauffeur Oloschkewitz gesteuert. Über Dresden, wo wir im Hotel Bellevue übernachteten, führte unser Weg nach Wolfach im Schwarzwald. Dort besaß mein Freund und Corpsbruder Gottfried von Stoeßer ein Haus, in dem wir einen Tag zubrachten. Dann reisten wir mit der Bahn über Basel nach Evian les Bains auf der französischen Seite des Genfer Sees. Da es dort noch recht kalt war, entschieden wir uns für die sonnigere Seite und blieben schließlich zwei Wochen in Montreux. Auf dem Nachhauseweg stellte ich meine Frau der Solmsschen Verwandtschaft in Lich vor. Letzte Station der Reise war Prökelwitz, der zweite Besitz von Schlobitten.

In Prökelwitz bereiteten wir uns auf den feierlichen Einzug in Schlobitten vor. Meine Mutter hatte für »das junge Paar« besondere Vorkehrungen getroffen und den offenen Galawagen, der in alter Zeit nur vom Kaiser und Mitgliedern regierender Häuser benutzt worden war, auf Hochglanz bringen lassen. Schwarz lackiert und mit hellbeigem Rips ausgeschlagen, war diese Staatskarosse das Prunkstück der Remise. Sie hatte keinen Kutschbock, sondern wurde vom Sattel aus

*Das offizielle Hochzeitsbild vom Mai 1926. Der Autor trägt die ostpreu-
ßische Ständeuniform, wozu er die Genehmigung des letzten Chefs des
kaiserlichen Zivilkabinetts, Exzellenz von Berg, einholte.*

gefahren, und zwar sechsspännig à la Daumont, immer zwei und zwei Pferde, vorneweg ein Vorreiter. Zwei Kutscher in Galalivree mit betreßtem Zylinder, einer vorne links, einer hinten links, lenkten das Gespann. Hinten, durch ein Halbverdeck getrennt, saßen der Leibjäger mit Helmbusch und umgehängtem Hirschfänger und ein dritter Kutscher, ebenfalls in Galalivree mit Zylinder.

Wir waren aus Prökelwitz im Auto gekommen und stiegen im Schlobitter Wald in die von sechs prächtigen Rappen eigener Zucht gezogene Staatskarosse um. Titi trug ein Sommerkleid mit Hut, ich Cut mit Zylinder. Auf Schlobitter Boden empfingen uns die drei Oberinspektoren im Bratenrock hoch zu Pferde. Nach der Begrüßung setzten sie sich in Trab, und alsbald fuhren wir im Abstand von 200 Meter hinter ihnen im Schloßhof ein. Unsere Angestellten und Landarbeiter sowie das gesamte Schloßpersonal waren versammelt; Pfarrer May im langen schwarzen Rock und der dicke Rendant Krause im Frack standen an der untersten Treppenstufe. Meine Mutter eilte herbei, um die neue Schloßherrin zu umarmen, und im Namen der Bismarck-Jugend, einer Jugendorganisation der Deutschnationalen Volkspartei, überreichte die Kammerjungfer Martha Rose einen Blumenstrauß. Ich sprach einige Worte des Dankes für den feierlichen Empfang. Der Tag endete mit einem festlichen Essen im Kreis der Nachbarschaft im oberen Saal. Es war das letzte Mal, daß der Galawagen hervorgeholt wurde. Genau wie die ostpreußische Ständeuniform habe ich auch dieses Relikt aus der Kaiserzeit nie wieder benutzt.

Bevor ich versuchen will, das Leben in Schlobitten während der zwanziger Jahre etwas genauer zu schildern, muß noch ein Ereignis im Zusammenhang mit der Geschichte von Muskau erwähnt werden. Im Sommer 1929 stattete König Fuad von Ägypten Deutschland einen mehrtägigen Besuch ab. Der König hatte den Wunsch geäußert, im Anschluß an den offiziellen Teil seiner Reise den berühmten Park von Muskau und das Grab der Machbuba zu besuchen, eines jungen ägyptischen Mädchens, das Fürst Pückler 1840 von seiner Ägyptenreise mitgebracht hatte. Mein Schwiegervater war schon

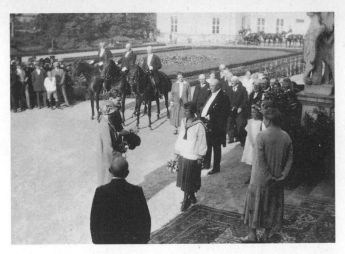

*Das junge Paar wird von der Mutter des Autors auf der Schloßtreppe emp-*
*fangen; der Pfarrer, der Rentmeister, die drei Oberinspektoren zu Pferde*
*und weitere Honoratioren haben sich im Hof versammelt; links steht eine*
*Gruppe von Landarbeitern.*

Wochen vorher vom Auswärtigen Amt über den königlichen
Wunsch informiert worden. Die Reichsregierung stellte König
Fuad für die Fahrt von Berlin nach Weißwasser, der Bahnsta-
tion von Muskau, einen Sonderzug mit mehreren Salonwagen
zur Verfügung.

Ich war von meinem Schwiegervater zu diesem Ereignis
nach Muskau eingeladen worden und hatte das Glück, mit
dem Sonderzug mitfahren zu dürfen. Der König selbst ließ
sich während der zweistündigen Fahrt nicht blicken. Mit dem
deutschen Botschafter in Kairo, Herrn von Stohrer, und seiner
eleganten Frau sowie einigen weiteren Begleitern führte ich
eine angeregte Unterhaltung. Es wurden dicke ägyptische
Zigaretten angeboten, die so lang wie eine Zigarre waren und
das Wappen des Königs trugen. Bei der Ankunft in Weißwasser stellte mich mein Schwiegervater dem König vor; er war
ein etwas korpulenter Herr mit Schnurrbart und dem obliga-
torischen roten Fes.

Das Schloß in Muskau war festlich geschmückt, die Dienerschaft trug Galalivree. Der König zog sich mit seiner Begleitung kurz zurück, dann gab es in kleinerem Kreis ein mehrgängiges Mittagessen. Anschließend begab sich der König, begleitet von meinem Schwiegervater und kleinem Gefolge, zum Grab der Machbuba an der Burgkirche oberhalb der Stadt und legte dort Blumen nieder. Nach dem Tee fuhr man in zwei Kutschwagen in den Park, vorbei an dem berühmten Wasserfall und am Pücklerstein. Im Arboretum, einem Teil des Parks, der mit seltenen Bäumen bestanden war, fand auf Wunsch des Königs eine Vorführung von geländegängigen Kraftwagen statt. Ägypten erwog, solche Wagen für seine Armee anzuschaffen.

Schon damals gab es interessante Konstruktionen mit je einem Motor für die Vorder- und die Hinterachse; im Gelände schaltete man beide Motoren ein und hatte somit Allradantrieb. Das im Gelände oft lästige Wenden entfiel, weil es bei diesem Auto kein Vorne und Hinten gab. Es gab mehrere Modelle auf dem Markt, die jedoch allesamt recht teuer in der Anschaffung waren.

Abends gab es ein festliches Diner, zu dem die Nachbarschaft geladen war. Mein Schwiegervater stellte die Gäste vor: Er stand links neben dem König, geschmückt mit dem hellblauen Band und dem Stern eines hohen ägyptischen Ordens, der ihm kurz zuvor verliehen worden war. Die Damen, in großer Abendgarderobe, machten einen tiefen Hofknicks vor König Fuad, die Herren, im Frack mit Orden, verbeugten sich. Am folgenden Morgen fuhr der König mit seinem Hofstaat nach Berlin zurück.

# Die Bewirtschaftung von Schlobitten

An anderer Stelle habe ich bereits erwähnt, daß das wichtigste historische Gut der Familie, die drei Archive in Reichertswalde, Schlobitten und Schlodien, 1945 verlorengegangen ist. Zwar habe ich, wenn auch nur flüchtig, die alten Schlobitter Wirtschaftsbücher vom Ende des 16. Jahrhunderts noch selbst in der Hand gehabt – sie waren in weichem, braunem Leder gebunden –, aber die Details erinnere ich natürlich nicht. Nur soviel: es wurde extensiv gewirtschaftet. Fiel die Ernte schlecht aus, dann wurde nicht einmal die Menge des ausgesäten Getreides eingebracht. Bei guten Ernten konnte man mit dem Doppelten oder Dreifachen der Aussaat rechnen – ein Bruchteil dessen, was eine normale Ernte heute abwirft. Es gab unter meinen Vorfahren fähige Landwirte, denen tüchtige Verwalter zur Seite standen, und solche, die schlecht wirtschafteten, weil sie zu viele andere Interessen hatten, und die obendrein von unehrlichen Angestellten betrogen wurden. Der für seine sarkastischen Bemerkungen bekannte Herr von Oldenburg in Januschau brachte das Verhältnis zu seinen Verwaltern so zum Ausdruck: »Ich weiß, daß sie mich betrügen, aber solange sie mir etwas zum Leben übriglassen, bin ich es zufrieden.«

Noch unter meinem Großvater wirtschaftete man in Schlobitten stark extensiv mit Brachen in der Fruchtfolge und drei- bis vierjährigen Kleeschlägen, die von Pferden, Rindern und insbesondere von den Schafherden abgehütet wurden. Eine völlige Umstellung der Landwirtschaft war unbedingt erforderlich, wollte ich aus dem ständigen Defizit herauskommen.

1904 hatte mein Großvater von Herrn Mittmann das Gut Sumpf mit dem Vorwerk Suche erworben, ein Jahr später kaufte er von Herrn Gehrmann für 40.000 Mark einen der drei letzten Bauernhöfe in Schlobitten. Er hatte lange gezögert, diesen Bauern »auszukaufen«, es schließlich aber doch getan, um keinen Fremden hereinzulassen. Von da an gab es nur

Wir Wilhelm,

von Gottes Gnaden

König von Preußen

Markgraf zu Brandenburg, Burggraf zu Nürnberg, Graf zu Hohen-
zollern, souverainer und oberster Herzog von Schlesien wie auch der Grafschaft
Glatz, Großherzog von Niederrhein und Posen, Herzog zu Sachsen, Westfalen
und Engern, zu Pommern, Lüneburg, Holstein und Schleswig, zu Mag-
deburg, Bremen, Geldern, Cleve, Jülich und Berg, sowie auch der Wenden
und Cassuben, zu Crossen, Lauenburg, Mecklenburg, Landgraf zu Hessen und
Thüringen, Markgraf der Ober- und Nieder-Lausitz, Prinz von Oranien,
Fürst zu Rügen, zu Ostfriesland, zu Paderborn und Pyrmont, zu Halberstadt,
Münster, Minden, Osnabrück, Hildesheim, zu Verden, Cammin, Fulda,
Nassau und Mörs, gefürsteter Graf zu Henneberg, Graf der Mark und
zu Ravensberg, zu Hohenstein, Tecklenburg und Lingen, zu Mansfeld, Sig-
maringen und Veringen, Herr zu Frankfurt,

urkunden und bekennen hiermit, daß Wir auf den Antrag Unseres Justizmi-
nisters der am 2. März 1917 von dem Fideikommißbesitzer Fürst Richard
Emil zu Dohna-Schlobitten verlautbarten und am 13. März
1917 von dem Oberlandesgericht in Königsberg als der zuständigen Fidei-
kommißbehörde bestätigten Einverleibung, soweit durch diese das im Grund-

*Wilhelm II., der letzte König von Preußen und deutscher Kaiser, erteilte
1917, datiert aus dem Großen Hauptquartier, die Genehmigung, Teile des
Schlobitter Besitzes dem Fideikommiß zuzuschlagen.*

buche des Amtsgerichts in Mohrungen von Pfeilings Band IV Blatt No. 273 eingetragene Gut Pfeilings nebst dem „Schlößchen" in Mohrungen und das im Grundbuche desselben Amtsgerichts von Mohrungen Band VI Blatt 149 eingetragene Hausgrundstück Wasserstraße 6 in Mohrungen sowie das im Grundbuche des Amtsgerichts in Mühlhausen Ostpr. von Schlobitten Band I Blatt No.25 eingetragene Grundstück dem Fideikommiß Schlobitten einverleibt werden, Unsere Landesherrliche Genehmigung gemäß §§ 56,57 Teil II Titel 4 Allgemeinen Landrechts zu erteilen geruht haben.

Wir genehmigen und bestätigen demgemäß diese Einverleibung vorbehaltlich Unserer Rechte und der Rechte jedes Dritten.

Urkundlich unter Unserer Höchsteigenhändigen Unterschrift une beigedrucktem Königlichen Jnsiegel.

Gegeben Großes Hauptquartier, den 17. September 1917.

Landesherrliche Genehmigung.

----------

noch zwei selbständige Bauernhöfe in Schlobitten: den Ober-
und den Unterthimm, nach dem Namen der beiden Besitzer
Thimm. Im gleichen Jahr erwarb mein Großvater auch das
Gut Behlenhof, wo ich meine Jugend verbrachte, und wenig
später in Prökelwitz das kleine Gut Schloßhof, das an Sakrinten grenzte. Als letztes kaufte dann mein Vater das Gut Erlau,
das westlich an den Schlobitter Besitz grenzte. Alle diese
Erwerbungen dienten in erster Linie dazu, genügend Einnah-
mequellen zu sichern, um das große Schloß in Schlobitten
auch in schlechten Zeiten erhalten zu können.

Aus dem gleichen Grunde hatte der Feldmarschall Alexander schon zu Anfang des 18. Jahrhunderts das Schlobitter
Fideikommiß gestiftet; der Besitz ging jeweils auf den ältesten
Sohn über und durfte nicht veräußert werden. Daneben gab
es beim Tode meines Vaters den Allodbesitz in der Größe von
etwa 1500 Hektar, der an alle Kinder vererbt werden konnte.
Um die Allodgüter nicht unter meine vier Geschwister teilen
zu müssen, wollte sie mein Vater dem Fideikommiß zuschla-
gen. Seinem Antrag wurde von den Behörden jedoch nur teilweise stattgegeben, und zwar für die Güter Koppeln und Pfeilings. Um eine Verkleinerung des Grundbesitzes zu vermeiden, vermachte mein Vater daraufhin sämtliche Allodgüter
mir.

Aufgrund der nach dem Ersten Weltkrieg veränderten Verhältnisse ließ sich dieses Testament nicht durchführen. Meine
Mutter und meine Geschwister konnten nicht mit Geld abge-
funden werden, weil mein Großvater, wie so viele Deutsche, aus Patriotismus das gesamte Barvermögen von ca. 1 Mil-
lion Goldmark in Kriegsanleihen gezeichnet hatte, die nach
dem verlorenen Krieg völlig wertlos waren. Daher erhielt
meine Mutter nach einer Erbauseinandersetzung die Allodgüter sowie einen monatlichen Zuschuß, der auch an meine
Geschwister ausgezahlt wurde.

Nach der Revolution von 1918 drängte die Regierung auf
Abgabe von Land. 1921 mußte das Gut Brünneckshof, das zum
Schlobitter Fideikommiß gehörte, zur Aufteilung in Bauernhöfe an den Staat abgetreten werden. Der Erlös entwertete
schnell und war bald verbraucht.

1923/24, also zur Zeit der höchsten Inflation beziehungsweise kurz nach Einführung der neuen Währungsordnung, als
Geld äußerst knapp und Grund und Boden preiswert waren,
sah meine Mutter sich gezwungen, die ihr gehörenden Güter
zu Siedlungszwecken an die Ostpreußische Landgesellschaft
zu veräußern, weil die Wirtschaft dringend Bargeld benötigte.
Nur Behlenhof behielt sie, und dorthin zog sie auch nach meiner Heirat 1926. Als sie drei Jahre später von Tante Gertrud das
Gut Wundlacken erbte, siedelte sie dorthin über. Leider war
Wundlacken, wie sich herausstellte, durch den betrügerischen
Oberinspektor Micheli so hoch belastet, daß meine Mutter das
durch einen unfähigen Verwalter inzwischen ebenfalls verschuldete Behlenhof 1930 verkaufen mußte, um das wertvol-
lere Wundlacken zu erhalten. Das schöne kleine Schloß aus
dem 17. Jahrhundert wurde durch sie zum Mittelpunkt für
Kinder und Enkel.

Meine Mutter war bis 1921 mein Vormund gewesen und
hatte diese Funktion bis zur Beendigung meiner Ausbildung
1924 beibehalten. Als Beistand hatte sie sich meinen Onkel
Willusch Graf Hochberg ausgesucht. Dieser vorsichtige,
genaue Mann vertrat den Standpunkt, daß man in der Vormundschaft keine Schulden machen dürfe – angesichts der
Inflation eine fatale Einstellung. Große Verdienste hingegen
erwarb er sich um die Organisation des Betriebes. Nach einem
einheitlichen Muster schloß er neue Verträge mit den Angestellten in der Land- und Forstwirtschaft, und 1920 führte er
mit Hilfe der sächsischen Forsteinrichtungsanstalt in Tharandt eine Forsteinrichtung in Schlobitten ein.

In den wirtschaftlich außerordentlich schwierigen Jahren
von 1924–1933 mußte ich aus dem Fideikommiß die Güter
Koppeln an den Pächter Brandes, Sakrinten an eine Siedlungs-
genossenschaft und die Güter Mathildenhof und Armuth
sowie Nikolaiken an die Ostpreußische Landgesellschaft, ein
halbstaatliches Siedlungsunternehmen, verkaufen. Die Verhandlungen mit dem Direktor der Landgesellschaft, Herrn
Klaasen, waren recht hart. Nachdem wir gemeinsam das
Gelände inspiziert und anhand eines mitgeführten Spatens

*Die Mutter des Autors, Marie Mathilde Dohna-Solms, mit elf Enkeln an ihrem Geburtstag 1934 in Wundlacken.*

den Boden untersucht hatten, saßen wir stundenlang über Katasterkarten und sonstigen Unterlagen und feilschten um den Preis. Klaasen mußte den Preis für seine Siedlungsbauern möglichst niedrig kalkulieren, ich mußte meine Interessen vertreten, zu denen die Erhaltung des Betriebes und des großen Schlosses gehörten. Wir achteten uns gegenseitig, doch gab es politisch keine gemeinsame Ebene. Klaasen wollte den Großgrundbesitz zerschlagen, ich wollte ihn erhalten.

Als die Regierung nach der Inflation 1924 erst die Rentenmark und 1925 dann die Goldmark eingeführt hatte, wurden Hypothekenschulden von der Papiermark auf die neue Währung nur mit 25 Prozent aufgewertet. Barvermögen existierte nicht mehr, die auf den Grundstücken liegenden Hypothekenschulden blieben zu einem Viertel bestehen, und Geld für die Wirtschaft war nur durch Wechsel zu beschaffen, die mit 20 Prozent Zinsen und mehr belastet waren. Da der veraltete Betrieb so gut wie nichts abwarf, wuchsen die Schulden in bedrohlichem Maße. Hinzu kam, daß Ostpreußen von den

Absatzmärkten im Reich durch den polnischen Korridor abgetrennt war.

Die Reichsregierung beschloß zunächst eine große Umschuldungsaktion; es sollten verbilligte Kredite zur Verfügung gestellt werden. Stark überschuldete Betriebe kamen zur Versteigerung und wurden meist in kleinere Bauernwirtschaften umgewandelt. Von 1927 an stellte das Reich Mittel in größerem Umfang für die Landwirtschaft in Ostpreußen zur Verfügung. Die Bauernwirtschaften und kleinere Güter erhielten Geld durch das zuständige Landratsamt, die Großbetriebe direkt aus Berlin; Vorbedingung war, daß sie einen erheblichen Teil ihrer Liegenschaften zu Siedlungszwecken abgegeben hatten.

Schlobitten kam als eines der wenigen großen Güter in den Genuß einer sogenannten Amerika-Anleihe. Diese bestand aus amerikanischen Wertpapieren, die im Rahmen der Umschuldung durch die Rentenbank-Kreditanstalt Berlin ausgegeben wurden. Es waren Darlehen auf Dollarbasis, und nach dem großen Börsenkrach in Wall Street 1929 fiel der Kurs der Amerika-Anleihe beträchtlich. Mit Zustimmung der Rentenbank gelang es 1932, die Aktien zu verkaufen. Mein Berater Dr. Katschack hatte frühzeitig auf die Rückgabe der Wertpapiere gedrängt und daher einen Kurs von 45 : 100 erzielen können. Unsere Gesamtschulden, zu denen auch Hypotheken gehörten, waren dadurch plötzlich ganz erheblich geringer; beliefen sich die Anleihe und die Hypothekenschulden 1929 auf 2,2 Millionen Mark, so hatten wir zehn Jahre später nach Teilamortisation nur noch 1,5 Millionen Goldmark Schulden, die der Betrieb bei sparsamer Wirtschaftsführung verzinsen und tilgen konnte. Die sehr niedrig zu verzinsenden Drainagelasten waren darin nicht enthalten. Im Rahmen der Osthilfe fand 1934 über die Industrie-Bank Berlin, die billigere Kredite zur Verfügung stellte, eine weitere Umschuldung statt.

Von meinem Vater her war die Landwirtschaft Schlobitten in drei Oberinspektionen aufgeteilt: Schlobitten mit Muttersegen, Guhren mit Nikolaiken, Schönfeld mit Brünneckshof.

Zur Zeit der Vormundschaft, 1921, wurde Güterdirektor Hoffmann für die gesamte Schlobitter Landwirtschaft angestellt. Er war bereits über 60 und als Schlesier mit den ostpreußischen Verhältnissen nicht vertraut. Er tat sein Bestes, nutzte aber nicht die Möglichkeit, bei steigender Geldentwertung Schulden zu machen. Der nach der Pensionierung des alten Oberamtmanns Vorlauf von mir in Prökelwitz eingesetzte Oberinspektor Feldtmann erwies sich ebenfalls als Fehlgriff; er kam mit seinen Untergebenen nicht aus und huldigte dem Alkohol, so daß er uns nach zwei Jahren verließ.

Nach dem Tod von Güterdirektor Hoffmann 1924 bestellte ich den sächsischen Forstmeister Heinich zum Generaldirektor für die Landwirtschaft Schlobitten und die gesamten Forsten, einschließlich Prökelwitz. Er war ein gewissenhafter und ehrlicher Mann, verstand jedoch wenig von Menschenführung. Da er sich die Möglichkeit, in den sächsischen Staatsdienst zurückzukehren, offengelassen hatte, kehrte er nach etwa einem Jahr dorthin zurück, ohne daß der Betrieb ihm eine Abfindung zu zahlen brauchte. Heinichs Nachfolger für die Forst, Herr Landbeck, ebenfalls sächsischer Forstmeister, verpflichtete sich von Anfang an nur für zwei Jahre; er war der richtige Mann, aber leider konnte ich ihn nicht halten. So blieben die entscheidenden Stellen weiterhin nicht oder falsch besetzt, ein Umstand, den man meiner Unerfahrenheit zugute halten mag.

Das Kompetenzgerangel während der Jahre der Vormundschaft hatte sich der Schlobitter Rentmeister Krause zunutze gemacht. Beharrlich dehnte er seinen Einfluß auf die Landwirtschaft aus mit dem Ziel, eines Tages alles an sich zu ziehen und zum Generaldirektor aufzusteigen. Da er zu den Einheimischen gehörte – sein Vater war Leiter der Schlobitter Forst gewesen –, konnte er sich auf zahlreiche Freundschaften stützen. Auch war er gleichzeitig Amtsvorsteher und Vorsteher der Schlobitter Drainagegenossenschaft, für die der Staat verbilligte Kredite zur Verfügung stellte.

Krause war mir von Anfang an nicht ganz geheuer, und ich traute ihm nicht, zumal in unserer Kasse immer wieder klei-

*Schlobitten hatte eine eigene Feuerwehr, für die ein Spritzenhaus mitten im Dorf stand. Auf der 1924 ausrangierten Handspritze stand noch: »Erneuert im Jahre 1848«. Die Mannschaft setzte sich zusammen aus den Einwohnern des Dorfes Schlobitten. Das Photo von 1930 zeigt in der ersten Reihe von links nach rechts: Bauer Thimm, Rendant Krause, Maschinenmeister Rose.*

nere Unregelmäßigkeiten vorkamen. Eines Tages – Krause hatte Urlaub genommen, um nach Elbing zu fahren – begann plötzlich das Rentamt in Schlobitten, in dem alle Akten untergebracht waren, zu brennen. Das Feuer konnte schnell gelöscht werden. Krause hatte für diesen Tag zwar ein Alibi, als jedoch auch die Kasse der Drainagegenossenschaft Fehlbeträge aufwies, hielt ich mit meinem Mißtrauen nicht länger zurück. Zudem lebte Krause auf allzu großem Fuß, und er trank.

1931 wurde Krause auf die Rendantenstelle in Prökelwitz versetzt. Das war für ihn natürlich eine Strafe, und da nun auch seine Verbindungen zu den Schlobitter Dorfbewohnern abrissen, verlor er nacheinander den Posten des Amtsvorstehers, den des Vorstehers der Drainagegenossenschaft und zuletzt den Vorsitz des Schlobitter Kriegervereins. Die Buchführung von Krause wurde einer genauen Prüfung unterzogen, und dabei stellte sich heraus, daß etwa 3.000 Mark in unserer und mehr als 30.000 Mark in der Kasse der Drainagegenossenschaft fehlten. Krause wurde nach Schlobitten zitiert: Vor Vertretern der Drainage-Aufsichtsbehörde aus Preußisch Holland und der Landwirtschaftlichen Buchführungsgenossenschaft Königsberg sollte er Rede und Antwort stehen. Kaum hatte die Sitzung begonnen, verließ er unter einem Vorwand den Raum. Nachdem wir längere Zeit gewartet hatten, machten wir uns auf die Suche. Auf dem Sofa im alten Rentamt fand ich ihn: Er hatte sich eine Kugel durch den Kopf geschossen. Die vielen Freunde, die Krause noch immer hatte, waren der Meinung, der junge Fürst habe den alten verdienten Rendanten in den Tod gejagt. Es war eine für mich unangenehme Situation, aber mit der Zeit setzte sich die Wahrheit durch.

Die Unklarheit der Kompetenzen führte nicht nur zu Machtkämpfen unter den leitenden Herren, sondern auch zu einer gewissen Gleichgültigkeit unter den Landarbeitern. Da sie der strengen Aufsicht enthoben waren, machten sich Unordnung und bisweilen auch Unredlichkeit breit. So hatten sich einige Landarbeiter, denen vertragsgemäß die freie Haltung einer Kuh zustand, eine zweite zugelegt, ohne daß die Vorgesetzten eingeschritten wären. Ein Hofmann hatte sich sogar über ein Loch in der Mauer Zugang zum Speicher verschafft und längere Zeit hindurch zentnerweise Getreide entwendet.

Meine Versuche, diese Dinge abzustellen, mußten scheitern, solange ich keine geeigneten Persönlichkeiten für die Leitung der beiden Landwirtschaftsbetriebe und der Forsten fand. Ich besprach das Problem unter anderem auch mit Herrn Böhm, dem Eigentümer des Gutes Glaubitten, der mir seinen Schwiegersohn, Dr. Katschack, als Berater empfahl. Dr. Katschack hatte gerade seinen Assessor gemacht, stand vor der Ernennung zum Rechtsanwalt und schien in juristischen und pekuniären Fragen sehr bewandert. Er hatte einen ungewöhnlich großen Kopf, kluge Augen und war rhetorisch ungeheuer gewandt. Menschlich blieb immer eine gewisse Distanz zwischen uns. Es fiel Katschack schwer, sich in die Lage eines Großgrundbesitzers hineinzudenken; Grund und Boden bedeuteten ihm nicht mehr als ein käufliches Objekt – ähnlich schien er übrigens auch über Frauen zu denken.

Mitte der zwanziger Jahre hatte Katschack in Königsberg ein Büro eröffnet, in dem er mehrere junge, studierte Landwirte beschäftigte, die die angeschlossenen Betriebe berieten. Obwohl mir von verschiedenen Seiten abgeraten wurde, trat ich diesem Verbund bei und habe es, auch wenn ich Katschacks Ratschläge nicht immer befolgte, nie bereut. Katschack verschaffte mir nicht nur die erforderlichen Geldmittel zur Umstellung der Wirtschaft, sondern empfahl auch mehrere Betriebsleiter, die sich sehr bewährten.

Ich hatte inzwischen eingesehen, daß weder ein Forstmann noch ein Landwirt als Generaldirektor für Schlobitten nötig war, sondern daß ich selbst in der Lage sein mußte, diese Aufgabe zu übernehmen. Daher änderte ich die wirtschaftliche Gliederung des Besitzes, indem ich zwei Administratoren für die Landwirtschaften in Schlobitten und Prökelwitz sowie einen Forstmeister für den gesamten Wald anstellte. Auch die Buchführung wurde, nach Vorschlägen von Willusch Hochberg und in Zusammenarbeit mit dem Leiter der Königsberger Buchführungsgenossenschaft, Herrn Graf, neu gegliedert. Jeder Betrieb führte von nun an eine eigene Kasse; Kauf und Verkauf untereinander wurden zu Marktpreisen abgerechnet, und jeden Monat erfolgte ein Kassenabschluß. Da nach einem festgelegten Etat gewirtschaftet wurde, konnte jeder Betriebsleiter sofort feststellen, wieviel Geld ihm noch für einen bestimmten Bereich, etwa Maschineneinkauf, zur Verfügung stand. Jeder Betrieb hatte einen Rendanten, so nannte man den Rechnungsführer, der mit Hilfe einer Schreibkraft alle Büroarbeiten erledigte.

Als Administrator für die Landwirtschaft in Prökelwitz stellte ich 1926 auf Empfehlung von Dr. Katschack Herrn Prinz ein. Zum ersten Mal hatte ich damit bei der Auswahl der Führungskräfte eine glückliche Hand. Schon im zweiten Jahr seiner Tätigkeit stiegen die Erträge, besonders auf den guten bis

*Dr. Ulrich Boriß, von 1927 bis zu seinem Tode Administrator der Begüterung Schlobitten.*

*Dr. Konrad Boriß, von 1934 bis 1945 Administrator der Begüterung Schlobitten.*

sehr guten Böden in Pachollen und Storchnest, zwei Vorwerken von Prökelwitz; zurückzuführen war dies nicht zuletzt auf die neuen Fruchtfolgen, die den Mehranbau von Hackfrucht wie Zuckerrüben und Kartoffeln vorsahen. Zahlen stehen mir leider nur aus den Jahren 1931 bis 1939 zu Verfügung: Das Roheinkommen schwankte je nach Witterung und lag zwischen RM 2.– und RM 120.– je Hektar landwirtschaftlich genutzter Fläche.

Dank der guten Erträge konnten wir endlich auch eine Modernisierung des Maschinenparks in Angriff nehmen. Die Anschaffung leistungsfähiger Dreschkästen erwies sich als besonders segensreich. Man drosch das Getreide vom Feld weg und ersparte sich damit die Einlagerung in Scheunen, die nun zu Ställen umgebaut werden konnten. Auf Vorschlag von Dr. Preuschen, einem jungen Mitarbeiter an der Landwirtschaftskammer in Königsberg, kauften wir den ersten Dreschkasten Ostpreußens, der Stifte statt Trommeln verwendete, einen Stahl-Lanz DA 30. Dr. Preuschen beriet uns jahrelang

*Hermann Prinz, von 1926-1945*
*Administrator der Begüterung*
*Prökelwitz.*

*Forstassessor Karl Christian Tielsch,*
*1933-1945 Forstmeister der Schlo-*
*bitter und Prökelwitzer Forsten.*

auf dem Gebiet der Arbeitstechnik. Nach dem Krieg wurde er Direktor des Instituts für landwirtschaftliche Arbeitswissenschaft und Landtechnik der Max-Planck-Gesellschaft in Bad Kreuznach.

In den dreißiger Jahren bewirtschaftete meine Frau den Schlobitter Gemüsegarten nach der biologisch-dynamischen Wirtschaftsweise. 1939 wollte ich diese Art der Bewirtschaftung auch auf einem zu Prökelwitz gehörenden Gut einführen, doch der Krieg vereitelte diesen Plan. Ähnliche Methoden werden heute auch von Professor Dr. Preuschen vertreten.

Die Prökelwitzer Begüterung zählte vier Kuhherden, vier Schafherden, davon eine Stammherde, deren Nachzucht zu Zuchtzwecken verkauft wurde, sowie zwei Herden Zuchtschweine, insgesamt etwa 650 Rinder, 1500 Schafe und 1000 Schweine. Daneben gab es etwa 250 Pferde. Um die Zucht der ostpreußischen Warmblutpferde, die verkleinert, aber qualitativ stark verbessert wurde, kümmerte sich vor allem meine Frau. In den dreißiger Jahren, als der Pferdebedarf der Wehr-

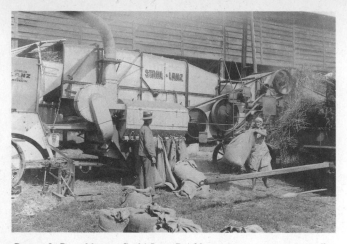

*Der große Dreschkasten Stahl-Lanz DA 30 war der erste seiner Art in Ostpreußen, um 1936.*

macht erheblich stieg, betrug die Zahl der Zuchtstuten 35. Als Berater stand uns der Landstallmeister Dr. Martin Heling zur Seite, zunächst der Leiter des Landgestüts Braunsberg und später Leiter des Hauptgestüts Georgenburg. Mit diesem kleinen drahtigen Mann, der aussah wie ein Primaner, schloß ich sehr bald Freundschaft, und er war häufig Gast in Schlobitten und Prökelwitz. Ich erinnere mich noch gut, wie er nach der ersten Besichtigung der Pferde zu meiner Verblüffung erklärte: »So, jetzt gehen wir in den Kuhstall!« Es war das einzige Mal, daß sich ein Landstallmeister außer für Pferde noch für andere Tiere interessierte und darüber hinaus beachtliche landwirtschaftliche Kenntnisse aufwies. Nach dem Krieg betreute Dr. Heling als Oberlandstallmeister sämtliche Landgestüte der Bundesrepublik.

Etwa ein Jahr nach Herrn Prinz stellte ich Ende September 1927, ebenfalls auf Vorschlag von Dr. Katschack, Herrn Dr. Ulrich Boriß als Administrator für die 1600 ha große Landwirtschaft in Schlobitten ein. Dr. Boriß konnte glänzende Zeugnisse vorweisen und verfügte bereits über eine gewisse Praxis.

Zehn Jahre jünger als Herr Prinz, zeichnete er sich durch noch größere Kompromißlosigkeit und Energie aus; auch besaß er aufgrund seines landwirtschaftlichen Studiums mehr theoretische Kenntnisse. Beide Herren waren nicht nur außerordentlich qualifiziert für eine solche Stellung, sondern kamen auch vorzüglich miteinander aus, was sich in beiden Betrieben positiv bemerkbar machte. Obwohl Dr. Boriß bisher keine ähnliche Position bekleidet hatte, schaffte er es binnen kurzer Zeit, die verworrene Lage in Schlobitten zu meistern. Er besaß mein Vertrauen und konnte auf meine Unterstützung zählen.

Bei Dienstfahrten mit der Bahn wurde den leitenden Herren der Landwirtschaft und der Forst bei Bahnfahrten die 2. Klasse bezahlt. Als ich in den sehr kargen Zeiten 1931 zu einer Veranstaltung nach Königsberg aus Sparsamkeit in der 3. Klasse fuhr, bemerkte mich unterwegs Dr. Boriß, der in

*Inspektor Peters, der Gestütswärter und ein Landarbeiter beim Fohlenbrennen in Prökelwitz 1938. Die doppelte Elchschaufel war das Brandzeichen für reinblütige Trakehner.*

der 2. Klasse saß. Ihm war das höchst peinlich, und er stieg, sich entschuldigend, sofort zu mir in die »Holzklasse«.

Der Schlobitter Betrieb ähnelte zwar seiner Struktur nach dem Prökelwitzer, war aber wegen der undurchlässigen Lehmböden viel schwerer zu bewirtschaften. Daher blieb der Ertrag der Äcker weit hinter Prökelwitz zurück. In den sechseinhalb Jahren seiner Tätigkeit gelang es Dr. Boriß, die Schlobitter Landwirtschaft von Grund auf neu zu gestalten, ja rentabel zu machen. Die sechs Güter arbeiteten nach den für sie jeweils optimalen Fruchtfolgen. Auf den für die Ackerwirtschaft unrentablen Böden wurden Dauerweiden angelegt und eingezäunt. Die Drainage der nassen Felder wurde weitgehend abgeschlossen. Der Viehbestand, vor allem Schweine und Rinder, wurde stark vermehrt und verbessert, und man begann, den Maschinenpark zu modernisieren.

Die eigentliche Leistung von Dr. Boriß aber war die Auswahl der Mitarbeiter. Die unzuverlässigsten Elemente schieden aus, tüchtige Leute wurden befördert und neu eingestellt. Aufgrund seines Gerechtigkeitsgefühls war Dr. Boriß trotz mancher harten Eingriffe beliebt, sein Urteil wurde weithin anerkannt. Aus meiner Zusammenarbeit mit ihm erwuchs wirkliche Freundschaft, und auch in vielen persönlichen Fragen habe ich auf seinen Rat gehört. Als um so tragischer empfanden wir seinen plötzlichen Tod infolge einer Gehirnhautentzündung. Es war mir vergönnt, ihm auf seinem Sterbebett noch einmal die Hand zu drücken – ein letzter Dank.

Als Nachfolger stellte ich seinen drei Jahre jüngeren Bruder ein. Dr. Konrad Boriß hatte vier Jahre bei der Landwirtschaftskammer Ostpreußen gearbeitet und mußte sich nun aus einer überwiegend theoretischen und wissenschaftlichen Arbeit heraus ohne jeden Übergang in eine Stellung einarbeiten, die vor allem praktische Erfahrung verlangte. Sein Anfang in Schlobitten war für uns beide nicht leicht, denn abgesehen davon, daß ihm zur Verwirklichung seiner kühnen Ideen jede Praxis fehlte, reichte er auch, was Organisationstalent, Energie und Umgang mit Menschen betraf, nicht ganz an seinen verstorbenen Bruder heran. Es hat Jahre gedauert, bis wir ein

*Ernte an der Guhrenwiese in Schlobitten, um 1930, in der typischen, leicht gewellten Landschaft des »Oberlandes«.*

engeres Vertrauensverhältnis zueinander fanden und bis ich merkte, daß auch Konrad Boriß beachtliche Leistungen aufzuweisen hatte. So wurde unter seiner Leitung die Schafzucht verbessert und vermehrt sowie eine Stammherde gegründet. Zum Teil nach seinen eigenen Angaben wurden Arbeiterhäuser und Wirtschaftsgebäude umgebaut. Wir konnten auch eine Anzahl von Neubauten errichten; der gesamte Betrieb wurde elektrifiziert und an das Überlandnetz angeschlossen. Bereits 1939 kauften wir einen Mähdrescher für Schlobitten. Bei der Planung einer landwirtschaftlichen Lehrlingsausbildung auf dem Vorwerk Schlobitten entwickelte er zukunftweisende Gedanken über Einsparung von Arbeitskräften. Und als in Schönfeld der Kuhstall abbrannte, sah er für den Neubau bereits eine automatische Melkanlage und die maschinelle Säuberung von Dung vor. Auch Konrad Boriß starb jung; 1950 brach er sich bei einem Motorradunfall das Bein und erlag während der Operation einer Embolie.
Zuletzt ein Wort zu den Forsten. Auch die Forstverwaltung

139

litt zunächst unter dem häufigen Wechsel an der Spitze. Nachdem ich mich zur wirtschaftlichen Neugliederung entschlossen hatte, vertraute ich die Leitung der Forsten vorübergehend Forstmeister Stiegler an, der dieses Amt auch in Schlodien versah. Stiegler gehörte zu den Leuten, die alles zu können glauben, und zerstreute meine Bedenken, daß er sich zuviel zumute. Die Wälder von Schlodien und Schlobitten lagen einfach zu weit auseinander, und bald erwies sich meine anfängliche Skepsis als berechtigt. Hinzu kam, daß ich mit ihm nicht harmonierte; er war zu selbständig und unterrichtete mich nicht in angemessener Weise über seine forstlichen Vorhaben.

Im Jahr 1933 stellte ich Forstassessor Tielsch von der Preußischen Forstakademie Eberswalde als Forstmeister und Leiter der gesamten Forsten von Schlobitten und Prökelwitz ein. Er hatte einen aufrechten Charakter, war ehrgeizig und fleißig und verstand diese Tugenden auch auf seine Untergebenen zu übertragen. Da er ein ausgesprochener Einzelgänger war, gab es anfänglich einige Schwierigkeiten zwischen uns; zum einen lag es nicht in seinem Wesen, mich auf dem laufenden zu halten, zum anderen fühlte er sich leicht gekränkt. Nach einer grundsätzlichen Aussprache war er wie verwandelt, und wir arbeiteten von da an gut zusammen.

Da ständig Überschüsse aus dem Wald erwirtschaftet werden konnten, wurde auch viel für ihn getan. Die Kahlschläge, soweit nicht Naturverjüngung stattgefunden hatte, wurden umgehend wieder aufgeforstet. In den Pflanzgärten zogen wir die Setzlinge aus eigenen Samen sorgfältig auf. Die aufgeforsteten Flächen wurden gegen Rotwild und Rehe eingezäunt. Den Wildbestand hielten wir durch Abschuß auf niedrigem Stand. Rund 100 ha besonders abgelegener landwirtschaftlicher Flächen wurden aufgeforstet. Einen erheblichen Fortschritt brachte es, als wir 1933 mit Hilfe des Reichsarbeitsdienstes Teile des Waldes entwässern und Holzabfuhrwege anlegen konnten. Wegen des nassen Bodens konnte das Holz früher nur bei Frost abgefahren werden, jetzt war dies auch im Sommer möglich.

*Mitte der dreißiger Jahre baute der Autor in Schlobitten eine Fischzucht auf, die sehr bald gute Gewinne abwarf. Hier die Fischhälter und der Teichwärter Klein.*

Zu den forstlichen Sehenswürdigkeiten von Schlobitten zählte ein Bestand hervorragender Lärchen, die vermutlich aus den Sudeten stammten. Ich selbst habe ein 120 Jahre altes Prachtexemplar gemessen, das 52 m hoch war; wahrscheinlich handelte es sich um die neben den Schwarzwaldtannen höchsten Bäume in Deutschland. Das Holz der Lärche ist hart und wasserfest, und die geraden und längsten Stämme verkauften wir zu hohen Preisen als Rammpfähle an die Hafenbauämter in Königsberg und Danzig. Die Zapfen wurden im Auftrag der Preußischen Forstverwaltung von Pflückern geerntet, die mit Steigeisen sehr geschickt die Bäume hinaufkletterten. Ein Teil der Ernte ging an uns und wurde wieder ausgesät.

1925 kaufte Dr. Katschack nach Rücksprache mit mir aus einer Zwangsversteigerung für 80.000 Mark die Mühlenwerke Mühlhausen, damit wir unser Holz besser verwerten konnten. Die Mahlmühle rentierte sich nicht und wurde stillgelegt, das Sägewerk warf bald einen bescheidenen Gewinn ab. Leider war der Holzablageplatz zu klein; die meisten Stämme wurden damals noch mit pferdebespannten Langholzwagen transportiert und von Hand auf- und abgeladen, was viel Zeit und Raum in Anspruch nahm. Um die Rendite zu erhöhen, planten wir, ein größeres Sägewerk mit eigenem Eisenbahnanschluß zu errichten; das Gelände, das wir ausgesucht hatten, lag an einer großen Straße unmittelbar am Bahnhof Mühlhausen. Dort wollten wir auch Holzfaserplatten herstellen, die zu dieser Zeit sehr gefragt waren. Der Ausbruch des Krieges machte allen Plänen ein Ende.

Die Bienenzucht lag bis zum Ersten Weltkrieg in den Händen der Pfarrer und Dorfschullehrer. Bei einem Lehrerwechsel übernahmen wir in den zwanziger Jahren einige Bienenstöcke und erweiterten den Bestand fortlaufend. Einer der alten Arbeiter auf dem Holzhof kümmerte sich um die Bienenzucht. Die Stöcke standen in unserem Gemüsegarten an der Südseite des Marstalls. Zur Blütezeit von Klee und Rübsen (Raps) wurden sie in einem speziellen Wagen auf die Felder gefahren.

Man hatte im 18. und 19. Jahrhundert in Schlobitten zahlreiche Wiesen trockengelegt, die zur Ordenszeit Fischteiche gewesen waren. Später, als das strenge Fasten der katholischen Zeit aufhörte, waren sie zu schilfreichen Tümpeln verkommen.

Durch die Erträge der schlesischen Karpfenzüchter ermutigt, hatte ich Ende der zwanziger Jahre angeregt, auch bei uns Fischteiche anzulegen. Etwa binnen zwei Jahren entstanden auf Schlobitter Gebiet rund 50 ha Teichanlagen, in denen wir Karpfen und Schleie großzogen. Der schon aus alter Zeit bestehende »Bärenteich«, nahe dem Schlobitter Park, diente als Aufzuchtstätte. Dicht am Vorwerk Guhren wurden Fischhälter gebaut. Sie waren klein und verhältnismäßig tief; ein Holzgerüst sorgte dafür, daß das Eis dort anfror. Nun senkte man ein wenig den Wasserspiegel, so daß die Fische genügend Sauerstoff bekamen.

Alle Teiche besaßen die damals moderne Abflußvorrichtung, genannt »Mönch«. Die eine Seite eines pfeilerartigen Holzkastens bestand aus Brettern, sogenannten »Schützeln«, die, von oben herausgenommen, die Höhe des Wasserspiegels regulierten. Außerhalb des Teiches, direkt am Mönch an der tiefsten Stelle des Abflußbereiches, befand sich ein großer Holzkasten mit einem Abflußsieb. Hier fingen sich beim Ablassen des Teiches sämtliche Fische.

Die Fläche der Fischteiche war groß genug, um einen Teichwärter anzustellen, den wir aus unseren Waldarbeitern aussuchten. Er wurde zu Lehrgängen zur Landwirtschaftkammer, Abteilung Fischerei, nach Königsberg geschickt. Diese Behörde behielt die Aufsicht über unsere Teichwirtschaft. Die Zuchtkarpfen trugen in ihren Rückenflossen kleine Schilder mit Nummern. Sie wogen bis zu 15 kg, über jeden einzelnen wurde Buch geführt. So gelang uns die Zucht des fast schuppenlosen »Schlobitter Nebelkarpfens«. Sehr bald stellte sich heraus, daß der Reinertrag pro ha um ein Vielfaches höher lag als der aus Land- oder Forstwirtschaft. Als nach 1945 der in den Teichen angestaute Wasserspiegel nicht mehr reguliert wurde, zerstörten die Fluten die Dämme; damit wurde dieser lukrative Wirtschaftszweig vernichtet.

Die beiden landwirtschaftlichen Administratoren, Herr Prinz und Dr. Konrad Boriß, sowie Forstmeister Tielsch erhielten um die Mitte der dreißiger Jahre etwa 1.000 Mark monatlich; dazu kam freie Wohnung, Heizung und Beleuchtung. Vier bis fünf Reit- und Fahrpferde sowie ein Auto standen den kostenlos zur Verfügung. Es waren für die damalige Zeit hochdotierte Posten, doch ich hatte von Willusch Hochberg gelernt, daß man gute Kräfte nur halten kann, wenn man sie gut bezahlt. Dank meiner vorzüglichen Mitarbeiter in den leitenden Stellungen konnte ich beruhigt in die Zukunft blicken. Das Betriebsklima hatte sich in den dreißiger Jahren zunehmend gebessert, und hiervon profitierten nicht zuletzt auch die Land- und Forstarbeiter, die ich als Rückgrat des gesamten Betriebes bezeichnen möchte. In der Landwirtschaft waren etwa 450 Männer, Frauen und Jugendliche beschäftigt. Neben den 20 festangestellten Forstarbeitern gab es etwa 40 Holzfäller, die im Winter aus den umliegenden Bauerndörfern kamen, und etwa 20 Frauen, die im Sommer in den Kulturen –

*Schlobitten, Revier Koppeln. Förster Kluge mit Waldarbeiterinnen, 1927.*

so wurden die Anpflanzungen genannt – und Pflanzgärten arbeiteten.

Schon im 17. und 18. Jahrhundert hatten die Großgrundbesitzer ihre Güter nicht nur mit Hilfe erbuntertäniger Bauern, sondern auch mit bezahlten Landarbeitern bewirtschaftet. Erbuntertänigkeit bedeutete eine Einschränkung der Berufswahl und der Wahl des Wohnortes durch die Gutsherrschaft sowie die Erfüllung bestimmter Arbeitsleistungen in der Landwirtschaft. Leibeigenschaft hat es in Ostpreußen nie gegeben.

Noch vor der allgemeinen Bauernbefreiung in Preußen 1809 hatte Friedrich Alexander Dohna seine Bauern freiwillig entlassen. Der »Entbindungsschein«, der im Schlobitter Archiv aufbewahrt wurde, hatte folgenden Wortlaut: »Kraft dieses offenen Briefes erkläre ich den N.N. nebst Frau und Kindern für freie Leute und spreche selbige von der Erbunterthänigkeit meiner Schlobittenschen Majoratsgüter völlig los, so, dass weder ich noch meine Erben und Nachkommen diese Familie der Erbunterthänigkeit wegen in irgend einen Anspruch nehmen sollen und können. Es ist hiermit in keiner Weise dahin abgesehen, gedachten N.N. im Alter zu verlassen oder meine Hand von den Seinen abzuziehen und sie als Fremde zu behandeln, die mich nichts mehr angehen, vielmehr mache ich es mir und meinen Kindern zur Pflicht, die Bande der wechselseitigen Liebe und Treue überall noch mehr in Ehren zu halten als die bisherigen Familienbande, welche Gottlob auch so lange sich in vielgesegnetem Gange und ehrwürdigem Ansehen erhalten haben. Wenn übrigens der N.N. fortfährt wie er bisher getan hat seine Dienste mit Treue und Redlichkeit zu verwalten, so kann er auch versichert seyn, dass er auf die alten Tage nicht verlassen werden wird.«

In diesem Sinn handelten auch die Nachkommen Friedrich Alexanders. Im November 1828 beschwerte sich der Schlobitter Verwalter Schmiedchen in einem Brief darüber, daß Alexander Dohna von den gesetzlichen Bestimmungen keinen Gebrauch mache und statt dessen Gnade vor Recht ergehen lasse. Die Eigenhäusler des Dorfes Karwitten hatten jahrelang die Arbeit auf dem Gut, die sie vertragsgemäß als Gegenwert für das in ihr Eigentum übergegangene Land leisten mußten, verweigert. In dem vom Verwalter angestrengten Prozeß gewann die Gutsherrschaft. In der anschließenden Zwangsversteigerung hatte der Verwalter das Land zurückerworben, aber Alexander ließ die Eigensassen auf den Grundstücken weiter wirtschaften. Seine Nachkommen gaben ihnen 1836 und 1846 das Eigentum zurück.

Der durch die Bauernbefreiung entstandene Mangel an Arbeitskräften wurde durch Einstellung neuer Landarbeiterfamilien ausgeglichen. Zahlreiche dieser Familien, die Anfang des 19. Jahrhunderts nach Schlobitten kamen, standen noch zu meiner Zeit als Landarbeiter in unseren Diensten, und auch die Häuser, die damals für sie gebaut wurden, waren zum Teil noch von diesen Familien bewohnt.

Schon im 18. Jahrhundert wurden die Landarbeiter nach Möglichkeit den »Eigensassen« gleichgestellt, so wie die Handwerker und Hofleute meist auf einer Stufe mit den Kleinbauern standen. Entlohnt wurden sie vor 1918 in erster

Linie mit freier Wohnung, Heizmaterial und Naturalien, Bargeld erhielten sie nur wenig. Außerdem stand ihnen die Haltung einer Kuh – Handwerkern und Hofleuten zwei Kühe – sowie Garten- und Kartoffelland zu.

Auf dem gesamten Besitz arbeiteten etwa 180 Familien, die in gutseigenen Häusern lebten. Die Wohnung einer Landarbeiterfamilie bestand bis etwa 1925 aus zwei Räumen: einer Wohnstube, in der auch gekocht wurde, und einer Kammer zum Schlafen. Da das Geld für Renovierungen Anfang der zwanziger Jahre gefehlt hatte, befand sich vieles in einem zum Teil jämmerlichen Zustand. Wir begannen zunächst damit, den Fußboden aus gestampftem Lehm durch Holzdielen zu ersetzen und die Wohnungen dann um ein oder zwei Zimmer zu vergrößern. Mitte der dreißiger Jahre konnten wir den Neubau einer Reihe von Mehrfamilienhäusern in Angriff nehmen, die teilweise mit eigener Wasserleitung versehen waren. Zu meiner Zeit haben wir auf dem gesamten Besitz Schlobitten und Prökelwitz etwa 50 Gebäude, meist Arbeiterwohnungen, neu errichtet oder vollständig umgebaut.

Nach dem Ersten Weltkrieg wurde die Entlohnung über Tarifverträge geregelt und die gesetzliche Altersversicherung eingeführt. Die großen Betriebe konnten es sich leisten, zusätzlich soziale Einrichtungen für die Alten und Kranken zu schaffen. So gab es in Schlobitten und Prökelwitz je ein kleines Altersheim für alleinstehende alte Menschen – die anderen wurden von ihren Angehörigen versorgt – und je eine Gemeindeschwester. Insgesamt unterstützten wir 1938 ungefähr 80 Rentnerehepaare oder einzelne Alte mit Naturalien; etwas Bargeld erhielten sie aus der staatlichen Rente.

In den dreißiger Jahren erhielt ein Landarbeiter folgenden Jahreslohn: 19 Zentner Roggen, 2 Zentner Weizen, 1 Zentner Erbsen, 6 Zentner Gerste, 6 Raummeter Hartholz, 6 Raummeter Weichholz, 18 Raummeter Knüppelholz. An Garten- und Kartoffelland gab es 235 Quadratruten, das entspricht etwa 250 m². Im Sommerhalbjahr wurden brutto RM 24.–, im Winterhalbjahr RM 16.– monatlich gezahlt. Allen Familien standen die freie Haltung einer Kuh, die freie Geflügelhaltung

*Der liebe Gottfrau von Altstadt* 1936

*Für das Gästebuch von Prökelwitz zeichnete Lothar Dohna ein Porträt
des ehemaligen lettischen Ministerpräsidenten Needra, Pfarrer in der
Patronatskirche von Altstadt und Seelsorger von Prökelwitz*

– jede siebte Gans mußte abgegeben werden – und die freie
Haltung eines Schweines mit Nachzucht zu. Damit konnten
sie sich noch etwas Bargeld dazuverdienen.

In meiner Kindheit nannte man den Landarbeiter noch
Instmann, später hieß er Deputant. Der Pferdeknecht wurde
nach dem Ersten Weltkrieg als Gespannführer bezeichnet.
Die schulentlassenen Jugendlichen im Alter von 15 bis 21 Jahren wurden als Scharwerker, später Hofgänger, gegen Entlohnung auf dem Gut angelernt. Die Frauen waren im Sommerhalbjahr verpflichtet, beim Rübenverziehen, in der Heu-,
Getreide- und Hackfruchternte mitzuarbeiten. Wurde ein
Hofgänger gestellt, brauchte die Ehefrau nicht zur Arbeit zu

147

kommen; Familien mit kleinen Kindern hielten sich deshalb gelegentlich fremde Hofgänger.

Gewiß, es wurde viel von den Menschen verlangt, und die Arbeit war schwer; im Sommer arbeitete man zwölf Stunden täglich, und nur der Sonntag war frei. Aber dennoch, glaube ich, waren die Menschen im allgemeinen zufrieden, besonders seitdem die Männer in den leitenden Positionen sich Vertrauen erworben hatten.

Meine Aufgabe bestand darin, alle Fragen zu bearbeiten, die den Gesamtbetrieb betrafen, also vor allem die finanziellen, steuerlichen und juristischen Probleme. Außerdem hielt ich zur Koordinierung der einzelnen Betriebe die nach Bedarf stattfindenden gemeinsamen Besprechungen der leitenden Angestellten ab. Schließlich kontrollierte ich stichprobenartig den Zustand der Drainagen, der Gebäude und natürlich der Felder und des Waldes. Ich bemühte mich auch, durch ständigen Kontakt mit den Angestellten und Arbeitern von ihren Problemen zu erfahren, damit schneller Abhilfe geschaffen werden konnte als auf dem normalen Instanzenweg.

Ich kann mir nichts Schöneres und Verantwortungsvolleres vorstellen als die Verwaltung eines solchen Besitzes, wie er mir von einem gütigen Geschick in den Schoß gelegt wurde. Und trotz aller politischen Behinderungen bin ich auch nach 1933 weitgehend ein freier Mann gewesen, der seine Fähigkeiten entfalten konnte.

Rückblickend muß ich mir vielleicht vorwerfen, mich in der ersten Zeit in Schlobitten nicht genügend um die privaten Sorgen der Angestellten und Arbeiter gekümmert und sie nicht häufiger aufgesucht zu haben. Dies oblag seit Generationen in erster Linie der Frau des Besitzers – also meiner Mutter und später meiner Frau. Aber ich gebe zu, daß ich als junger Mann den Arbeitern gegenüber auch eine gewisse Scheu empfand, zumal es in den zwanziger Jahren noch allgemein üblich war, mir die Hand zu küssen; daran konnte ich mich nur schwer gewöhnen. Allmählich wurde mein Verhältnis zu den Untergebenen gelöster, nicht zuletzt weil die Wirtschaft nach den langen Jahren des Krieges und der Depression langsam wieder zu gesunden begann. Ein wirklich enges Verhältnis entwickelte sich aber erst angesichts der gemeinsam zu überwindenden Gefahren und Entbehrungen des großen Trecks.

In jedem Jahr reiste ich einige Male nach Berlin, um in geschäftlichen Angelegenheiten die zentralen Behörden oder Banken, aber auch Museen sowie Theater aufzusuchen. Bei solchen Gelegenheiten traf man dann auch Verwandte und Freunde.

An einem bitterkalten Wintertag im Februar 1931 wollten ein Corpsbruder und ich um 1.00 Uhr nach einem langen Spaziergang noch in ein Nachtlokal gehen, um uns etwas aufzuwärmen. Plötzlich hörten wir Hilferufe aus dem nahen Landwehrkanal. Wir erblickten ein Mädchen, das versuchte, sich an dem Eis anzuklammern, das immer wieder abbrach. Glücklicherweise befand sich ein Rettungsring mit einer Leine in der Nähe. Hier führte auch eine schmale, steile Treppe an der gemauerten, fast senkrechten Uferwand hinunter zum Wasser. Die halb Erfrorene klammerte sich fest an den ihr zugeworfenen Rettungsring, und ich konnte sie nun zu dem nur etwa 100 m entfernten Treppchen ziehen. Es bereitete mir dann keine Schwierigkeiten, das Mädchen aus dem Wasser zu heben und die Treppe hinaufzutragen. Mein Freund, der sich inzwischen von seinem Schock erholt hatte, und ich legten die Ohnmächtige auf die Erde, um uns um sie zu bemühen. Leute aus den benachbarten Häusern hatten – durch die Hilferufe alarmiert – inzwischen Polizei und Feuerwehr angerufen. Wir überließen nun die Gerettete den medizinisch Ausgebildeten. Ich hatte keine Lust, in meinem nassen Zustand zu warten, bis die Polizisten die sich vordrängenden Wichtigtuer als Zeugen vernommen hatten. Wir verließen unbemerkt die aufgeregte Menschenmenge und suchten ein kleines Nachtlokal auf, das in dieser späten Stunde noch offen hatte. Am warmen Ofen trocknete ich meine Kleider und erwärmte den kalten Körper mit Alkohol. Am anderen Tage war in der Zeitung zu lesen, daß unbekannte Retter ein 19jähriges lebensmüdes Mädchen aus dem Landwehrkanal geholt hätten. Eine Heldentat ist es nicht gewesen.

In einem Schloß mit mehr als 70 Zimmern spielte sich das Leben natürlich anders ab als in einem Vorstadthaus oder gar in einer Stadtwohnung.

Als Junggeselle bewohnte ich die Räume meines Vaters im Erdgeschoß auf der Westseite. Es handelte sich um ein Schlafzimmer mit eingebauten Wandschränken, einen Baderaum mit einer unförmigen Zinnbadewanne meines Urgroßvaters und ein WC. Punkt 7 Uhr erschien der alte Kammerdiener Gottfried Rose, der schon bei meinem Großvater gedient hatte, und berichtete mir, wie das Wetter sei, so daß ich ihm angeben konnte, was ich anziehen wollte. Vorher hatte er das Bad eingelassen. Anschließend ging ich durch fünf Räume zum Frühstück ins Eßzimmer; alles stand schon fertig auf dem Tisch, der Kaffee wurde vom Diener eingeschenkt. Nach unserer Heirat bezogen wir den östlichen Teil des Hauptbaus im gleichen Stockwerk.

Im Sommer stand ich häufig um 5.30 Uhr auf, um bei Arbeitsbeginn um 6.00 Uhr mit dem Administrator über die Felder zu reiten. Die Kastellanin und die Hausmädchen waren dann bereits damit beschäftigt, die Zimmer zu säubern, damit um 8.30 Uhr, wenn wir frühstückten, alles fertig war. Um diese Zeit kam der Postreiter zurück, den wir täglich zum 3 Kilometer entfernten Bahnhof Schlobitten schickten, um die Post für uns und die Verwaltung abzuholen. Seine schwarzlederne, große Umhängetasche stammte noch aus der Zeit meines Urgroßvaters.

Nach dem Frühstück erledigte ich die Posteingänge und die geschäftlichen Angelegenheiten und diktierte meiner Privatsekretärin, lange Zeit war das Erna Woelki; gelegentlich kam auch einer der leitenden Herren zur Rücksprache. Bis zum Mittagessen war ich mit dieser Arbeit meist fertig.

Das Mittagessen war eher einfach; häufig gab es eine Suppe, dann ein Fleischgericht, oft Wild, mit Kartoffeln und Gemüse, zum Nachtisch Obst oder manchmal eine Süßspeise. Wir tranken dazu nur Wasser aus der Quelle im Ostflügel des Schlosses. Die Speisen wurden von Haushofmeister Hoffmann und einem Diener herumgereicht.

*Die Frau des Autors im Damensattel vor dem Ausritt mit ihren Töchtern Ima und Assi im Schloßhof von Schlobitten, 1941.*

Nach dem Mittagessen las ich Zeitung oder machte einen Rundgang durch Stall, Gemüsegarten und Park. Um 16.00 Uhr wurde Tee gereicht. Hoffmann stellte den silbernen Wasserkessel auf und zündete die Spiritusflamme an. Meine Mutter und später meine Frau bereiteten den Tee; dazu gab es einen einfachen Kuchen. Meist fuhr ich anschließend in einem Zweispänner, den ich selbst kutschierte, über die Felder zu den Vorwerken, an Sommerabenden ging man auch auf die Jagd; meine Frau und die Kinder, sobald sie groß genug waren, begleiteten mich häufig.

Nach dem Abendessen, das aus Brot, Butter, Aufschnitt oder Käse bestand, saßen wir am Kaminfeuer, das auch im Sommer oft brannte. Dort konnten wir persönliche Fragen besprechen, wobei es nicht selten um die Erziehung unserer Kinder und die Auswahl der Kindermädchen und Hauslehrerinnen ging. Am beliebtesten bei uns allen war Fräulein von Eisenhart-Rothe, die schon als Erzieherin bei meinen jüngeren Kusinen Christine und Nanni Solms in Lich gewesen war und anschließend die jüngeren Kinder des Kronprinzenpaa-

*Die jüngste Schwester des Autors, Agnes, heiratete den elsässischen Verleger Dr. Friedrich Spieser. Hier fährt sie mit dem Kutscher Will und dem Scheckengespann Sonnenkind und Schwertlilie zu einem Besuch in der Nachbarschaft, 1931.*

res erzogen hatte. Unsere beiden ältesten Kinder Ima und Richard, die recht begabt waren, profitierten außerordentlich von ihrem Unterricht. Wir hätten Fräulein von Eisenhart – »Lei«, wie wir sie nannten – gern behalten, aber sie verließ uns, um den Nachbarn aus Wiese, Goerd von der Groeben, zu heiraten.

Der Haushalt in Schlobitten war nach dem Ersten Weltkrieg sehr eingeschränkt worden, und nach unserer Heirat wurde er von meiner Frau und mir nochmals verkleinert. Um Heizmaterial zu sparen, zogen wir angesichts der Brüningschen Sparmaßnahmen für den Winter 1931/32 sogar in die damals leerstehende Oberförsterei. Obgleich das Schloß während dieser Zeit regelmäßig kontrolliert wurde, fror in einem Flügel die

Wasserleitung ein, und der dadurch entstandene Schaden machte alle unsere Einsparungen zunichte. So blieben wir von da an auch im Winter im Schloß wohnen, heizten allerdings nur einen kleinen Teil der Räume. Eine Mindestanzahl von Angestellten mußte für die ordnungsgemäße Instandhaltung zur Verfügung stehen, soviel hatten wir aus dem Vorfall gelernt. Vor allem was die Brandgefahr anging, genügte der Bau wohl kaum den modernen Sicherheitsvorstellungen. Hier und da dienten gemauerte Schornsteine als Stützen für die Dachbalken, das wurde allerdings bald geändert. Haushofmeister Hoffmann inspizierte jeden Abend die verschiedenen Böden des Schlosses, um zu sehen, ob irgendwo in dem Balkengewirr Brandgefahr bestand.

Reihum wurden sämtliche Räume gelüftet und saubergemacht. Noch heute sehe ich die großen Gobelins mit dem »Gesicht« nach unten im Pulverschnee liegen, wie sie vorsichtig ausgeklopft werden auf der Suche nach Motten und Larven. Im 18. Jahrhundert muß es viel mehr Wandteppiche in Schlobitten gegeben haben. Mein Urgroßvater erzählte, daß man nach den napoleonischen Kriegen Gobelins zu Kleidungsstücken verarbeitet habe, da es an Stoffen mangelte. Es habe lustig ausgesehen, wenn die Frauen Röcke mit Gesichtern darauf trugen.

Das tägliche Reinigen der von uns bewohnten Zimmer besorgten zwei Hausmädchen unter der Leitung der Kastellanin Anna Zander, die ebenso wie der getreue Hoffmann aus einer der alteingesessenen Schlobitter Familien stammte, die seit mehreren Generationen bei uns arbeiteten.

Neben dem Haushofmeister und der Kastellanin umfaßte unser Haushalt eine Köchin, eine Kammerjungfer, zwei Diener, zwei Hausmädchen und zwei Küchenmädchen. Dazu kamen ein Chauffeur, der Kutscher mit dem Stallburschen und ein Gärtner mit einer Hilfskraft für den Gemüsegarten. Für die drei jüngeren Kinder hatten wir ein Kindermädchen, für die beiden älteren eine Hauslehrerin angestellt. Bis 1914 war etwa doppelt so viel Personal beschäftigt worden. Die beiden Diener waren Schwerbeschädigte, die Arbeitsunfälle in

unserem Betrieb erlitten hatten. Die Zahl der von der Schloß-
küche Beköstigten betrug in den dreißiger Jahren durch-
schnittlich zwanzig Personen.

Für große Feste wurden die Räume in der ersten Etage, die
»Blaue« und die »Gelbe Stube«, hergerichtet, manchmal auch
noch die »Königlichen Stuben«. Den »Saal«, in dem 60-80 Personen aßen, hatte mein Großvater über dem breiten Sims mit
einer indirekten Beleuchtung versehen, die den gemalten
Himmel auf wundervolle Weise zur Geltung brachte, so daß
sich der Saal nach oben zu öffnen schien. Diesem überaus festlichen Eindruck konnte sich keiner der Gäste an der langen
Tafel entziehen.

Zu einem großen Barockschloß wie Schlobitten gehörte
eine Wasserkunst, die man gewöhnlich in einem kleinen Gar-
tenpavillon zeigte. Auch bei uns hat es wohl ein solches Bauwerk gegeben, das Ende des 18. Jahrhunderts zerstört worden
sein muß. Feldmarschall Alexander, der dem Schlobitter
Schloß seinen barocken Charakter verlieh, hatte jedoch, was
äußerst selten war, im größten Raum des Schlosses selbst, im
Saal, eine Wasserkunst installiert. Es war ein Spiel der Elemente Wasser und Feuer: Aus den nackten Brüsten zweier
geflügelter Genien sprang das Wasser plätschernd in mehreren Kaskaden über Steinmuscheln in ein Auffangbecken.
Sobald das Wasser eine bestimmte Höhe erreicht hatte, spie es
der Mund einer Maske in ein weiteres Becken, aus dem es
dann abfloß. Rechts und links flackerten zahlreiche Kerzen,
die dem Wasserspiel zusätzlichen Reiz verliehen. Während
des prüden 19. Jahrhunderts war es nicht mehr benutzt und
teilweise beschädigt worden. Ich ließ die Schäden beseitigen
und, wenn Gesellschaft da war, auch die Wachskerzen entzünden, aber das »unanständige« Wasserspiel selbst konnte ich
nicht seinem Zweck entsprechend in Betrieb nehmen – die
Tanten hätten mir das übelgenommen.

Von 1936 an konnte ich aufgrund der verbesserten Wirt-
schaftslage endlich die dringenden Reparaturarbeiten am
Schloß vornehmen lassen. Die Sandstein- und Bleifiguren der
Fassade wurden restauriert, die teilweise mit Reliefs verzier-

*Haushofmeister Hoffmann im Kreise von (von rechts) Chauffeur Gott-
fried, Kutscher Will und den aus Wundlacken und Maulen ausgeborgten
Dienern Klingenberg, Boghöfer und Schrock. Sie tragen die Galalivree mit
Wappentressen für den Besuch des Großherzogs von Hessen und seiner
Familie in Schlobitten, 1934.*

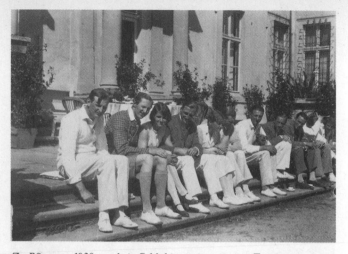

*Zu Pfingsten 1930 wurde in Schlobitten ein privates »Tennisturnier« veranstaltet, zu dem Familie und Freunde geladen waren.*
*Von links: Alexander Dohna, Hermann Arnim, Evchen Kalckstein, Hermann Otto Solms, Carmen und Vicbert Dohna, Bebo Wittgenstein, Hermann Dohna, Christof Dohna.*

ten Steine ausgebessert und die profilierten Flächen neu scharriert. Die zwei großen griechischen Götter und die beiden Göttinnen vor dem Haus sowie die zwei Sphinxe auf der Parkseite erhielten für den Winter Schutzhüllen aus Holz. Die großen Perrons aus Sandsteinplatten vor und hinter dem Gebäude unterlegte man mit Dachpappe und einer Teerschicht, so daß es nicht mehr in die darunter liegenden Keller regnete. Die beiden gußeisernen Haustüren mit eingesetzten bunten Scheiben, die etwa aus dem Jahre 1830 stammten, ersetzten wir durch starke Eichentüren mit kleinen, vergitterten Fenstern, nach einem Aufriß des Schlosses von 1700. Im Keller wurde eine Zentralheizung für den östlichen Teil installiert. Die Küche erhielt einen elektrischen Rundherd, einen elektrischen Backofen sowie Kühlschränke.

Da in der zweiten Etage die Enden der Deckenbalken,

*Der Festsaal wurde 1713 als letzter Teil des Umbaus fertiggestellt. Berühmt war die Wasserkunst des zweigeschossigen Saales, in dem die Feste der Familie gefeiert wurden. Allein an der lang gedeckten Tafel fanden 84 Personen Platz.*

soweit sie auf der Außenmauer auflagen, teilweise verfault waren, mußten sie erneuert werden – eine mühevolle Arbeit, weil die bemalten Plafonds in den Hausfluren nicht beschädigt werden durften. Schließlich richtete ich unter der westlichen Treppe des Hauptschlosses noch eine Garderobe ein, die bis dahin gefehlt hatte.

Während nach dem Ersten Weltkrieg einige Herren zu größeren Festen noch ihre alten Galauniformen aus der Kaiserzeit anlegten, trug man ab Mitte der zwanziger Jahre nur noch Frack, dazu die Orden der Kaiserzeit. Viele davon waren Kriegsauszeichnungen. Nach 1933, vor allem aber nach der Wiedereinführung der allgemeinen Wehrpflicht zwei Jahre später, herrschte dann wieder Uniform vor, jetzt aber feldgrau. Die Träger von braunen und schwarzen Uniformen ließen diese bei Privatfesten im Schrank. So war es jedenfalls bei uns in der Zeit nach dem Röhm-Putsch.

157

# Jagd

In alter Zeit spielte wie überall so auch in Schlobitten und Prökelwitz der Wald nur als Holz- und Wildreservoir eine Rolle. Man schlug Holz nach Bedarf, um zu bauen und zu heizen und ohne sich um die Wiederaufforstung zu kümmern. Erst in der zweiten Hälfte des vorigen Jahrhunderts fing man mit einer geregelten Bewirtschaftung des Waldes an, wobei der Wildbestand bis zum Ersten Weltkrieg absoluten Vorrang hatte. Deshalb waren auch die Dienstbezeichnungen des Forstpersonals die gleichen wie im 18. Jahrhundert. In meiner Kindheit gab es noch Revierjäger, Oberjäger und Wildmeister.

Während Rothirschgeweihe schon im 17. Jahrhundert eine begehrte Trophäe für Jäger waren, wurde es in der zweiten Hälfte des 19. Jahrhunderts Mode, auch die »Hörner« der Rehböcke zu sammeln. Rotwild war bei uns selten, dafür gab es vor allem in Prökelwitz Rehböcke mit besonders guten Gehörnen. Um 1880 hatte mein Urgroßvater Prinz Friedrich Carl von Preußen zur Jagd eingeladen, der von unserem Wildbestand so begeistert war, daß er in den folgenden Jahren wiederkam. Am Ende hatte er etwa zwanzig Rehböcke erlegt, deren Gehörne nach seinem Tod nach Prökelwitz zurückkamen.

Als zweiter königlicher Jäger kam von 1885 an Prinz Wilhelm von Preußen, der spätere Kaiser. Bis 1906 pirschte er regelmäßig einige Tage im Mai in Prökelwitz auf Rehböcke. Insgesamt schoß er über fünfhundert Stück – ein Aderlaß, an dem der Wildbestand noch zwei Jahrzehnte später krankte. An jedem Stand, von dem aus der Kaiser einen Bock erlegte, wurde ein Holzpfahl mit eingebranntem »W«, Krone und Datum gesetzt; bei kapitalen Rehböcken war es ein Stein. Bis zur Auflösung der Monarchie wurden die Pfähle erneuert; die Steine dagegen hielten der Witterung stand, und noch 1975 habe ich einige dieser inzwischen leicht vermoosten Steine entdecken können. Von den stärksten Trophäen schenkte der

Kaiser Gipsabgüsse nach Prökelwitz, die bei Jägern besonders nach 1918 Interesse weckten, weil die Originale im Stadtschloß in Potsdam während der Revolution gestohlen worden waren.

Wilhelm II. liebte es, nicht nur starke, sondern auch möglichst viele Stücke zu strecken; er war ein leidenschaftlicher Jäger und ein guter Schütze. Der alte Wildmeister Schmidt, über dessen Schulter der Kaiser wegen seines verkrüppelten linken Armes anzulegen pflegte, erzählte mir später, wie stark manchmal die Büchse vor Jagdleidenschaft geschwankt habe, so daß er die Kimme zuhalten mußte, um den hohen Jäger zu beruhigen, bis dieser entspannt genug war, um abzudrücken.

Über die Besuche des Kaisers erzählte mir der damalige Diener und spätere Haushofmeister Hoffmann noch folgende Einzelheiten: Der Kaiser stand ziemlich früh auf, frühstückte um 3.30 Uhr oder 4.00 Uhr. Er nahm ein warmes Fleisch mit Bratkartoffeln, immer frischen Streuselkuchen und geröstete Brötchen nebst Kaffee zu sich. Dann fuhr er mit meinem Großvater, Wildmeister Schmidt und seinem Leibjäger Rollfing im großen Pirschwagen, den der Schlobitter Leibkutscher Will fuhr, in den Wald.

Im Laufe des Vormittags kehrte der Kaiser aus dem Wald zurück, schlief dann einige Stunden und empfing anschließend mehrere Herren zum Vortrag. Das Mittagessen um 4.00 Uhr nachmittags bestand aus einer Suppe, Fisch, Braten mit Salat und Kompott, dann Gemüse, einem süßen Gericht, Käsestangen und Obst nebst Konfekt. Sehr oft gab es Krebse, teils aus Prökelwitz, teils aus Berlin, wo auch von Borchardt die Fische herkamen. S.M. aß mit Vorliebe »Kalifornische Früchte«. Die Krebse durften im übrigen nicht ganz serviert werden, weil der Kaiser nur mit einer Hand essen konnte. Er hatte immer seine eigenen Gabeln mit, die zugleich als Messer benutzt werden konnten.

Nachmittags war wieder eine Ausfahrt in den Wald. Die Strecke, etwa zwei bis fünf Rehböcke, wurde dann von der Jägerei verblasen. Abends erzählte der Kaiser selbst oder ließ sich von seiner Begleitung Geschichten vortragen, dazu wurde Erdbeerbowle getrunken. Zum Abendessen gab es nur Tee,

*Wildmeister Schmidt, der den Kaiser stets auf der Jagd in Prökelwitz begleitete, mit dem stärksten Rehgehörn, das Wilhelm II. jemals erbeutete.*

belegte Brötchen, kleine Kuchen und Baumkuchen. Etwa um 10.30 Uhr ging S.M. zu Bett.

Im Gefolge des Kaisers waren in den früheren Jahren Herr v. Kessel, Graf Moltke, Leibarzt von Ilberg, und als Gäste Philipp Fürst Eulenburg, Graf Dohna-Waldburg, Graf Finckenstein-Simnau und Graf Dohna-Mallmitz. In den späteren Jahren gehörten zur kaiserlichen Begleitung neben anderen Generaloberst von Plessen, die Flügeladjutanten von Dommes und von Gontard sowie der Leibarzt Dr. Niedner.

Einmal riet Ilberg dem erkälteten Kaiser von einer morgendlichen Pirschfahrt ab. Als er sich jedoch nicht davon abbringen ließ, erklärte Wildmeister Schmidt: »Da muß es eben regnen.« So wurde morgens vor dem Wecken mit Gießkannen vor dem Fenster gegossen. Der Kaiser ging darauf ein und sagte beim späteren Frühstück im Scherz zu Ilberg: »Herr Doktor, das verbitte ich mir, daß Sie hier das Wetter machen!«

Wildmeister Schmidt war es auch, der mich auf meinen ersten jagdlichen Streifzügen durch die Schlobitter Wälder Anfang der zwanziger Jahre begleitete. Damals zog das Rotwild, das sich früher fast ausschließlich in dem großen Staatsrevier von Födersdorf aufgehalten hatte, mehr und mehr in unsere Wälder. Ende August habe ich einmal im Morgengrauen etwa zwanzig Hirsche, zwei Kapitale voraus, zu Holze ziehen sehen.

Ende September traten die Hirsche dann zum Kahlwild, und die stärksten unter ihnen führten Rudel von bis zu fünfzehn Tieren. Dann begann die Brunft, und oft haben wir nachts das Röhren der Hirsche bis in unsere Schlafzimmer gehört. Zu dieser Zeit lud ich gern Gäste ein, vor allem meinen Bruder Christof, die dann meist mit den für das Revier zuständigen Förstern pirschten, während ich in andere Waldgebiete fuhr. Man kam höchst selten zum Schuß, weil das Wild in den verhältnismäßig kleinen Waldstücken sehr heimlich (scheu) war. In den dreißiger Jahren kaufte ich mir ein Hirschhorn, mit dem ich den Brunftschrei der Hirsche nachahmte, gleichzeitig trat ich auf knackende Äste, so daß der Platzhirsch glaubte, den vermeintlichen Nebenbuhler verjagen zu müssen, und immer näher kam. Das ging jedoch oft so schnell, daß man den Hirsch nicht rechtzeitig erkennen konnte und dadurch nicht zum Schuß kam. Einmal bin ich bei einer solchen Gelegenheit von einem Hirsch fast umgerannt worden.

In den späteren Jahren pirschte ich oft allein, ohne einen Förster. Häufig begleitete mich dann meine Frau, die diese Ausflüge in die noch weitgehend unberührten Wälder ebenso liebte wie ich. Es gab kleine Flüsse, verschwiegene Teiche und Hochmoore, darunter eines von 30 Hektar, in dem seltene fleischfressende Pflanzen wuchsen. Auch konnte man erlesene Vogelarten beobachten, wie Fischadler, Reiher, Kormorane, Schwarzstörche, Kraniche und Eisvögel, von denen manche in unseren Forsten brüteten.

Meine Jagdpassion konnte sich mit der meines Vaters nicht messen. Ich legte großen Wert auf die Schonung der Rehe und kam oft aus dem Wald zurück, ohne einen Schuß abgegeben zu haben. Immerhin habe ich bis 1945 in den Schlobitter und Prökelwitzer Forsten etwa zwanzig Hirsche und 360 Rehböcke erlegt. Im allgemeinen habe ich mit der Büchse recht gut, mit der Flinte sehr unterschiedlich geschossen. Als junger Mann von Anfang zwanzig konnte ich so hervorragend mit der Flinte umgehen, daß ich von einem Mitglied der Deutschen Nationalmannschaft im Schießen gefragt wurde, ob ich nicht nach einer Prüfung in die Mannschaft eintreten wolle. Später gab es Phasen, in denen ich mit der Flinte öfter vorbeischoß, was wohl auf meine leichte Kurzsichtigkeit und eine nicht passende Brille zurückzuführen war. Jedenfalls war es ärgerlich, wenn man versagte.

Im Frühjahr und Herbst war das Ansitzen auf Schnepfen ein beliebter Sport. Für die Vorosterzeit galt der nicht gerade sehr geschmackvolle Jägerspruch: Reminiscere = putzt die Gewehre! Oculi = da kommen sie! Laetare = das ist das Wahre! Judica = sie sind noch da! Palmarum = Tralarum!

Die Niederwildjagd auf Hasen und Fasanen war, gemessen an schlesischen Verhältnissen, schlecht, vor allem in Schlobitten. In Prökelwitz betrug die größte Strecke an einem Tag bei sieben Schützen mit 120 Treibern immerhin etwa 250 Stück, darunter 50 Fasanen. Die zu Zeiten meines Vaters und meines Großvaters beliebten Vorstehtreiben habe ich selbst kaum noch veranstaltet. Am Schießen auf Niederwild lag mir nicht allzuviel, und manchmal ging ich ohne Flinte mit.

Jahr für Jahr gab es zahlreiche Jagdeinladungen in der Nachbarschaft; besonders gern ging ich nach Waldburg zu Onkel Ebsi sowie zu seinem Bruder Heini nach Tolksdorf bei Rastenburg. Bei beiden brachte die Hasenjagd gute Ergebnisse, so daß ich in günstigen Jahren bis zu vierzig Hasen erlegte. Bei den gemütlichen abendlichen Diners trugen alle Dohnas einen dunkelgrünen Frack mit vergoldeten Wappenknöpfen, auf denen gekreuzte Hirschstangen ohne Krone in Silber angebracht waren. Auch mein Schwiegervater in Muskau führte diese Sitte ein; er wählte einen Frack in hellem Grün mit dunkelgelben Aufschlägen.

Etwas Außergewöhnliches waren die jährlichen Entenjagden in Steinort, dem Stammsitz der Lehndorffs in Masuren. Steinort lag auf einer Art Landzunge inmitten des Mauersees, des zweitgrößten der masurischen Seen. Die Ufer, zum großen Teil mit Schilf bewachsen, waren ein Eldorado für Wasservögel. Die Entenjagd wurde im Juli veranstaltet, und zwar immer über ein Wochenende: Am Sonnabend und Montag wurde gejagt, während man den ganzen Sonntag über »jeute«, das heißt Skat spielte, denn der Hausherr, Carol Lehndorff, war ein leidenschaftlicher Skatspieler.

Bereits zum Frühstück vor der Jagd füllte einem der Hausherr, ehe man sich's versah, mit der kurzen Bemerkung »Du erlaubst wohl« die nur halbvolle Kaffeetasse bis an den Rand mit Schnaps. Das setzte sich bei allen Mahlzeiten bis zum Abend fort. Nach dem Frühstück fuhr die Jagdgesellschaft mit einem Dampfer hinaus auf den Mauersee. In Abständen stiegen die Schützen dann in kleine Kähne und wurden von den Treibern in die Schneisen gerudert, die man in das Schilf geschlagen hatte. Während sich die Damen noch bei ihrer Dampferfahrt vergnügten, erscholl über das Wasser weithin hörbar das Jagdsignal. Entlang dem Ufer erhob sich das laute Rufen der Treiber, die nun systematisch durch das Schilf wateten, manchmal bis zur Brust im Wasser, um die Enten aufzuscheuchen. Sobald die Enten die Schneisen überflogen, begann ein wildes Schießen. Da die Tiere oft sehr niedrig flogen, mußte man sich mitunter flach ins Boot legen, um nicht von dem Schrot der anderen Flinten getroffen zu werden. Auf diese Weise wurden täglich bis zu hundert Enten erlegt.

Das Schloß, Ende des 17. Jahrhunderts im schlichten Stil des frühen Barock erbaut, war im 19. Jahrhundert durch einige neugotische Anbauten und sonstige Zutaten verunstaltet worden. Da Carol Lehndorff unverheiratet geblieben war und es keine Hausfrau gab, befand sich alles in einem ungewöhnlich desolaten Zustand. Der Junggeselle legte wenig Wert auf Ordnung und Sauberkeit und hatte fast alles so belassen, wie es ihm von seinen Eltern vermacht worden war. Wurde ausnahmsweise einmal ein Schrank verschoben, nahm man sich nicht einmal die Mühe, zuvor die Bilder umzuhängen, so daß hinter manchem Schrank ein Stück Bilderrahmen sichtbar war. Defekte Möbel stapelte man in einem Raum, ohne sie zu reparieren. Ich erinnere mich an Porträts, deren Leinwand am oberen Rand so brüchig geworden war, daß sie aus dem Rahmen hing und die Ahnen sich gewissermaßen vor einem verbeugten. Die Landwirtschaft befand sich in ähnlich miserabler Verfassung.

Carol Lehndorff war ein wenig schrullig, aber höchst amüsant und mir wohlgesinnt, vielleicht weil ich mich für seine riesige brandenburg-preußische Münzsammlung interessierte, die in Münzschränken an den Wänden seines Schlafzimmers aufbewahrt wurde. Andererseits konnte ich seine Gunst nie ganz erlangen, da ich weder Skat spielte noch die vielen scharfen Getränke recht zu würdigen verstand. Eines Tages wurde ich nicht mehr zur Jagd nach Steinort eingeladen: Der Jagdherr verübelte mir als verheiratetem Mann eine harmlose Liebelei mit einem hübschen Mädchen, das ebenfalls zur Jagdgesellschaft gehörte. Als Junggeselle urteilte er in diesen Dingen vielleicht besonders streng.

Nach dem Tode von Carol 1936 erbte sein Neffe Heinrich Lehndorff den großen Besitz. Angeblich ließ er aus dem verwahrlosten Schloß sechs vierspännige Wagen Unrat abtransportieren. Dieser außerordentlich tüchtige Mann brachte nicht nur die Land- und Forstwirtschaft wieder auf die Höhe, sondern setzte auch das Schloß mit seinem schönen, größtenteils barocken Inventar in einen hervorragenden Zustand. Da ich Heini Lehndorff jedoch nur flüchtig kannte – er wurde nach dem 20. Juli 1944 hingerichtet –, habe ich das renovierte Steinort nicht mehr gesehen.

Jagdeinladungen außerhalb Ostpreußens waren verhältnismäßig selten. Willusch Hochberg lud mich von 1919 an jährlich zur Hirschbrunft nach Goraj ein. Goraj lag in der ehemaligen Provinz Posen und gehörte seit 1918 zu Polen. Den großen, 25.000 Hektar umfassenden Besitz, der fast ausschließlich aus Wald bestand, hatte Willusch mit dem von seinem Vater, dem Fürsten Pleß, geerbten Millionenvermögen

*Der kleine Sohn von Willusch Hochberg, der bei einer Jagd beinahe ums Leben gekommen wäre, mit einem kapitalen Zwanzigender in Goraj.*

gekauft. Das Schloß hatte er nach dem Vorbild des Schlosses Warnholz in Lippe-Detmold bauen lassen und es geschmackvoll eingerichtet. Eine besondere Attraktion war das mit dunklem Eichenholz getäfelte Arbeitszimmer: Auf dem Kamin standen die Fotos der schönsten von Willusch verehrten jungen Damen, und rundum an den Wänden hingen etwa fünfzehn Geweihe der in seinem Wald von ihm selbst erlegten Hirsche – eine einzigartige Sammlung, staunenswert für den Fachmann, kein Geweih unter 200 Nadlerpunkten!

Willusch war ein Ästhet durch und durch. Als er in den Jahren der Vormundschaft meine Mutter beriet und häufig nach Schlobitten kam, brachte er seinen eigenen Diener und auch eigene Bettwäsche mit, was meine Mutter als Hausfrau etwas verdroß. Erst nachdem er sich überzeugt hatte, daß unsere Bettwäsche ähnlich fein war wie seine eigene, unterließ er es. In Goraj hatte er die Küche im zweiten Stock untergebracht, damit aufsteigende Essensgerüche niemanden belästigten. Selbst für seine Beerdigung hatte er die Details bestimmt und unter anderem den Stallburschen angewiesen, die Pferde, die den Leichenwagen ziehen würden, mehrere Stunden vorher nicht mehr zu füttern, damit die Trauergemeinde nicht von den Exkrementen belästigt werde.

Zur Zeit der Hirschbrunft, Ende September, zog sich Willusch mit wenigen auserlesenen Jagdgästen in das zu Goraj gehörende Jagdhaus Springesee zurück, das er mit allem Komfort ausgestattet hatte. Das weitläufige Landhaus mit Nebengebäuden lag weitab von jeder menschlichen Behausung mitten im Wald, oberhalb eines kleinen Sees. Da Willusch sich den Abschuß der kapitalen Hirsche vorbehielt, war mancher seiner Gäste gekränkt. Ich selbst war's zufrieden, zumal da mich Willusch meist persönlich auf die Jagd führte und mich dabei mit seinen Erfahrungen hinsichtlich der Verwaltung eines großen Besitzes und besonders des Waldes vertraut machte.

Ende der zwanziger Jahre suchte ein ungeheurer Raupenfraß die Gegend heim. Milliarden von Raupen waren damit beschäftigt, die Nadeln der Kiefern aufzufressen. In der Luft lag ein unheimlich knisterndes Geräusch, das vom Zermahlen der Nadeln durch die Raupen herrührte; außerdem verbreiteten sie einen unangenehmen Geruch. Ein Jahr später war aus der einst sattgrünen Kiefernheide eine kahle Mondlandschaft geworden, auf der kaum ein Baum mehr stand. Nur einzelne Bauminseln, die durch hohe Ameisenhaufen geschützt waren, blieben verschont.

Willusch hatte in aller Eile große Pflanzgärten angelegt und mehrere fliegende Sägewerke eingerichtet, in denen das Holz schnell zersägt wurde. Die Holzpreise sanken damals ins Bodenlose, aber zum Glück konnte das Fraßgebiet auf einige 100.000 Hektar begrenzt werden. Bei der Aufforstung wurde Erstaunliches geleistet, und schon wenige Jahre später fühlte sich das Rotwild in großen, grünen Kieferndickungen wieder wohl.

Als konzilianter Mann, der er war, suchte sich Willusch mit den Polen zu arrangieren, nachdem sein Besitz durch den Versailler Vertrag polnisch geworden war. Er lernte polnisch, um mit der Bevölkerung sprechen zu können, und lud seine polnischen Nachbarn zu Jagden und anderen Gelegenheiten ein. Das wurde ihm von vielen Deutschen sehr übelgenommen, und auch mir machte man Vorhaltungen, wie ich mit dem Polenfreund Hochberg verkehrten könnte! Willusch starb 1934 im Alter von nur 48 Jahren. Sein Sohn Hans Willusch war ganz anders als sein Vater und bei der polnischen Bevölkerung sehr unbeliebt. Als Anhänger Hitlers versprach er sich die Rückführung der an Polen abgetretenen Gebiete ins Deutsche Reich. Im Januar 1945 ist er in der Nähe von Gnesen umgekommen. Nach Willuschs Tod bin ich nicht mehr in Goraj gewesen.

Zu den Grundbesitzern in Schlesien, die die berühmten Niederwildjagden veranstalteten, hatte ich kaum Verbindungen. Wir fühlten uns den Schlesiern gegenüber bescheidener, einfacher, schlichter – wir nannten das : preußischer. Einmal, im Januar 1924, war ich beim Grafen Yorck in Klein-Oels zur Hasenjagd; Peter Yorck hatte mich und einige andere Corpsbrüder im Auftrag seines Bruders Bia eingeladen. An diesem Tag wurden mehr als achthundert Hasen geschossen.

In Klein-Oels ging es noch sehr patriarchalisch zu. Der Vater gab den Ton an, nach ihm hatten sich alle zu richten. Die Themen bei Tisch waren sehr ausgewählt, und die Konversation hatte fast den Charakter eines Wettstreits, in dem sich die Yorcks gegenseitig durch Witz und Geistesschärfe auszustechen suchten. Als Gast fiel es einem schwer, mitzuhalten, fühlte man sich doch etwas »ausgehorcht«, ob man auch nur annähernd so gescheit sei wie der Hausherr und seine Familie. Jedenfalls kam ich mir unter diesen hochgeistigen Menschen ein wenig ungebildet vor, und ich mußte mich sehr zusammennehmen, um mir keine allzu große Blöße zu geben. Zum Glück war ich nicht der einzige unter den Corpsbrüdern, dem es so erging.

In schöner Erinnerung sind mir die Fasanenjagden im schlesischen Albrechtsdorf, wo die von mir besonders geliebte Patentante Walpurgis von Mutius, geborene Dohna aus Waldburg, lebte. Dank der beiden reizenden Töchter, Maria-Elisa-

beth und Dorothea, war viel Jugend da, so daß es in Albrechtsdorf immer sehr vergnügt zuging. Einmal schoß ich dort an
einem Tag 145 Kreaturen, meine größte Strecke. Mein Onkel
Carl Solms aus Lich erlegte etwa 1912 bei einer Jagd seines
Schwagers Hermann Stolberg in Radenz, Provinz Posen, 405
Stück – eine wohl einmalige Zahl. Natürlich war dies kein Vergnügen, sondern eine enorme Anstrengung; man brauchte
einen Helfer, der, während man mit der einen Flinte schoß,
die andere nachlud.

Gern denke ich auch an die vielen Jagdfreuden bei meinem
Schwiegervater, später dann bei meinem Schwager Hermi
Arnim in Muskau. In dem großen Muskauer Kiefernwald gab
es so gut wie kein Niederwild, wohl aber Rot- und Damwild
und das schon damals seltene Auerwild. Insgesamt habe ich
fünf Auerhähne geschossen. Amüsant ist das Anpirschen auf
den sehr hellhörigen, balzenden Auerhahn, der hoch oben auf
einer alten Kiefer sitzt und der beim sogenannten Schleifen
nichts hört. Man kann ihn dann in drei Sätzen anspringen.

Mein letztes großes Jagdabenteuer war zugleich das auf-
regendste. Im Herbst 1942 war in dem zu Schlobitten gehörenden Guhrischen Wald von dem zuständigen Förster Albert
Paulwitz sowie von einigen Waldarbeitern ein Bär gesehen
worden. Mehr als zweihundert Jahre zuvor, 1732, hatte der
Gräflich Dohnasche Oberjäger Baumgart den letzten Bären in
Schlobitten erlegt.

Wir waren sehr interessiert daran, den Braunbären, der sich
anscheinend mit Vorliebe in einer großen, etwa zehnjährigen
Waldaufforstung herumtrieb, in unserer Gegend zu halten,
zumal da fast gleichzeitig in dem benachbarten staatlichen
Forst Födersdorf eine Bärin aufgetaucht war. So konnte man
auf Nachwuchs hoffen. Wir fütterten unseren Gast mit Rüben
und Getreideabfällen, und ich gab Anweisung, ihn weder zu
stören noch zu schießen. Die Tatsache, daß sich im Schlobitter
Forst ein Bär aufhielt, hatte zur Folge, daß niemand in den
Wald ging, um Brennholz zu lesen oder Beeren und Pilze zu
sammeln. Gegen Ende des Winters, also noch vor der Paa-
rung, wurde die Bärin im Forst Födersdorf totgeschossen,
eine völlig sinnlose »Heldentat«, die in allen Zeitungen stand.

Als ich im Herbst 1943 eine Jagd auf Rot- und Damwild veranstaltete, wiederholte ich mein Verbot, auf den Bären zu schießen, falls er vorkommen sollte. Nachdem wir verschiedene Waldteile durchgedrückt hatten, kamen wir an die Waldschonung, in der sich der Bär meist aufhielt. Kaum waren die Treiber in der Dickung, hörte man sie schon »Bär, Bär« rufen. Ich stand am Rand einer kleinen Lichtung mit hohem Graswuchs und noch kleinen Bäumen; plötzlich erschien dort, keine hundert Meter entfernt, der Bär. Er brummte ärgerlich über die Störung, richtete sich auf der Hinterhand auf, wodurch er größer als ein Mensch war, und fletschte dabei die Zähne. Es war ein unvergeßlicher Anblick. Meine Frau, die mit Spatz Sperber auf einer Kanzel saß, konnte ihn noch eingehender beobachten. Da aber nicht alle Schützen den Bären gesehen hatten, bevor er wieder in der Dickung verschwand, entschloß ich mich, einige Treiber in die entgegengesetzte Richtung zu schicken. Ich hoffte, der Bär würde in seinem Waldstück bleiben; leider nahm er die erneute Störung jedoch so übel, daß er sein Aufenthaltsgebiet endgültig verließ und querfeldein zu dem kleinen, östlich gelegenen Reiherwäldchen zog. So konnten ihn zwar alle am Feldrand stehenden Schützen längere Zeit gut beobachten, aber nachdem wir am folgenden Tag seine Fährte noch etwa zehn Kilometer in Richtung Osten verfolgt hatten, mußten wir aufgeben. Wahrscheinlich ist der Bär, ohne sich längere Zeit aufzuhalten, direkt in die Urwälder von Bialystok gewechselt, von wo er, durch die deutsch-russische Front beunruhigt, ein Jahr zuvor in unsere Gegend gekommen war.

Abschließen möchte ich dieses Kapitel mit der Schilderung einer Freundschaft, die während eines Jagdausfluges geschmiedet wurde, die aber weit darüber hinausreichte und mein Leben in gewisser Weise prägte. Ich spreche von meiner Freundschaft mit Kurt Freiherrn von Plettenberg. Kennengelernt hatten wir uns 1929, als Plettenberg bei Heini Dönhoff als Forstmeister und Leiter der Friedrichsteiner Forsten tätig war. Ich weiß heute nicht mehr, wer von uns beiden die Idee hatte, auf jeden Fall verabredeten wir, Ende September gemeinsam nach Rumänien zu fahren, um in den Karpaten einen Bären zu jagen. Kurt war über eine Annonce in einer Jagdzeitschrift auf einen gewissen Herrn Popescu gestoßen, der versprach, gegen gutes Entgelt die Expedition zu arrangieren und uns auf Bär, Sau und Gams zum Schuß zu bringen. Die Summe, die wir im voraus zu zahlen hatten, betrug 2.000 Mark pro Kopf, was in dieser wirtschaftlich ungünstigen Zeit sehr viel Geld war. Außer einer Mittelmeerfahrt 1936 war dies aber meine einzige große Auslandsreise vor dem Krieg.

Wir fuhren mit unserem neuen offenen Steyr, der vollgeladen war mit Gewehren, warmer Kleidung, Bergstiefeln, Schlafsäcken, Proviant sowie mehreren Benzinkanistern und Reservereifen. Schließlich sollten wir neun Tage im Hochgebirge verbringen, und wir hatten uns auf primitive Verhältnisse einzurichten. Die Reise führte über Warschau, Krakau, Budapest und Arad nach Hermannstadt. Es ging im Eiltempo über meist miserable Straßen, und da die wenigen Ortsschilder in der Regel nur den Weg zum nächsten Dorf wiesen, das auf unserer Karte oft gar nicht eingezeichnet war, mußten wir häufig anhalten und die Einheimischen um Aufklärung bitten. Deutsch war die einzige Sprache, in der man sich überall verständigen konnte: in Polen, wo es vor allem die Juden sprachen, in Ungarn und natürlich in Siebenbürgen.

In Hermannstadt begrüßte uns »Don« Popescu in dem verabredeten Hotel. Er sprach ein leidliches Deutsch, wurde jedoch sehr eloquent, als es darum ging, wie großartig er alles vorbereitet habe; nur sei es leider sehr schwer, Wild vor die Büchse zu bekommen. Einen etwas zweifelhaften Eindruck hinterließ dieser angeblich große Jäger schon am ersten Abend bei der Fahrt ins Gebirge: Auf dem Kühler seines Wagens sitzend versuchte er, im Scheinwerferlicht auf Hasen zu schießen. Seine Frau, »Donna« Angela, ein zierliches Persönchen, hatte er offenbar nur mitgenommen, um uns von der Jagd abzulenken.

Die eigentliche Expedition bestand aus etwa zehn Rumänen in malerischer Tracht: Sie trugen lange, weiße Beinkleider aus dickem Filzstoff, Schafwolljacken und hohe schwarze Filzmützen, die sie sich bei Kälte über die Ohren ziehen konnten. Es waren durchweg willige Gesellen. Sie trugen auch unser Gepäck, während die Pferde, größere Ponys, mit dem großen Zelt beladen wurden, in dem wir alle übernachteten. Zu unserer Überraschung erschien kurz vor Aufbruch noch ein Ehepaar, das ebenfalls jagen wollte, von dem uns aber der schlitzohrige Don Popescu nichts gesagt hatte.

Es wurde eine wunderschöne Bergwanderung in einer vollkommen unberührten Natur mit wilden Tälern und schneebedeckten Gipfeln. Abends schlug man in der Nähe eines Baches das Zelt auf, in dessen Mitte ein offenes Feuer brannte, dessen Rauch durch eine Öffnung im Zeltdach abzog. Die Jäger schliefen in Schlafsäcken auf Pritschen entlang der Außenwand, die Träger lagen auf der Erde um das Feuer herum, das die ganze Nacht brannte. Leider trockneten sie daran auch ihre Fußlappen, die sie an einer Leine aufhängten und die einen bestialischen Gestank verbreiteten.

Herr Popescu hatte keinerlei Vorbereitungen getroffen. Weder hatte er sich um das Ausmachen von Wildwechseln noch um das Auslegen von Ködern gekümmert. So zog man planlos durch die Gegend, alles einem glücklichen Zufall überlassend. Das einzige, was wir sahen – außer ein paar Gemsen in weiter Ferne und einigen Raubvögeln –, war einmal alte Bärenlosung (Exkremente). Dafür so viel Geld ausgegeben zu haben, ging uns nun doch zu weit, und bald ließen wir unserem Unmut freien Lauf, trotz der schönen Augen, die Donna Angela uns machte. Wir verlangten ein Viertel unseres Geldes zurück. Herr Popescu, der inzwischen etwas kleinlaut geworden war, behauptete, kein Bargeld zu haben, versprach aber schriftlich, uns den geforderten Betrag zu überweisen. So trennten wir uns in Unfrieden und fuhren über Wien, Prag und Dresden wieder eilig zurück. Kurt, der Don Popescu aufgetan und auch die Verhandlungen geführt hatte, gab sich die Schuld an dem ganzen Mißgeschick, aber wer hätte ahnen können, daß wir an einen Schwindler geraten waren. Und war es im Grunde nicht doch ein hochinteressantes Unternehmen gewesen, bei dem wir eine grandiose Landschaft kennengelernt hatten?

Herr Popescu ließ natürlich nichts von sich hören, und so mußte ich mit Hilfe der rumänischen Gesandtschaft in Berlin die verabredete Rückzahlung einfordern. Nach zwei Jahren zahlte dieser Betrüger endlich die Hälfte der 1.000 Mark, den Restbetrag haben wir nicht wiedergesehen.

Kurt Plettenberg, den ich auf dieser Reise aus nächster Nähe schätzengelernt habe, war einer der ungewöhnlichsten Menschen, die ich kannte. Er hatte sein Leben ganz bestimmten Richtlinien unterworfen: Um seinen muskulösen Körper fit zu halten, machte er jeden Morgen Übungen, und um sein Gedächtnis zu trainieren, lernte er täglich einige Strophen auswendig, die er dann laut wiederholte. In den Karpaten war er gerade mit dem zweiten Teil des Faust beschäftigt. Man konnte sich mit ihm über Gott und die Welt unterhalten – dabei trat neben seiner umfangreichen Bildung eine tiefe Religiosität hervor –, und man konnte herzlich mit ihm lachen. So schrieb er mir nach unserer Reise über meinen alten Jagdhut, der irgendwie in seine Sachen geraten war: »Ich wollte mir heute mittag aus Deinem Hut noch rasch eine gute Kraftbrühe kochen lassen!« Seine schalkhafte Miene steht mir noch deutlich vor Augen.

Plettenberg wurde von mir oft zu Rate gezogen, vor allem in den für die ostpreußische Landwirtschaft sehr schwierigen Jahren vor 1933. Er war inzwischen von Friedrichstein nach Berlin als Oberlandforstmeister an die Landwirtschaftskammer gegangen. 1938 holte man ihn nach Bückeburg und übertrug ihm die Leitung der Fürstlich Schaumburg-Lippeschen Vermögensverwaltung. 1942 kam er schließlich als Generalbevollmächtigter des Hauses Brandenburg-Preußen nach Berlin.

In all diesen Jahren trafen wir uns wiederholt, zum letzten Mal Anfang 1944 in Berlin. Er leitete als Präsident die Hofkammerverwaltung im Niederländischen Palais, Unter den Linden 11. Alljährlich am Heldengedenktag im März legte Hitler am Reichsehrenmal in der schräg gegenüberliegenden Neuen Wache einen Kranz nieder. Bei dieser Gelegenheit wollte Kurt, der ein ausgezeichneter Schütze war, mit

einer Fernrohrbüchse den Diktator erschießen. Die Zerstörung des Niederländischen Palais durch alliierte Bomben und
die damit verbundene Verlegung der preußischen Verwaltung
nach Cecilienhof brachte dieses Vorhaben dann zum Scheitern.

Kurt hatte auch Verbindungen zu den Attentätern des
20. Juli, wovon ich damals keine Ahnung hatte. Zwei Monate
vor Kriegsende, am 3. März 1945, wurde er verhaftet. Bei
einem Verhör in der berüchtigten Prinz-Albrecht-Straße,
wenige Tage später, konnte er sich dank seiner ungewöhnlichen Körperkräfte von seinen Bewachern losreißen und
sprang aus einem Fenster der 4. Etage in den Tod. Wie aus
seinem Abschiedsbrief hervorgeht, war dies für ihn der einzige
Weg, der Folter zu entgehen, unter der er vielleicht die Namen
von Mitwissern preisgegeben hätte.

Kurt Plettenberg war für mich ein Vorbild: menschlich, politisch und auch in seinen ökonomischen Ansichten. Er gehört
zu den ganz wenigen Menschen, deren Bild ich in einer Art
inneren Galerie immer bei mir trage, und ich bin Gott dankbar, daß dieser hervorragende Mann meinen Lebensweg
kreuzte.

# Politische Erfahrungen (1919–1939)

Nach dem Tod meines Vaters im November 1918 begann ich mir zum ersten Mal Gedanken darüber zu machen, warum die Dohnas im Laufe des 19. Jahrhunderts ihre liberale Einstellung aufgegeben hatten und immer weiter nach rechts gerückt waren. Allerdings war Alexander Dohna, der preußische Staatsminister, erheblich liberaler gewesen als sein Vater Friedrich Alexander. Das mochte auf den Einfluß des Theologen Schleiermacher zurückzuführen sein, der von 1790 bis 1793 die jüngeren Brüder Alexanders als Hauslehrer in Schlobitten unterrichtet hatte. Es müssen also vor allem die Unruhen von 1848 und später der überragende Einfluß von Bismarck gewesen sein, wodurch mein Urgroßvater zu einem überzeugten Konservativen wurde. In seine Fußstapfen trat dann auch mein Großvater, und dieser wiederum erzog meinen Vater in demselben Geist.

Im allgemeinen hörten wir Kinder von den Eltern so gut wie nichts über Politik, und bis 1918 hatte ich an Politik kaum Interesse. Bis zum Ersten Weltkrieg war der Landwirt – ob Großgrundbesitzer oder einfacher Bauer – Mitglied der Konservativen Partei, nach dem Krieg gehörte man der aus ihr hervorgegangenen Deutschnationalen Volkspartei an – eine Alternative gab es nicht.

Onkel Alexander Dohna-Schlodien, ein bekannter Professor der Rechte und Mitglied der verfassunggebenden deutschen Nationalversammlung 1919, wurde von den Onkeln aus der Generation meines Vaters belacht und von ihnen verachtungsvoll als »roter Graf« bezeichnet. Dabei gehörte er der Deutschen Volkspartei an, die eine rechtsstehende bürgerliche Partei war.

Im Kreis Preußisch Holland hatten die Großagrarier um 1910 eine Zeitung gegründet, das »Oberländer Volksblatt«, das die Bevölkerung auch politisch beeinflussen sollte. Die größten Aktionäre waren die drei Dohnas aus Schlobitten, Schlodien und Lauck sowie Herr Skirl aus Hohendorf. Dieser war Mitglied der Gichtelianer, einer Sekte, die sich auf die Lehren des Mystikers Johann Georg Gichtel (1638–1710) berief. Die Engelsbrüder, wie sie sich auch nannten, hofften, sich zur Reinheit der Engel zu erheben, und enthielten sich daher des ehelichen Umganges. Herr Skirl hatte etwa zehn Junggesellen um sich versammelt, die recht angenehm in dem schönen schloßartigen Barockhaus Hohendorf lebten. Die Nazis lösten die Sekte nach 1933 auf, und Gauleiter Koch eignete sich den wertvollen Besitz an, worüber wir sehr empört waren.

Das »Oberländer Volksblatt« war nach dem Ersten Weltkrieg mehr und mehr in Schwierigkeiten geraten. Als man den Betrieb um 1930 sanierte, mußte ich als größter Aktionär in der Nachfolge meines Großvaters einige tausend Mark beisteuern. Dies war damals eine große Belastung für Schlobitten, aber es wäre mir nie in den Sinn gekommen, dies abzulehnen. Die Abonnentenzahl war weiterhin rückläufig. 1934 wurde das Blatt nebst Druckerei von den Nazis übernommen; man hatte den Betrieb durch die Konkurrenz einer NS-Zeitung ausgehungert, was die Nazis damals »Gleichschaltung« nannten.

1919 war Ostpreußen durch den Polnischen Korridor vom übrigen Deutschland abgetrennt worden, und damals hatten einige konservative Militärs und Beamte den Heimatbund gegründet, der Ostpreußen gegen äußere Feinde – gemeint war Polen – verteidigen sollte. Der Heimatbund war als Verein zur Pflege der Vaterlandsliebe getarnt, zum Vorsitzenden hatte man Herrn von Hassel bestimmt, der als Oberregierungsrat beim Oberpräsidium in Königsberg das Wohlwollen der Regierung besaß. Bei möglichen Aufständen sollte der Verein zusammen mit der Polizei Ruhe und Ordnung wiederherstellen.

Die Furcht vor dem Kommunismus, die auch bei mir und meinen Freunden tief eingefleischt war, brachte dem Heimatbund einen starken Zulauf von Mitgliedern, vor allem auf dem Land. Die linken Parteien standen ihm entsprechend argwöhnisch gegenüber. Anfang 1919 wäre es beinahe zu einem Zusammenstoß gekommen. Etwa zweihundert Mann des Heimatbundes, darunter auch ich, standen in Preußisch Holland an der Ausfallstraße nach Elbing, um den Marsch von Arbeitern der Elbinger Schichau-Werft und einigen anderen notfalls mit Gewalt zu stoppen. Bewaffnet waren wir mit Jagdgewehren und Waffen, die wir aus dem Krieg mit nach Hause gebracht hatten; es gab sogar ein oder zwei Maschinengewehre, die unter der Hand von der Reichswehr zur Verfügung gestellt worden waren. Zum Glück wurde der Marsch der Elbinger Arbeiter wegen Kälte und schlechten Wetters vorzeitig abgebrochen.

Die rechte Hand Herrn von Hassels war der für die militärischen Belange des Heimatbundes zuständige Major Fletcher, ein alter Bekannter meiner Onkel Heinrich und Lothar Dohna, die im Winter 1919/20 mit Major Fletcher in der Baltischen Landeswehr gegen die Bolschewisten gekämpft hatten. Über Onkel Heini kam auch ich mit dem Verband in Berührung. Meine Aktivitäten beschränkten sich jedoch darauf, in der Schlobitter Kirche nachts hinter der Orgel Waffen und Munition zu verstecken. Auch machte ich für den Heimatbund Propaganda und stiftete wiederholt Geld. An den geheimen militärischen Übungen nahm ich nicht teil; seit meiner kurzen Dienstzeit vom Juli 1918 bis Januar 1919 war mir jede Freude am Militärdienst gründlich verdorben.

Auch an den späteren Übungen des Stahlhelms, des nationalkonservativen Wehrverbandes der Weimarer Republik, beteiligte ich mich nicht. Geführt wurde diese Vereinigung bis in die unteren Ränge hinein von ehemaligen Weltkriegsoffizieren, die in der Reichswehr nicht untergekommen waren. Die Reichswehrführung selbst sah im Stahlhelm eine Art Ersatzheer und unterstützte ihn nach Kräften.

Der älteste Sohn des Kronprinzen, Wilhelm von Preußen, ein Soldat aus Leidenschaft, war dem Stahlhelm beigetreten und beteiligte sich an seinen militärischen Übungen. Die Zusammenkünfte des ostpreußischen Stahlhelms fanden zumeist auf dem Lande, so auch in Schlobitten statt. Die Stahlhelmer wohnten in der Brauerei, einem der beiden dem

Schloß gegenüberliegenden Bauten, und schliefen auf Stroh. Selbstverständlich teilte auch Prinz Wilhelm dieses Lager und ließ sich nur manchmal bei uns im Schloß blicken. Diesen großgewachsenen, schlanken, jungen Mann mit dunkelbraunem Haar und blauen Augen schätzten wir wegen seiner Gradheit und Zuverlässigkeit sehr; als Monarch wäre er vielleicht noch eher geeignet gewesen als sein Vater. Prinz Wilhelm von Preußen fiel 1940 in Frankreich; der Tod des Kaiserenkels erregte großes Aufsehen. Daraufhin wurden alle Angehörigen der bis 1918 regierenden Häuser vom Kriegsdienst befreit, da man monarchistische Regungen befürchtete.

Im Winter 1922/23 besuchte eine Delegation des Heimatbundes Hitler in München. An der Besprechung nahmen teil Herr von Hassell, Major Fletcher, mein Vetter Hermann Dohna und ich sowie zwei andere, deren Namen mir entfallen sind. Das Treffen fand im Haus eines gewissen Professor Funk statt, der, wenn ich mich recht erinnere, Architekt war und damals die NSDAP unterstützte. Meiner Erinnerung nach trugen Hitler und seine zwei oder drei Begleiter eine Art Uniform. Hitler war erst seit anderthalb Jahren Vorsitzender der NSDAP, und seine lokalen Erfolge hielten sich durchaus in Grenzen; dennoch trat er überaus selbstbewußt auf. Mit seiner gutturalen Stimme und dem uns fremden österreichischen Dialekt verlangte er als erstes umgehend die alleinige Verfügungsgewalt über den Heimatbund. Außer maßloser Überheblichkeit und beträchtlichem Eigensinn konnten wir nichts Ungewöhnliches an diesem Mann entdecken. Die Besprechung endete, ohne daß wir Näheres über Hitlers politische Absichten erfuhren. Ein dreiviertel Jahr später, im November 1923, versuchte er, durch einen Putsch die Macht an sich zu reißen.

Mitte der zwanziger Jahre nahmen mich die äußerst schwierige Lage der Wirtschaft in Schlobitten und die Gründung meiner Familie so in Anspruch, daß für Politik wenig Zeit blieb. Wenn sich jedoch eine Gelegenheit bot, mit Leuten zusammenzukommen, die wichtige Stellungen innehatten, nahm ich sie wahr. So bin ich als entfernter Nachbar einige Male bei Elard von Oldenburg-Januschau gewesen, der mich zur Begrüßung stets auf beide Backen küßte, was mir nicht angenehm war. Groß, mit dickem Bauch, spärlichen weißen Haaren und weißem Spitzbart, so ist er mir noch im Gedächtnis. Der joviale Rittergutsbesitzer, Wortführer der ostelbischen Großagrarier, war ein Meister im Erzählen amüsanter Anekdoten. Politisch kannte er nur einen Gegner: die Linke. So schrieb er mir etwa im Juli 1930: »Ich halte die Situation für *sehr* ernst. Ich glaube, daß eine Zusammenfassung aller rechtsgerichteten Elemente notwendig ist, um den Griff an die Gurgel zu parieren, den die Sozialdemokraten vorbereiten.«

Im Herbst 1930 war der Chef der Heeresleitung, Generaloberst Freiherr von Hammerstein-Equord, während eines Manövers einige Tage zu Gast in Schlobitten. Er liebte die Annehmlichkeiten des Lebens, aß und trank gern gut, ging so oft wie möglich auf die Jagd und nahm sich dafür viel Zeit. Seine außergewöhnliche Intelligenz und seine schnelle Auffassungsgabe versetzten ihn in die Lage, dennoch den täglichen Anforderungen des Manövers gerecht zu werden. Es wurde viel über die guten Beziehungen Deutschlands zu Rußland gesprochen; in der Freundschaft mit Rußland sah er ein Gegengewicht zu dem als feindlich empfundenen Polen. Aus seiner strikten Ablehnung des Nationalsozialismus machte Hammerstein kein Hehl. Überhaupt war er kein Freund der Parteien, und insbesondere hielt er nichts von der Politik der Deutschnationalen, die ihm allzusehr nach der NSDAP schielten.

Hammersteins Einstellung zeigte sich deutlich im September 1930 bei dem Prozeß gegen zwei Leutnants und einen Oberleutnant der Ulmer Garnison vor dem Reichsgericht in Leipzig. Die Offiziere standen in Verbindung zur NSDAP und hatten innerhalb der Reichswehr für sie geworben. Sie wurden aus dem Heer entlassen und zu Festungshaft verurteilt. Dies wurde von den Rechten als Skandal bezeichnet. Im Namen der DNVP hatte Herr von Oldenburg im Reichstag eine Rede gehalten, über die mir Hammerstein am 11. November 1930 schrieb: »Ich bin schwer enttäuscht und bekümmert darüber, daß Herr von Oldenburg sich hat gegen die Armee mißbrauchen lassen.«

Ich vertrat damals noch die idealistische Auffassung, daß alle Menschen, die ich schätzte, sich auch untereinander verstehen müßten, und daß gerade diese beiden so wichtigen Männer sich in einer so kritischen Zeit zu entzweien drohten, bekümmerte mich. Ich sandte daher eine Abschrift von Hammersteins Brief zehn Tage später an Oldenburg; ich stünde dem Gang der Ereignisse allzufern, als daß ich mir selbst ein Urteil erlauben könnte. Oldenburg antwortete mir am 25. November 1930: »Ich habe mich nicht gegen die Armee mißbrauchen lassen, sondern ich habe den Spitzen derselben, Kriegsminister nebst Anhang, unter stürmischem Beifall des Reichstages (mit Ausnahme von Centrum, Sozialdemokraten und Kommunisten) auf den Hut gegeben wegen ihres Verhaltens bei der Verhaftung der Ulmer beiden Leutnants vor der Front und wegen einiger Erlasse, die das Fundament jeder Armee ruinieren, Disziplin, Kameradschaft, Wehrwille und Ehre. Die hohen Herren werden sich daran gewöhnen müssen, daß sie nicht nur mit den Augen *links* marschieren können, sondern daß auf der Rechten auch noch Leute sind, die Soldaten waren.« – »Stürmischer Beifall im Reichstag ist eine sehr billige Ware«, kommentierte Hammerstein am 15. Dezember lakonisch. Das vorübergehende Zerwürfnis zwischen Oldenburg und Hammerstein wurde, wie mir beide übereinstimmend berichteten, auf Wunsch von Hindenburg schnell aus der Welt geschafft.

Wir Jungen gelangten allmählich zu der Überzeugung, daß die überalterte Führung der Deutschnationalen Partei abtreten müsse, weil ihre Politik viel zu konservativ sei und den veränderten Verhältnissen Anfang der dreißiger Jahre nicht Rechnung trage. Die jüngeren Mitglieder der DNVP waren jedoch machtlos. Hermann Dohna wechselte deswegen 1930 zur Volkskonservativen Vereinigung von Gottfried Treviranus; andere, wie der Vetter meiner Frau, Fritz Dietlof Graf von der Schulenburg, traten aus dem gleichen Grunde der NSDAP bei. Ich blieb trotz aller Bedenken bei den Deutschnationalen. Als Hugenberg im Januar 1932 per Rundschreiben andeutete, daß Hindenburg bei der bevorstehenden Reichspräsidentenwahl nicht mit der Unterstützung der DNVP rechnen könne, wandte ich mich erneut an den Januschauer und bat ihn um Rat. »Auch ich war nicht einverstanden mit dem Ton des Hugenbergschen Briefes«, schrieb er mir am 2. Februar. »Aber das bietet mir keine Veranlassung, die Partei zu wechseln. Wer zu den Nazis überläuft, setzt nach meiner Ansicht auf das falsche Pferd. In absehbarer Zeit fallen die Nazis auseinander, da der linke Flügel stärker ist als der rechte. Wenn Hitler nicht will wie wir, hängt er! das ist die Losung für kommunistische Mitläufer. Wir müssen deutschnational bleiben, um als Bremse zu wirken an dem bergab rollenden Hitlerwagen. Das Wirtschaftsprogramm Hitlers – *Ausbau* des Tarifwesens anstatt Beseitigung – ist schon mehr als bedenklich.« Damit brachte Herr von Oldenburg die Sorgen nationalkonservativer Kreise auf den Punkt. Aber der »Hitlerwagen« rollte keineswegs bergab.

Der Weimarer Republik mit ihren ständig wechselnden Regierungen stand ich ablehnend gegenüber, ohne zu erkennen, daß die Deutschnationalen an den katastrophalen Zuständen nicht ganz schuldlos waren. Den meinungsbildenden Kräften in der Partei war vor allem an der Wiedereinführung der Monarchie gelegen, und jedes Mittel, die Republik zu diskreditieren, war ihnen recht. Diesen extrem reaktionären Kurs lehnte ich nicht zuletzt auch deshalb ab, weil ich von den in Frage kommenden Mitgliedern des Hohenzollernhauses wußte, wie ungeeignet sie als Monarch waren.

Es ist schwer zu beschreiben, wie stark die Abneigung der Konservativen gegen alles war, was nicht für die Monarchie zu sein schien. Bis 1918 hatten der Adel und die Organisationen, die seine Interessen vertraten, eine Vorzugsstellung in der Politik, und fast alle entscheidenden Posten waren in seiner Hand. Die Umwandlung der Konservativen Partei zur Deutschnationalen Volkspartei 1918 war im Grunde ein Anachronismus, denn die Machtposition der sogenannten nationalen Kräfte entsprach keineswegs ihrem Anspruch. Auch als Hindenburg 1925 Reichspräsident wurde, änderte sich wenig an dieser Situation. Aus dem raschen und nicht verarbeiteten

Verlust von Rechten und Privilegien erklärt sich der mit Angst gepaarte Haß der Konservativen auf alles »Linke«.

An die Wahl Hindenburgs hatte man zunächst große Hoffnungen geknüpft, gerade auch in Ostpreußen. Der Sieger von Tannenberg war ein Held und genoß unser Vertrauen. So gab es 1925 in meinem Verwandten- und Bekanntenkreis wohl niemanden, der ihm die Stimme verweigerte. Als Enkel seines Freundes Richard Dohna gratulierte ich ihm zu seiner Wahl, und von da an bestand eine lose Verbindung.

In den Jahren von 1929 bis 1931 waren meine Frau und ich einmal zum Cocktail und zweimal zum Abendessen im Reichspräsidentenpalais eingeladen. An den Veranstaltungen nahmen jeweils etwa hundert Personen teil. Hindenburg gab jedem einzeln die Hand und richtete mit seiner sonoren lauten Stimme einige mehr oder weniger belanglose Worte an ihn, man antwortete kurz, dann kam der nächste an die Reihe. Danach stellte man fest, wie die Tischordnung war – als eines der jüngsten Ehepaare saßen wir etwas abseits –, und setzte sich zu einem opulenten Diner. Anschließend verteilte man sich auf verschiedene Räume und plauderte, in bequemen Sesseln sitzend, mit Bekannten. Da Hindenburg in seinem Alter keine langen Abendgesellschaften mehr liebte, brach man zeitig auf. Solche Empfänge wie überhaupt der ganze Haushalt wurden von Hindenburgs Schwiegertochter organisiert, die mir als kleine, dunkelhaarige, besonders sympathische Dame in Erinnerung ist. Der Sohn von Hindenburg hingegen trat an solchen Abenden wenig in Erscheinung; nicht zu Unrecht hatte er den Spitznamen »Pauls Kind«.

Als 1932 die Wiederwahl Hindenburgs zur Debatte stand, war die Entscheidung für uns um vieles problematischer als sieben Jahre zuvor. Immerhin war Hindenburg bereits 85 Jahre alt. Wir trauten ihm jedoch zu, daß er sich gute Ratgeber suchen, und setzten darauf, daß er an der Regierung Brüning festhalten würde. Der bei uns sehr angesehene Oberpräsident von Ostpreußen, Adolf von Batocki, setzte sich persönlich für die Wiederwahl Hindenburgs ein.

Meine Sympathie für Brüning beruhte auf einer persönlichen Begegnung 1931. Der Reichskanzler befand sich mit kleinem Gefolge auf einer Ostpreußenreise und war unter anderem Gast meines Vetters Hermann Dohna in Finckenstein. Hermann hatte mich dazu eingeladen. Brünings straffe Haltung verriet den ehemaligen Offizier, sein markantes Gesicht mit der auffallend hohen Stirn und die randlose Brille ließen den Gelehrten erkennen. Sowohl Brünings Erscheinung als auch seine Bemerkungen zur politischen Lage gefielen mir und ließen mich hoffen, daß er das Steuer herumwerfen und die deutsche Nation in einen sicheren Hafen lenken werde. Als Hindenburg Ende Mai 1932 Brüning fallenließ, war ich sehr enttäuscht; nach meinem Dafürhalten hat sich Brüning nicht genügend zur Wehr gesetzt.

Hatten meine Frau und ich im Juli 1932 noch deutschnational gewählt, so stimmten wir bei den Wahlen vom 6. November gleichen Jahres nach einigem Zögern für Hitler. Auch wir waren also dem Trugschluß erlegen, mit einer Regierungsübernahme durch die NSDAP würden sich die politischen und wirtschaftlichen Verhältnisse stabilisieren. Am Tag der sogenannten Machtergreifung, dem 30. Januar 1933, war ich zufällig in Berlin und saß ahnungslos in einem Tanzlokal, während wenige hundert Meter entfernt der Fackelzug durch das Brandenburger Tor zog. Daß an jenem Tag eine schreckliche Zeit ihren Anfang nahm, war mir überhaupt nicht bewußt; eher empfand ich eine gewisse Erleichterung. Denn auch wenn ich den Ideen des Gefreiten aus dem Ersten Weltkrieg skeptisch gegenüberstand, so erschien mir seine Ernennung doch der einzige noch gangbare Weg, zu einer stabilen Regierung zu gelangen. Als am 21. März in der Potsdamer Garnisonkirche der neue Reichstag feierlich konstituiert wurde, beglückwünschte ich Hindenburg schriftlich, nachdem ich fünf Tage zuvor mit meiner Frau noch einmal zu einem Empfang bei ihm gewesen war.

Am 2. August 1934 starb Hindenburg, und als Enkel Richard Dohnas wurde mir die Auszeichnung zuteil, die Bestattungsfeierlichkeiten im Tannenbergdenkmal mitzuerleben. Von meinem Sitzplatz im Innenhof des riesigen Oktogons aus konnte ich alles genau beobachten. Der ungeheure Aufwand sollte in erster Linie dazu dienen, die Wehrmacht, die ihren toten Feldmarschall zu Grabe trug, auf ihren neuen Oberbefehlshaber Hitler einzuschwören. Im langsamen Trauerparademarsch wurde die Lafette mit dem Sarg von Rappen durch das Haupttor hereingefahren. Unvergeßlich sind mir die Generale aus dem Ersten Weltkrieg in ihrer bunten Vorkriegsmontur sowie die zahllosen Kriegervereine mit ihren farbenprächtigen Fahnen, die den gesamten Innenhof füllten. Es war mit Abstand das pompöseste Begräbnis, das ich je erlebt habe.

Es gab vieles, was wir nicht billigten: die Boykottmaßnahmen gegen jüdische Geschäfte, die Willkür der SA oder die Propaganda gegen die christlichen Kirchen. Viele glaubten, durch Eintritt in die Partei der Entwicklung steuern zu können. Begabte Leute, von denen ich etwas hielt, waren Parteimitglieder geworden, Fritzi Schulenburg, Hermann Dohna oder Klaus Groeben zum Beispiel; einige hatten wichtige Stellungen inne, wie Tschammer-Osten als Reichssportführer, Graf Helldorf als Polizeipräsident von Berlin oder Karl Siegmund Litzmann, Sohn eines bekannten Generals aus dem Ersten Weltkrieg, als SA-Obergruppenführer in Königsberg. Dieser überaus noble Mann, den ich 1933 durch meinen Vetter Hermann kennenlernte, kam häufig zu Besuch nach Schlobitten, und angesichts meiner Schwierigkeiten mit der Partei war es mir sehr angenehm, mit einem einflußreichen SA-Führer Umgang zu haben. Auch konnte ich mit ihm mein Verhalten gegenüber der Partei und ihren Vertretern abstimmen, ohne befürchten zu müssen, denunziert zu werden. Bei gemeinsamen Ausritten oder auf der Jagd konnten wir uns ungestört unterhalten. 1938 wurde Litzmann versetzt, und ich verlor ihn aus den Augen.

Im Sommer 1933 kamen Christian Prinz zur Lippe aus See mit seiner hübschen und netten Frau Echen, geborene von Trotha, zu uns nach Schlobitten. Sie waren begeisterte Hitler-Anhänger, wie zu dieser Zeit so viele unter unseren Bekannten. Um unseren Gästen Ostpreußen zu zeigen, unternahmen wir mehrere Autofahrten durch das Land; Christian hob immer wieder die Hand zum Hitlergruß, und überall auf den Feldern und in den Ortschaften grüßten die Leute mit strahlenden Gesichtern zurück. Alle schienen befreit von einem lang anhaltenden Druck, und auch meine Frau und ich wurden von diesem Gefühl angesteckt und grüßten froh mit allen anderen mit. Man wähnte sich in einer großen Gemeinschaft, aber dieser Glaube währte nur kurze Zeit.

Kaum waren die Nationalsozialisten an der Macht, begannen sie, tüchtige Beamte aus politischen, weltanschaulichen und sogenannten rassischen Gründen abzusetzen. Zu den ersten Opfern gehörte der bewährte Oberpräsident von Ostpreußen, Wilhelm Kutscher. Auf seinen Posten sollte ein verdienter Parteigenosse, Erich Koch, der seit 1928 Gauleiter der NSDAP in Ostpreußen war. Durch Hermann Dohna und andere wußte ich, daß dieser von Machthunger und Geltungssucht besessene Mann völlig ungeeignet für eine solche Stellung war. So fuhr ich zu Reichswehrminister General von Blomberg, den ich von den Empfängen bei Hindenburg kannte und bei dem wir einmal zum Essen eingeladen waren. Bei dem Gespräch war auch Oberst von Reichenau zugegen, den ich über Maria Agnes Dohna aus Tolksdorf kennengelernt hatte. Blomberg schien sich in seiner Rolle als Minister nicht recht wohl zu fühlen, sprach von Bajonettspitzen, auf denen die Regierung derzeit säße; spätestens in einigen Monaten müsse alles wieder in eine demokratische Regierung einmünden. Während Blomberg eher etwas unsicher wirkte, schien mir der leicht arrogante Reichenau genau zu wissen, was er wollte. Beide versprachen, das ihre zu tun, um die Ernennung von Koch zu verhindern, aber ich hatte nicht den Eindruck, daß sie das ernsthaft vertreten würden. Blomberg war zu weich – nicht zu Unrecht nannten ihn die Eingeweihten »Gummilöwe« –, und Reichenau war ein zu fanatischer Anhänger Hitlers und viel zu ehrgeizig, um für ein solches Anliegen auch nur einen Finger zu rühren.

Im Herbst 1932 hatte Hermann Dohna Hitler durch Ostpreußen gefahren. Auf der Landstraße in Finckenstein war ich ihm von meinem Vetter vorgestellt worden und hatte ihm zum zweiten Mal die Hand geschüttelt; von unserer ersten Begegnung im Winter 1922/23 schien er nichts mehr wissen zu wollen. Im Sommer 1933 kam Hitler mit großem Gefolge erneut nach Finckenstein. Hermann lud uns dazu ein, und wir nahmen an, nicht zuletzt da mein ehemaliger Schulkamerad aus Darmstadt, Karl Wolff, als Adjutant Himmlers mit dabei war.

Zu Hitlers Stab gehörten sein Adjutant Schaub, Himmler mit Wolff, Heydrich mit Frau, der für den Nordosten zuständige SS-Obergruppenführer Werner Lorenz, Hitlers Photograph Hoffmann und andere. Hitler sprach, während man in größerem Kreis zusammensaß, fast ununterbrochen und mit überlauter Stimme über die deutsche und die englische Flotte, wobei er gut orientiert zu sein schien. Bei Tisch wurde ihm, da er vegetarisch aß, extra serviert, Alkohol trank er nicht. Nachdem er sich sehr früh zurückgezogen hatte, bildeten die anderen Gruppen; ich geriet an einen Kartentisch mit Heydrich und zwei anderen Gästen. Man spielte Bridge. Heydrich konnte sich nicht zusammennehmen; bei dem geringsten Fehler, der ihm oder einem anderen in diesem harmlosen Spiel unterlief, bekam er Wutausbrüche. Anschließend unterhielt ich mich lange mit Wolff, der mich auch mit Himmler bekannt machte. Dabei müssen wir wohl ausgemacht haben, daß ich Himmler an einem der nächsten Tage mit meinem Auto an die Grenze zum Freistaat Danzig bringen sollte, wo er sich mit einigen SS-Führern verabredet hatte.

An einem strahlend schönen Sommermorgen holte ich Himmler in Marienburg ab, und zu zweit fuhren wir mit meinem Horch-Kabriolett in die Danziger Niederung. Die Begleitung folgte in mehreren Polizeiwagen. Im Gegensatz zu den zahlreichen wichtigtuerischen Emporkömmlingen in Hitlers Begleitung wirkte Himmler auf mich zurückhaltend, ja bescheiden. Er hatte wie ich Landwirtschaft studiert und einer schlagenden Verbindung angehört. Auch zeigte er sich recht belesen und war alles in allem ein angenehmer Gesprächspartner.

Als ich ihm von der Holzburg der alten Prußen auf dem sogenannten Schloßberg im Prökelwitzer Wald erzählte, geriet er augenblicklich in Begeisterung, und sein dabei zutage tretender Germanenfimmel machte mich doch ein wenig stutzig. Seinem Wunsch, dort Ausgrabungen zu veranlassen, stimmte ich nur unter der Bedingung zu, daß die Arbeiten von Archäologen geleitet würden und daß ich keinerlei Mittel beisteuern müßte. Im Frühjahr 1935 wurden sachgemäß Querschnitte in die Wälle gelegt und zahlreiche kleinere Funde zutage gefördert, nichts Sensationelles. Es wurde lediglich die Überlieferung bestätigt, daß hier mehrfach schwere Kämpfe stattgefunden hatten und die hölzernen Bollwerke mehrmals verbrannt waren. Im Herbst 1935 besichtigte ich die Ausgrabungen gemeinsam mit Himmler. Dabei hob er einen ganz ordinären, faustgroßen Feldstein auf und rief begeistert: »Das ist ein altgermanischer Hammer!« Mich durchzuckte es wie ein Blitz: Der Mann mußte verrückt oder schizophren sein. Im Prökelwitzer Wald hatte es nur heidnische Prußen, die Bronzewaffen führten und die überhaupt nichts mit den Germanen gemeinsam hatten, oder deutsche Ordensritter gegeben, die längst eiserne Waffen besaßen. Es war jedoch völlig zwecklos, auf solche Ungereimtheiten hinzuweisen.

Zurück zu Hitlers Besuch in Finckenstein 1933. Karl Wolff sagte mir, daß im Flugzeug des »Führers« ein Platz frei sei, und fragte, ob ich mitfliegen wolle. Selbstverständlich sagte ich sofort zu, zumal ich ohnehin geschäftlich in Berlin zu tun hatte. Hitler flog stets mit seiner eigenen JU 52-3 M, die drei Motoren besaß. Hitler, wie üblich in seiner braunen Montur, stieg als erster ein und setzte sich auf den vordersten Platz. Sein Gefolge, in SA- und SS-Uniform, nahm die Sitze dahinter ein. Hermann Dohna und ich, als einzige in Zivil, saßen ganz hinten. Hitler las in einem Buch, diktierte, und ließ sich berichten. Da ich seine Stimme infolge des Motorenlärms nicht hörte, mag es sein, daß er auf dem eineinhalbstündigen Flug auch geschlafen hat. Bei der Ankunft in Berlin auf dem Tempelhofer Feld kann kein besonderer Empfang stattgefunden haben, sonst wäre mir das im Gedächtnis geblieben.

Im Juni 1934 unternahm ich einen letzten Versuch, Erich Koch loszuwerden: Ich lud Hermann Göring zur Jagd auf

*Hermann Göring, im Juni 1934 in Prökelwitz, beanspruchte, im Gegensatz zum Kaiser, eine Wache vor dem Portal des Schlosses in Prökelwitz. Alexander Dohna hatte ihn als erhofften Bundesgenossen gegen den Gauleiter Koch eingeladen.*

Prökelwitzer Rehböcke ein. Als hochdekorierter Frontoffizier aus dem Ersten Weltkrieg schien er mir einer der wenigen Vertrauenswürdigen unter den braunen Emporkömmlingen zu sein. Bei dieser Gelegenheit wollte ich Göring mit einigen Herren zusammenbringen, die wichtige Stellungen in Ostpreußen bekleideten und die Koch ebenso kritisch gegenüberstanden wie ich. Es waren dies der Kommissar für die Osthilfe, Dr. Lauenstein, Regierungspräsident Friedrich in Königsberg und mein Onkel Heinrich Dohna, alle drei hervorragende Fachleute mit politischem Weitblick, die, wie ich hoffte, auf Göring Eindruck machen würden.

Göring lebte als preußischer Ministerpräsident schon damals auf sehr großem Fuße. Für die zwei Tage in Prökelwitz waren alle möglichen Vorbereitungen zu treffen, um ihm den Aufenthalt so angenehm wie möglich zu gestalten. So wohnte Göring – was wir ihm nicht vorenthielten – in demselben Raum wie dreißig Jahre zuvor der Kaiser. Über die Trink- und Eßgewohnheiten des »Herrn Ministerpräsidenten« schrieb sein Adjutant Menthe am 15. Mai 1934: »Getränke: Helles

Bier, etwas Sekt, an Schnäpsen: Malteser, Enzian, Himbeer-
oder Kirschwasser. Auf alle Fälle keine Liköre, nur dänischen,
schwedischen Korn oder weiße (helle) Männerschnäpse. Gerichte: Spargel, Champignons, Morcheln, leichtes Fleisch,
neue Kartoffeln, viel Obst. Krebse und gern ißt er etwas
Kaviar.« Krebse hatten wir, aber Kaviar haben wir uns in Schlobitten niemals geleistet.

Ich holte Göring auf dem Flughafen Marienburg ab; er
brachte einen Diener und sechs große Koffer mit und trug
Fliegeruniform mit dem Pour le mérite »aus dem Halse«.
Göring war guter Laune, die sich noch verbesserte, als er am
Abend und am nächsten Morgen je einen Rehbock erlegte. Als
meine Frau mit drei unserer Kinder erschien, nahm er den
einjährigen Fritz und den vierjährigen Richard gleichzeitig auf
Arm und Schulter und ließ sich so photographieren. An Einzelheiten des Gesprächs mit den von mir eingeladenen Herren
erinnere ich mich leider nicht. Jeder brachte Beispiele aus seinem Gebiet, daß es so nicht weitergehen könne. Göring hörte
sich alles an, ließ von seinem Adjutanten einige Notizen
machen, vermied es jedoch, Stellung zu nehmen oder gar
Zusagen zu machen.

Als wir am nächsten Tag vormittags auf den Hof gingen,
trug der überaus eitle Göring weiße Hosen sowie einen weißen
Pullover. Für die Jagd legte er dann einen grünlichen Wild-
lederwams mit Gürtel und gleichfarbige lange Hosen an.
Beide Bekleidungen unterstrichen noch seine Leibesfülle. Bei
Tisch aß er im Gegensatz zu Hitler reichlich von allem. Während der Mahlzeiten und auch sonst ab und zu schüttete er sich
mehrere kleine, weiße Tabletten in den Mund. Ich dachte
sofort an Aufputschmittel.

Am Mittag fuhren wir nach Schlobitten. Der prunksüchtige
Göring wollte gern ein großes Schloß sehen und sich dort den
versammelten Gutsarbeitern zeigen. Mir kam der Wunsch
gelegen, weil ich hoffte, aufgrund der neuen Gesetze den
Besitz als Erbhof deklarieren und ihn so vor Teilung und Siedlung bewahren zu können. Vielleicht würde mich Göring
dabei unterstützen, wenn er Schlobitten gesehen hätte. Er

genoß zwar alles, was wir ihm boten, wich aber einer Stellungnahme geschickt aus. Am Abend schoß Göring noch einen dritten Rehbock in Prökelwitz und flog am nächsten Tag nach Berlin zurück.

Görings Besuch in Schlobitten und Prökelwitz hatte Gauleiter Koch stark verärgert. Über die Deutsche Arbeitsfront wurden daraufhin haltlos Vorwürfe gegen mich und den Betrieb erhoben: Wir hätten zwei Stunden Freizeit bei dem Empfang von Göring nacharbeiten lassen, die Differenz habe Göring aus eigener Tasche bezahlt. Eine Hetzkampagne in zahlreichen ostpreußischen Zeitungen war die Folge. So fuhr ich im Dezember 1934 zu Göring nach Berlin, um die Angelegenheit richtigzustellen. Ich wurde sehr distanziert von ihm empfangen und merkte bald, daß es ihm augenblicklich nicht ins Konzept paßte, sich Koch zum Feind zu machen. Es war unseren Arbeitern in Schlobitten zu verdanken, daß die Vorwürfe der Partei, ich sei unsozial, nicht verfingen. So verlief schließlich alles im Sande.

Es sei noch bemerkt, daß Gauleiter Koch auf Betreiben von Göring und Himmler im Herbst 1935 von seinem Posten suspendiert wurde; Göring ernannte Regierungspräsident Friedrich, vielleicht weil er ihn aus Prökelwitz kannte, zum Oberpräsidenten-Stellvertreter. Einige Monate später konnte Koch bei Hitler seine Suspendierung rückgängig machen. Göring ließ Friedrich schäbig fallen; er wurde in den einstweiligen Ruhestand versetzt und schied bald danach aus dem Staatsdienst aus.

Über Karl Wolff war ich im Juli 1933 der SS beigetreten, als Anwärter, weil ich nicht zur Partei gehörte. Ich unternahm diesen, wie sich bald herausstellen sollte, gefährlichen Schritt, um bei der SS Rückhalt gegen Erich Koch zu finden. Den Dienst absolvierte ich in Rosenberg, der Kreisstadt von Finckenstein. Ende Juni 1934 machte ich wie üblich Fußdienst, als plötzlich Alarm befohlen wurde: Vom Nachmittag bis zum nächsten Morgen blieben wir kaserniert. Was los war, wußte keiner; man saß tatenlos herum oder schlief. Es war die sogenannte »Nacht der langen Messer«, in der Hitler mit Hilfe der SS die gesamte SA-Führung sowie eine Anzahl ihm unbequemer Leute hatte umbringen lassen. Als ich am nächsten Tag heimfuhr, war ich noch immer ahnungslos, und erst nach und nach wurden einige der in dieser Nacht begangenen politischen Morde ruchbar, darunter auch der an General Schleicher, der 1932 anläßlich eines Manövers in Schlobitten gewesen war. Damals dämmerte es manch einem, daß das kein Rechtsstaat sein konnte, und auch ich begann zu begreifen, welch ein Irrtum es war, an eine Säuberung oder Selbstreinigung der NSDAP zu glauben. Dieses Umdenken brauchte jedoch seine Zeit.

Im Frühjahr 1934 erhielt ich durch Karl Wolff von Himmler das SS-Abzeichen in Silber. Als ich ein halbes Jahr später in Berlin meinen Freund Gottfried von Stoeßer besuchte, der bei Shell Leiter der Rechtsabteilung war, starrte er – mir unvergeßlich – mit Entsetzen auf mein Revers: »Bist du verrückt geworden!« Dieser Ausspruch und alles, was er mir über die SS berichtete, trafen mich tief, und langsam kam ich mir tatsächlich verrückt vor.

Sich aus der SS zurückzuziehen, war sehr schwierig, wenn nicht unmöglich, weil sich die SS als Orden verstand, dem anzugehören eine Ehre bedeutete. Für mich kam erschwerend hinzu, daß Himmler mich persönlich kannte. Weihnachten 1934 schickte er mir als Ersatz für den christlichen Weihnachtsbaum einen »Jul-Leuchter« aus Keramik. Dieses unchristliche Symbol war mir unangenehm, und ich schämte mich, es entgegennehmen zu müssen. Wie weit war ich doch von den Vorstellungen der SS entfernt! So machte ich immer weniger den sinnlosen SS-Fußdienst in Rosenberg mit und ließ diese Übungen allmählich ganz einschlafen. 1938 bestellte man mich zweimal zu unangenehmen Verhören durch die Gestapo nach Berlin. Dabei wurde ich aufgefordert, aus dem Johanniterorden auszutreten. Als Anwärter der SS stand ich unter besonderem Druck, und so entschied ich mich, nachzugeben. Später erfolgte die Anweisung, nicht mehr an den Kaiser nach Doorn zu schreiben. Das hatte ich ohnehin nur einmal getan, im Januar 1938, als ich mit dem Gedanken spielte, den Kaiser im Exil zu besuchen. Der Brief war von der Gestapo abgefangen und kopiert worden. Da mir der Kaiser auf mein ausführliches Schreiben nur kurz durch einen Adjutanten hatte danken lassen, war ich ein wenig verärgert und nahm von meinem Vorhaben Abstand.

Schließlich sollte ich unseren langjährigen Rechtsanwalt Thomas in Preußisch Holland entlassen, der Halbjude war; er bearbeitete alle juristischen Fragen für uns und hatte bereits meinen Großvater beraten. Längere Zeit konnte ich diese Anordnung umgehen. Ende 1938 gab ich nach und betraute Rechtsanwalt Baasner aus Preußisch Holland mit der Wahrnehmung unserer Interessen. Thomas blieb jedoch unter der Hand bis zu seinem Tod Anfang der vierziger Jahre in wichtigen Fragen mein Berater.

Daß mir in all diesen Jahren nichts passiert ist, habe ich gewiß Karl Wolff zu verdanken, dem Adjutanten von Himmler und späteren SS-Obergruppenführer, meinem Klassenkameraden aus Darmstadt. Viele Jahre nach dem Krieg erhielt ich Kenntnis von einem Schreiben des Reichsführers SS, Persönlicher Stab, vom 4. Oktober 1940, daß meine Angelegenheit nach dem Krieg weiter zu bearbeiten sei. Nein, der Nationalsozialismus bedeutete nicht eine Wende zum Besseren, im Gegenteil. Aber bis zu dieser bitteren Erkenntnis brauchte ich Jahre. Als ich soweit war, warf ich eines Abends bei Dunkelheit mein silbernes SS-Abzeichen in unseren Schloßteich.

Natürlich war die Politik nicht unser Hauptgeschäft. Sie war eingebettet in unser tägliches Leben und spielte neben meiner eigentlichen Aufgabe als Leiter eines vielseitigen landwirtschaftlichen Großbetriebes nur eine untergeordnete Rolle. Um 1935, nachdem ich eingesehen hatte, daß meinen Bemühungen, politisch Einfluß zu nehmen, wenig Aussicht auf Erfolg beschieden war, zog ich mich noch stärker ins Privatleben zurück.

Zwar war auch die Land- und Forstwirtschaft straff organisiert, aber da die Kreis- und Ortsbauernführer oft selbst Bauern und Landwirte waren, wurden wir einigermaßen in Ruhe gelassen. Die bereits von der Regierung Brüning eingeleitete Osthilfe für die Landwirtschaft wurde verstärkt, und dies wirkte sich auch auf Schlobitten günstig aus. Plötzlich waren Überschüsse vorhanden, mit denen lang zurückgestellte Projekte wie der Bau und Umbau von Arbeiterhäusern, die Drainage oder die Modernisierung des Inventars durchgeführt werden konnten. Es waren Investitionen in Millionenhöhe, verbunden mit sehr viel zusätzlicher Arbeit, die meine ganze Kraft erforderte.

Das uralte Vertrauensverhältnis zwischen den Leuten und uns hatte zur Folge, daß wir uns wie *eine* große Familie fühlten, deren Spitze meine Frau und ich bildeten. So ist es auch nur zu erklären, daß bald nach unserer Heirat eine etwa 40jährige Arbeiterin zu meiner Frau kam und sie, die Anfang 20 war, um persönlichen Rat bat mit den Worten: »Sie können mir helfen, denn Sie sind wie unsere Mutter und wir sind alle Ihre Kinder!«

Es befand sich unter den über 500 Mitarbeitern kaum ein Parteimitglied, so daß es, von einer Ausnahme abgesehen, zu keinen Schwierigkeiten politischer Art mit unseren Leuten kam. Wohl aber gab es ständig kleinere Auseinandersetzungen mit der Partei, die beanstandete, daß im Betrieb kein nationalsozialistischer Geist herrsche und der Hitlergruß nicht immer befolgt werde oder daß unsere Erntefeste zu »altmodisch« seien. Solcher Ärger ließ sich meist bei den örtlichen Stellen oder beim Kreisleiter aus der Welt schaffen. Dort grüßte man, wie es Vorschrift war, wenn auch möglichst lässig.

Im Alter von zehn Jahren mußten unsere Kinder, wie alle anderen auch, den Jugendorganisationen der Partei beitreten. Am 20. April 1939, Hitlers 50. Geburtstag, mußte unser ältester Sohn Richard zu einer Parteiveranstaltung ins drei Kilometer entfernte Karwitten fahren. Auf dem nächtlichen Rückweg prallte er an einer abschüssigen Stelle mit seinem Fahrrad gegen einen Mann, stürzte kopfüber aufs Steinplaster und starb vier Tage später an einer Gehirnhautentzündung, die er sich durch den Bruch des Siebbeins zugezogen hatte – für uns ein unvorstellbarer Schmerz. Der Tod unseres Sohnes erregte großes Aufsehen und war der Partei peinlich. Entgegen den

Vorschriften der Hitlerjugend wurde Richards Sarg nicht mit der Hakenkreuzfahne bedeckt, sondern mit einem hellblauen Samttuch bezogen, auf das ein silbernes Kreuz appliziert war – es waren die Dohnaschen Wappenfarben.

Meine Hauptsorge in diesen Jahren war noch immer die Erhaltung des Besitzes. Zwar hatte ich den Betrieb weitgehend konsolidiert, aber auf Dauer war das Schloß mit seinem Inventar nur zu erhalten, wenn der Grundbesitz gegen Teilung gesichert werden konnte. Schon bald nach Auflösung der Fideikommisse im Jahre 1919 hatte Onkel Alfred als Besitzer von Finckenstein die Umwandlung des Majorats in ein Waldgut beantragt. Da Finckenstein sehr viel mehr Wald als Feld hatte, wurde ihm das mit der Auflage bewilligt, daß er zwei landwirtschaftliche Güter abtrat. Damit war nach menschlichem Ermessen die Erhaltung von Schloß Finckenstein gesichert, da der Landbesitz nicht mehr geteilt werden durfte. Zusätzlich wurde von den Agnaten, unter denen ich an dritter Stelle stand, ein Abkommen unterzeichnet, nach dem das Waldgut nur im Mannesstamm weitervererbt werden durfte.

Nach 1933 ging Finckenstein – nicht zuletzt dank der Parteizugehörigkeit seines Besitzers Hermann – nahtlos in einen »Erbhof« über. In Schlobitten war die landwirtschaftlich genutzte Fläche bei weitem größer als der Wald, und so schied diese Möglichkeit zunächst aus.

Im September 1933 wurde das »Erbfolgegesetz« erlassen, wonach auch landwirtschaftliche Besitzungen über 125 Hektar »Erbhof« werden konnten. Damit bot sich für Schlobitten ein Weg, den verbliebenen Grundbesitz ungeteilt zu vererben. Es war eine mühselige, jahrelange Arbeit, gegen den Widerstand der Parteistellen den Antrag vorzubereiten und die erforderlichen Gutachten zu beschaffen. Anfang 1937 reichte ich bei der zuständigen Landesbauernschaft in Königsberg meinen Antrag auf Zulassung von Schlobitten als Erbhof ein; er umfaßte etwa 50 Seiten und mehrere Landkarten. Wenig später fuhr ich zum Reichsernährungsministerium nach Berlin und wurde zu Walter Darré vorgelassen.

Der Minister meinte, ohne Kenntnis der Unterlagen keine

Stellung nehmen zu können. Das hatte ich auch nicht erwartet; mir lag vielmehr daran, ihm persönlich auseinanderzusetzen, warum gerade Schlobitten besonders geeignet sei, zum Erbhof erklärt zu werden. Handelte es sich nicht um ein Schulbeispiel für seine Lieblingsidee »Blut und Boden«: Familienbesitz über Jahrhunderte und Arbeiter, die zum Teil seit Generationen in Schlobitten waren? Darré, mit Spitznamen »Blubo«, ein großer, für seine Jahre zu beleibter Mann, wirkte in seiner SS-Uniform eitel und überheblich. Da er mir gegenüber betont zurückhaltend, ja unfreundlich war, wunderte ich mich nicht, bald darauf einen Brief des Reichsernährungsministeriums zu erhalten, in dem mir vorgeworfen wurde, ich hätte falsche Informationen über das Gespräch verbreitet und es dazu benutzt, die Landesbauernschaft in meinem Sinne zu beeinflussen. Das war schon nicht mehr möglich, weil die Besichtigung von Schlobitten durch diese Behörde sowie ihre schriftliche Stellungnahme längst erfolgt waren.

Wie dem auch sei, von nun an hatte ich vor allem mit Staatssekretär Backe zu tun, einem anständigen, energischen Mann, den ich mehrfach in meiner Erbhofsache aufsuchte. Ich gewann durchaus den Eindruck, daß er den Kern der Angelegenheit, die Erhaltung eines großes Besitzes mit einer einzigartigen Schloßanlage, erkannt hatte. Aber er konnte nicht selbständig entscheiden.

Trotz der Unterstützung aus Berlin kam die Sache nicht voran, was in erster Linie an Gauleiter Koch lag. 1940, als ich im Feld stand, wurde sie noch einmal aufgegriffen. Auf Anweisung der Landeskulturabteilung des Oberpräsidiums, also Kochs, verlangte die Landesbauernschaft plötzlich als Bedingung für die Zulassung Schlobittens zum Erbhof die Abgabe von Storchnest, dem wertvollsten Gut des ganzen Besitzes. Auf das Schreiben des Landesbauernführers Spiekschen vom 24. Februar 1942, daß von der Abgabe des genannten Gutes »zur Neubildung deutschen Bauerntums aus grundsätzlichen Erwägungen nicht abgesehen werden kann«, reagierte ich nicht mehr. Für mich stand fest, daß der Krieg verlorengehen würde; damit war die Zulassung zum Erbhof sinnlos geworden.

1935 hatte sich Deutschland von den Rüstungsbeschränkungen des Versailler Vertrages losgesagt. Für ehemalige Soldaten bestand nun die Möglichkeit, in vier- bis sechswöchigen Kursen alte Kenntnisse aufzufrischen und Neues zu lernen. Ich meldete mich zu dem neu aufgestellten Reiterregiment Nr. 4 in Allenstein und absolvierte dort bis Frühjahr 1939 mehrere Reserveübungen; die letzte Übung im April 1939 mußte ich vorzeitig abbrechen, weil mein ältester Sohn Richard tödlich verunglückt war.

Soldat zu sein war nicht meine Sache, aber ich tat es, um Schwierigkeiten mit Koch und der Partei aus dem Wege zu gehen. Eingestellt wurde ich in meiner alten Charge als Fahnenjunker-Unteroffizier, hatte also Anspruch auf Offiziersbeförderung. Nicht ganz ohne Mühe wurde ich 1937 Leutnant der Reserve. Ich freute mich, endlich Offizier zu sein – also war doch noch etwas vom »Soldatenblut« meiner Vorfahren in meinen Adern!

Die Zeit beim Kommiß nutzte ich, um bei Oberleutnant Führer schulmäßig reiten zu lernen. Führer ritt ausgezeichnet, hatte eine Reihe von Preisen errungen, sogar in der S-Dressur (schwere Klasse), und besaß das Goldene Reiterabzeichen. Bei der Abschlußprüfung mußte ich in der Reitbahn einige Dressurfiguren vorreiten und ein kleines, öffentliches Springturnier bestreiten, auf dem ich einen fehlerlosen Ritt absolvierte. Zur Anerkennung erhielt ich das Silberne Reiterabzeichen.

1935 oder 1936 begann die Wehrmacht, eine Befestigungsanlage gegen Polen, aber auch gegen Litauen und Lettland aufzubauen. Auch in Prökelwitz, das nicht allzufern der polnischen Grenze lag, entstanden an verschiedenen Stellen Drahtverhaue, um das Betreten der Stellungen zu verhindern. Wir ärgerten uns zwar über das Unkraut, fühlten uns durch diese Maßnahmen aber sicherer. Daß es sich um eine geschickte Propaganda handelte, indem man Angst vor dem Einmarsch der Polen schürte, um so später einen Vorwand für den Überfall auf Polen zu haben, durchschauten wir damals nicht. Die Sorge vor einem Krieg nahm zu. Dunkel fühlte ich, daß dieses immer stärker sich aufblähende Deutsche Reich ein schreckliches Ende nehmen würde.

Mitte August 1939 wurde ich eingezogen. Alexander von Kuenheim, ein Nachbar, wurde mein Kommandeur in der Aufklärungsabteilung AA 228 (später AA 160). Ich schätzte ihn sehr, und er dachte politisch ähnlich wie ich. Sehr bald stellte sich heraus, daß man auch vor den anderen Reserveoffizieren unseres kleinen Stabes seine Meinung nicht zu verbergen brauchte. Alle hofften, der Krieg könnte vielleicht doch noch verhindert werden. Daß Hitler wirklich einen Krieg vom Zaun brechen würde, war für die meisten noch immer nicht vorstellbar. Als wir am späten Abend des 31. August den Befehl erhielten, im Morgengrauen die polnische Grenze zu überschreiten, waren alle zutiefst niedergeschlagen. Um 5.00 Uhr früh rief ich von einer einsamen Försterei, die unmittelbar an der polnischen Grenze nahe dem Hindenburgischen Gut Neudeck lag, meine Frau an. Ich teilte ihr mit, daß wir in einer knappen Stunde die polnische Grenze überschreiten würden. Es waren Worte der Trauer und der Verzweiflung, die wir wechselten; wir ahnten, daß das Leben, wie wir es bisher geführt hatten, für immer zu Ende war.

Auch dieses Kapitel möchte ich – ähnlich wie das vorige – mit einem kurzen Porträt abschließen. Wiederum handelt es sich um einen Menschen, der an meinem politischen Werdegang entscheidenden Anteil hatte, Heinrich Graf Dohna. Onkel Heini war der Lieblingsneffe meines Großvaters und der einzige außer meinem Vater, der die Viererzüge in Schlobitten kutschieren durfte. Selbst als er einmal um das etwas enge Rondell vor dem Schloß in Carwinden den Viererzug nicht ganz glatt herumdirigierte und an der Anlage ein kleiner Schaden entstand, verlor mein sonst eher cholerischer Großvater kein böses Wort.

1914 war Onkel Heini als aktiver Offizier in den Großen Generalstab berufen worden, dem er bis Kriegsende angehörte. Nachdem er 1919 in der Baltischen Landeswehr gegen die Bolschewisten gekämpft hatte, wurde er als Major i. G. entlassen. Um diese Zeit trat Heini Dohna in meinen Gesichtskreis. Hochgewachsen und schlank, sah er meinem Vater verblüffend ähnlich: es war der gleiche Kopf mit dem schwarzen Haar und der großen geraden Nase; nur hatte Heini blaue Augen, während die meines Vaters dunkelbraun waren.

Nach dem Studium der Agrarwissenschaft an der Universität in Königsberg absolvierte Heini ein kurzes Praktikum bei meinem ehemaligen Lehrherrn Görg in Littschen, den ich ihm empfohlen hatte. Dies führte uns in der Zukunft enger zusammen, auch wenn ich gestehen muß, daß mir Heini in landwirtschaftlichen Kenntnissen weit überlegen war. Mit der ihm eigenen Gründlichkeit hatte er sich auf seinen neuen Beruf als Leiter eines großen Land- und Forstbetriebes viel intensiver vorbereitet als ich. Man mag mir zugute halten, daß ich noch sehr jung und er fast doppelt so alt war wie ich. Als ich 1924 den Betrieb in Schlobitten übernahm, entwickelte sich ein intensiver Austausch von Erfahrungen, was sich unter anderem in einem umfangreichen Briefwechsel niederschlug, der noch erhalten ist. Nach dem Tod seines Schwiegervaters Carl von Borcke bewirtschaftete Onkel Heini den wertvollen Besitz Tolksdorf im Kreis Rastenburg, den seine Frau geerbt hatte. 1927 zog er mit Maria Agnes und den vier Kindern dorthin.

Maria Agnes, Maja, wie wir sie nannten, und meine Frau verbanden zahlreiche gemeinsame Interessen: Kunst, Gartenbewirtschaftung und nicht zuletzt Politik. Mit ihrer tiefen Abneigung gegen den aufkommenden Nationalsozialismus weckten Heini und Maja schon früh in uns Zweifel, ob Hitler tatsächlich eine Wende zum Besseren bedeute. Im Gegensatz zu dem sehr zurückhaltenden, fast schweigsamen Heini sagte Maja ihre Meinung oft frei heraus, wobei sie sich gelegentlich weit vorwagte.

Im November 1933 lud ich Heini zu einer Jagd ein, die ganz im Zeichen der politischen Umwälzungen stand. Zu den Teilnehmern gehörten Landrat Lauenstein, Kommissar für die Osthilfe, Siegfried Freiherr von Schroetter, ein bekannter ostpreußischer Landwirt, Heinrich Dohna-Willkühnen, ein junger, politisch interessierter Kopf, Hermann Dohna aus

*General Heinrich Burggraf zu Dohna war von den Verschwörern als Oberpräsident von Ostpreußen vorgesehen. Nach dem fehlgeschlagenen Attentat vom 20. Juli 1944 wurde er hingerichtet.*

Finckenstein, Parteimitglied und Staatsrat, sowie Freiherr von Wrangel, Landrat im Kreis Mohrungen. Am 10. Dezember schrieb mir Heini: »Der Tag neulich in Prökelwitz war wirklich sehr interessant und besonders gelungen. Eine politische Jagd ist eine notwendige Neuerscheinung. So hübsch eine Jagd mit Bridge ist, wir haben eigentlich nicht mehr die nötige Zeit dazu. Die gegenseitige politische Orientierung ist wichtiger.«

1934 trat Heini der »Bekennenden Kirche« bei, die sich gegen die nationalsozialistischen »Deutschen Christen« gebildet hatte. Im November sandte er mir eine Aufforderung zum Beitritt, die ich ununterschrieben zurückschickte mit dem Hinweis, daß die Streitigkeiten innerhalb der evangelischen Kirche nicht auf die Schlobitter Gemeinde übergegriffen hätten. Pfarrer Neumann hatte von einem Beitritt abgeraten, und dem schloß ich mich an, obwohl meine Frau und ich in unserem Glauben mit der »Bekennenden Kirche« übereinstimmten und den Seiltanz der »Deutschen Christen« verurteilten.

Wie in allen Jahren waren meine Frau und ich auch im Frühsommer 1944 einige Male zu Besuch in Tolksdorf. Zum Abendessen kamen oft Offiziere aus der benachbarten »Wolfsschanze«, Hitlers Hauptquartier. In Erinnerung sind mir der General der Nachrichtentruppen, Erich Fellgiebel, der auffallend kleine, äußerst gescheite Generalmajor Helmuth Stieff und der nicht minder begabte Oberst i. G. Wessel Freiherr von Freytag-Loringhoven, mit dem ich mich besonders gut verstand. Wie selbstverständlich wurde bei diesen Abenden in Tolksdorf über das geplante Attentat und die Zukunft Deutschlands gesprochen. Fellgiebel, Stieff und Heini Dohna wurden nach dem Attentat vom 20. Juli 1944 gehenkt; Freytag-Loringhoven nahm sich das Leben. Er hatte die Erfolgsaussichten des Attentats überaus skeptisch beurteilt. »Aber«, sagte er an jenem Abend in Tolksdorf, »auch wenn es nicht gelingt, wird wenigstens in der deutschen Geschichte stehen, daß Menschen ihr Leben eingesetzt haben, um diesen Verbrecher zu beseitigen!«

Wir wußten also, daß das Attentat stattfinden würde, den genauen Termin kannten wir jedoch nicht. Ausgerechnet am 21. Juli war ich mit Heini Dohna in Tolksdorf verabredet. Der Anschlag gegen Hitler war am 20. Juli abends bekanntgegeben worden; weil ich früh zu Bett gegangen und morgens schon vor 6.00 Uhr aufgestanden war, um den Zug nach Rastenburg zu erreichen, wußte ich von nichts. Als ich entgegen der Einladung am Bahnhof in Rößel keinen Wagen vorfand, der mich abholte, schien mir das verdächtig. Einer höheren Eingebung folgend, entschloß ich mich, mit dem nächsten Zug nach Schlobitten zurückzufahren. Wäre diese Unternehmung bekanntgeworden, hätte man mich mit den Verschwörern in eine engere Verbindung gebracht, als es der Fall war, und ich wäre mit Sicherheit verhaftet worden.

Heini Dohnas ablehnende Haltung gegenüber dem Regime war mir zwar bekannt, aber über seine Aktivitäten hatten wir niemals direkt gesprochen. So wußte ich auch nicht, daß er vom Kreis der Verschwörer um Stauffenberg für den Tag des Staatsstreiches als politischer Beauftragter für den Wehrkreis I (Königsberg) vorgesehen war. Die Tage nach dem 20. Juli waren wohl die schlimmsten in meinem Leben. Verzweifelt, daß der Krieg weitergehen und noch Hunderttausende das Leben kosten würde, hörten wir jeden Tag von neuen Verhaftungen oder vom Selbstmord naher und fernerer Verwandter und Freunde wie Fritzi Schulenburg, Ulrich Wilhelm Schwerin, Heini Lehndorff, Wilfried Lynar und anderen.

Besonders schmerzlich traf uns die Nachricht von der sofortigen Inhaftierung von Onkel Heini; von der Einlieferung seiner Frau ins Konzentrationslager Ravensbrück hörten wir erst später. Ich fuhr nach Königsberg und traf mich mit Amsi Dohna, geb. Gräfin Ortenburg, der Witwe seines gefallenen Neffen, und bat sie, in Berlin bei der Gestapo vorstellig zu werden. Als Kriegerwitwe und nahe Verwandte war sie die einzige, die dafür in Frage zu kommen schien. Selbst 1944 war ich noch so naiv, an ein einigermaßen reguläres Gerichtsverfahren zu glauben. Andererseits hielt ich es für meine Pflicht, ganz offen mit unserer 17jährigen Tochter Ima, die damals im Reichsarbeitsdienst-Lager Arnstein arbeitete, über das Attentat auf Hitler zu sprechen und sie über die Motive der Verschwörer aufzuklären. Es sei ein Unglück für uns alle, daß dieser Verbrecher nicht beseitigt worden sei.

Ende Juli oder Anfang August 1944 standen plötzlich zwei in Zivil gekleidete Herren im Arbeitszimmer meiner Frau. Da die Haustüren stets offenstanden, waren sie ohne Anmeldung hereingelangt. Sie wiesen sich als Gestapo-Beamte aus und verlangten, mich zu sprechen. Zitternd kam meine Frau zu mir gelaufen. Ich wollte gerade aufs Feld reiten; das gesattelte Pferd ließ ich in den Stall zurückführen, dann begleitete ich die beiden Herren in mein Arbeitszimmer. Ganz überraschend kam mir der Besuch der Gestapo nicht, und ich hatte mir gut überlegt, was ich sagen würde. Zudem hatte ich einen guten Tag mit klarem Kopf, so daß ich meine Aussage mit fester Stimme ruhig und überzeugend vorbrachte.

Der eine fragte mich aus, während der andere sich Notizen machte. Zunächst kam die Sprache auf Onkel Heini, der unter den Verhafteten mein nächster Verwandter war. Man wollte mir unterschieben, daß ich durch ihn über alle Pläne der Verschwörer informiert gewesen sei. Auch hätte ich möglicherweise den kurz nach seiner Verhaftung wieder entflohenen Heinrich Graf Lehndorff versteckt. Allen Berichten zufolge, entgegnete ich, handele es sich bei den Verschwörern doch um eine ganz kleine Clique, zu der ich keinerlei Beziehungen gehabt hätte, im Gegenteil, ich hätte der Partei immer positiv gegenübergestanden. Der ehemalige Adjutant des Reichsführers-SS habe neben mir in der Schulbank gesessen, und Himmler sei mir persönlich bekannt. Ich sei SS-Anwärter gewesen und hätte später als pflichtbewußter Deutscher bei der Wehrmacht in vorderster Front gestanden. Schon deshalb sei ein Kontakt mit den Leuten des Attentats unmöglich. Lehndorff sei mir nur flüchtig bekannt, seit Ausbruch des Krieges hätte ich ihn nicht mehr gesehen. Im übrigen sei es völlig unmöglich, in einem Schloß mit so vielen Leuten jemanden zu verstecken. Man stellte mir noch einige verfängliche Fragen, aus denen hervorging, daß die beiden Gestapo-Beamten meine Akte in Berlin genau kannten, aber es gelang mir, jeden Verdacht zu zerstreuen. Nach etwa zweistündigem Verhör verließen mich die beiden mit dem Bemerken, ich möchte sofort darauf aufmerksam machen, wenn mir »antinationale« Äußerungen zu Ohren kämen. Ich war erleichtert. Nachträglich fiel mir ein, daß ich vergessen hatte, unser Gästebuch zu verstecken; es lag obenauf in einer Kommodenschublade. Hätte man es gefunden, wäre ich schwer belastet worden. Manch einer von denen, die Hitler nach dem 20. Juli hinrichten ließ, war in Schlobitten gewesen und hatte sich in das Gästebuch eingetragen.

# Wieder als Soldat im Krieg

Die Aufklärungsabteilung rückte an der Spitze unserer 228. Infanteriedivision in Richtung Warschau vor. Es galt, möglichst schnell die polnische Armee entscheidend zu schlagen und die rund 250 Kilometer entfernte Hauptstadt rasch zu erreichen. Wir sollten den zurückweichenden polnischen Truppen dicht auf den Fersen bleiben. Die ersten Tage bedeuteten eine gewaltige Strapaze; wir kamen kaum aus den Kleidern und fast gar nicht zum Schlafen. Erst vor Modlin konnten wir ein wenig ausruhen und frische Kräfte sammeln.

Als Quartiermacher der Vorausabteilung gehörte ich zu den ersten deutschen Soldaten, die am 29. September, zwei Tage nach der Kapitulation der Hauptstadt, in Warschau einrückten. Gemessen an dem, was die Deutschen 1944 nach der blutigen Niederschlagung des Aufstandes aus Warschau machten, war die Stadt wenig zerstört. Einzelne von Bomben getroffene Häuser sahen aus wie Zahnlücken in den sonst intakten Straßenzügen. Aus dem Wagen heraus verteilten wir Brote an die Bevölkerung, besonders an Frauen mit kleinen Kindern. Viele rissen sie uns geradezu aus der Hand. Die Straßen waren voller Menschen, die uns neugierig, aber resigniert und abweisend betrachteten; man spürte die große Verzweiflung über die Niederlage und die damit verbundene Demütigung des Vaterlandes.

Auffallend war die tiefe Religiosität der Polen. Zu den Gottesdiensten waren die Kirchen überfüllt, und oft drängten sich die Menschen bis auf die Straße hinaus. Dort, wo bei der Bombardierung Menschen umgekommen waren, lagen grüne Zweige und brannten Kerzen.

Am 12. Oktober wurde durch einen Erlaß Hitlers die Verwaltung der besetzten polnischen Gebiete in die Hände eines »Generalgouverneurs« gelegt, der unmittelbar nach Amtsübernahme eine brutale Ausrottungspolitik in die Wege leitete. Bereits Ende Oktober trieben kleinere SS-Kommandos in

Warschau ihr Unwesen. Sie bohrten Löcher in die Mauern des Warschauer Schlosses, um es zu sprengen. Darüber war ich so aufgebracht, daß ich Einzelheiten photographierte und einen Bericht für die Division zusammenstellte. Als die Vorbereitungen in der Weltpresse bekannt wurden, bliesen die zuständigen Stellen die Aktion ab.

Im Winter 1939/40 hörte ich zum ersten Mal von Arbeitslagern in Polen. Als einzelne Nachrichten von den Greueln in diesen Lagern durchsickerten, kam es zu Differenzen zwischen Dienststellen, Einheiten und Verbänden des Heeres auf der einen und der SS auf der anderen Seite, bei denen das Heer fast immer zurückstecken mußte. Das Unrecht bedrückte uns Offiziere sehr.

Ein Beispiel dafür, wie rigoros die SS vorging, erzählte mir 45 Jahre später mein Freund Ernst Coelle. Er hatte vor dem Krieg als Gutsbesitzer in dem seit 1918 polnischen Teil Westpreußens gelebt und war drei Tage nach dem Einmarsch in Polen als ehemaliger deutscher Offizier reaktiviert und uns zugeteilt worden. Hatte er in Hitler zunächst den Befreier gesehen, so konnten ihn die Offiziere unserer Abteilung, allen voran Major von Kuenheim, in kurzer Zeit davon überzeugen, daß in Deutschland vieles faul war. Bei der Vereidigung von Coelle erklärte Kuenheim, selbstverständlich unter vier Augen: »Auf den Strolch kann ich Sie natürlich nicht vereidigen. Ich verpflichte Sie auf die Deutsche Wehrmacht und gebe Ihnen einfach die Hand. Ich nehme an, Sie sind damit einverstanden.« Coelle teilte mir das später schmunzelnd mit. »Meine anfängliche Sympathie fürs ›Dritte Reich‹ war dahin«, schrieb er rückblickend, »und meine Kameraden freuten sich. Nun erst vertrauten sie mir rückhaltlos, ›nachdem ich umgeschult worden bin‹ – wie Fürst Dohna sich ausdrückte.«

Coelle kannte einen Grafen Bniński, der aus einem alten polnischen Adelsgeschlecht stammte und nach dem Ersten Weltkrieg als Starost (Landrat) des Kreises Schroda eine deutschfreundliche Politik verfolgte. So weigerte er sich, einer Anordnung der polnischen Regierung nachzukommen und ehemalige deutsche Offiziere zu internieren. 1934 gestattete er es als Woiwode (Oberpräsident) der Provinz Posen, daß die DV (Deutsche Vereinigung), der Coelle als Vorstandsmitglied angehörte, öffentliche Versammlungen abhielt. Trotz dieser loyalen Einstellung stand Graf Bniński bei der Besetzung Polens auf der schwarzen Liste. Da die SS seiner nicht habhaft wurde, verhaftete sie seine Frau, die sich jedoch standhaft weigerte, den Aufenthalt ihres untergetauchten Mannes zu verraten. Daraufhin steckte die SS sie in ein Bordell in Łódź. Freunde von Coelle, die von der Schandtat hörten, drangen mit Hilfe einiger entschlossener Kameraden in das Bordell ein, befreiten die Gräfin und brachten sie im Auto nach Warschau. Von dort gelangte sie mit Hilfe der Kommandantur nach Italien.

Einige Offiziere der Kommandantur bemühten sich, verfolgten Polen die Ausreise zu ermöglichen. Auf diese Weise entkam Christiane Gräfin Olizar aus Warschau mit ihren Kindern nach Südamerika. Ihre Schönheit, noch verstärkt durch den Ausdruck ihrer Trauer um das verlorene Vaterland, ist mir unvergeßlich.

Zur Kommandantur gehörte unter anderem Herr von Auerswald, ein mir bekannter ostpreußischer Gutsbesitzer, der mir erzählte, ein wohlhabender Jude habe ihm 40.000 Mark geboten, wenn er ihm die Flucht ins Ausland ermögliche. In Verkennung der wirklichen Lage warf Auerswald den Bittsteller wegen des Versuchs der Bestechung eines deutschen Offiziers hinaus!

Eine Schaltstelle, um polnische Staatsbürger ins Ausland zu schleusen, war das Haus eines Angehörigen der Schwedischen Gesandtschaft. Herr von Auerswald hatte Verbindung zu diesem sehr wohlhabenden schwedischen Herrn geknüpft, der, als die Deutschen einrückten, nicht geflohen war. Vielleicht gehörte er zum Geheimdienst, vielleicht wollte er aber auch einfach seine polnische Geliebte nicht verlassen. Als Neutraler wurde er von den Deutschen respektiert, und in seinem Hause habe ich einige geheimnisvolle Gespräche über das Hinausschmuggeln von Polen ins Ausland mit angehört. Die Besuche dort führten mich in eine andere, mir bis dahin völlig fremde

Welt. Der Hausherr – er mochte Anfang 50 sein – war Junggeselle, ziemlich groß, blond, ein leidenschaftlicher Gourmet, der vorzüglich kochte. Seine polnische Freundin ist wohl die schönste Frau gewesen, die ich in meinem Leben gesehen habe – groß, wunderbar gewachsen, mit schwarzen Haaren und dunklen Augen; ein leichter tatarischer Einschlag wirkte besonders anziehend. Sie war gescheit und amüsant wie alle, die in diesem Hause verkehrten. Einmal, wir waren mitten in der Unterhaltung, legte die schöne Freundin unseres Gastgebers plötzlich ihre Arme um meinen Hals, gab mir einen festen Kuß auf den Mund und sagte: »Sie sind der einzige Unschuldige in dieser Runde«, womit sie in gewisser Weise sogar recht hatte. Ich war mit Blick auf den Hausherrn etwas verlegen. Der eifersüchtige Widerspruch kam jedoch nicht von ihm, sondern von Auerswald, der laut seine Stimme erhob und nicht eher ruhte, bis ihm die gleiche Gunst gewährt wurde.

Da die Theater in Warschau geschlossen worden waren, hatten Warschauer Schauspieler und Sänger im Hotel Bristol ein Café in eigener Regie eröffnet, in dem ausschließlich Künstler bedienten. Am Nachmittag spielte dort das Orchester der Warschauer Oper, und da auch Kaffee und Kuchen sehr gut waren, wurde das Bristol bald zu einem beliebten Treffpunkt für Wehrmachtangehörige. Dabei wurden auch Kontakte mit Polen geknüpft, obwohl uns das verboten war und viele Polen aus Nationalstolz private Verbindungen zu uns ablehnten. So lernte ich eine polnische Familie kennen: Mutter, Tochter und Sohn, und es kam zu einem munteren Flirt mit der Tochter. Als ich von der Mutter nach Hause eingeladen wurde, mußte ich selbstverständlich Zivil anlegen; sicherheitshalber steckte ich mir eine Pistole in die Tasche. Bei einem meiner Besuche wäre ich fast einem polnischen Offizier begegnet, der schon damals im Untergrund arbeitete. Als ich zur Tür hereinkam, verließ er gerade die Wohnung durch den Hinterausgang. Man hatte mich rechtzeitig auf der Straße kommen sehen.

Als unsere Abteilung im Frühjahr 1940 Warschau verließ, konnte ich es wenig später einrichten, daß Tochter und Sohn als Arbeiter nach Schlobitten kamen. Sie bestellten den Garten, führten Aufsicht über die Kinder und halfen in der Bibliothek; im Westflügel des Schlosses bewohnten sie zwei kleine Zimmer. Die Parteidienststellen beobachteten dies mit Argwohn, und nach etwa einem Jahr mußten die beiden nach Warschau zurück. Sie haben den Krieg überlebt und bald danach wieder Verbindung mit uns aufgenommen, die noch immer besteht.

Im Frühjahr 1940 wurde unsere Abteilung als Garnison nach Dirschau an der Weichsel verlegt. Die Stadt war ein wichtiger Eisenbahnknotenpunkt der Bahnlinien Berlin–Königsberg–Petersburg sowie Danzig–Allenstein–Breslau. Wahrzeichen der Stadt waren die beiden 850 Meter langen Brücken über die Weichsel. In jedem Frühjahr trat der Fluß in großer Breite über die Ufer, so daß die Brücken gar nicht lang genug sein konnten. Die um 1855 erbaute Gitter-Brücke, ein Wunderwerk ihrer Zeit, wirkte mit ihren zahlrcichen Türmen und Zinnen von fern wie eine gewaltige mittelalterliche Burg. Dicht daneben hatte man Ende des vorigen Jahrhunderts eine zweite Brücke errichtet, dem Fortschritt entsprechend ein sehr viel nüchterneres Bauwerk. Beide Brücken waren 1939 von den Polen gesprengt, aber inzwischen wiederhergestellt worden. 1945 sprengten sie die Deutschen erneut.

Die Einwohner von Dirschau waren überwiegend Polen. Da die Besatzung der polnischen Bevölkerung jede kulturelle Betätigung verboten hatte, fuhren wir Soldaten in unserer Freizeit häufig nach Danzig, um ins Kino oder ins Theater zu gehen. Die sechs Wochen Garnison dienten hauptsächlich dazu, unsere beim Polenfeldzug in Mitleidenschaft gezogenen Waffen und Geräte instand zu setzen. Ich erhielt zwei oder drei Mal Wochenendurlaub, um meine Familie in Schlobitten zu besuchen, das keine hundert Kilometer entfernt lag.

Dann wurde die Abteilung unerwartet auf den Truppenübungsplatz Groß-Born, nicht weit von Landsberg an der Warthe, verlegt. Hier erfuhren wir, daß unsere Division einschließlich der Aufklärungsabteilung aufgelöst werden und unser Kommandeur, Major von Kuenheim, mit dem größten

Teil der Offiziere und einem Teil der Mannschaften eine neue motorisierte (mot) Aufklärungsabteilung 160 bei der Danziger Division (60. I. D.) aufstellen sollte. Ich war inzwischen zum Oberleutnant befördert und Adjutant der Aufklärungsabteilung geworden. Die Stellung als »rechte Hand« des Kommandeurs war interessant und verantwortungsvoll, zumal mir Major von Kuenheim viel Freiheit ließ.

Von Groß-Born verlegte man uns ziemlich bald nach Munsterlager in der Lüneburger Heide. Unsere Kampfkraft wurde erheblich verstärkt: Wir erhielten eine Panzerspähkompanie mit drei aktiven Offizieren, die 1. Kompanie. Die Radfahrkompanie wurde zu einer Kradschützenkompanie mit schweren Maschinengewehren umgewandelt. Diese 2. Kompanie führte Rittmeister Coelle. Die schwere, 3. Kompanie, die ich später übernahm, erhielt einen Zug mit leichten Geschützen, den Infanteriegeschützzug, einen Pionierzug und einen Zug mit kleinen Panzerabwehrkanonen, Pak. Am Ende war aus unserer Aufklärungsabteilung ein großer motorisierter Verband mit Hunderten von Fahrzeugen geworden. Bis alles neu geordnet und wir mit den neuen Waffen vertraut gemacht waren, vergingen Monate, Monate, in denen Hitler seine größten Triumphe feierte.

Zu denen, die die Entwicklung mit Mißtrauen verfolgten, gehörten neben Major von Kuenheim die mir nahestehenden Offiziere der Reserve Ernst Coelle, Heinfried Graf Lehndorff und Martin von Perbandt. Trotz des Siegesgeschreis, das aus den Radios tönte, blieben wir skeptisch und überlegten, wie man den »größten Feldherrn aller Zeiten« (GRÖFAZ) zur Besinnung bringen könnte. Seine gewaltsame Beseitigung lag außerhalb unserer Vorstellungen.

Im Frühjahr 1941 wurden wir auf den Balkan verlegt und bezogen zunächst Quartier in einem kleinen Gebirgsdorf im verbündeten Bulgarien. In den Morgenstunden des 6. April begann der deutsche Angriff auf Jugoslawien und Griechenland. Am gleichen Tag rückten wir ab; im Verband mit einer Panzerdivision wurde unsere Division unter dem Kommando von General Eberhardt auf das strategisch wichtige Nisch etwa

*Offiziersbesprechung wenige Tage vor Beginn des Balkanfeldzuges im Garten des Offizierskasinos Soltau mit dem Autor (vorne rechts) und Leutnant Coelle (vorne links), der später im Rußlandfeldzug Kommandeur der Abteilung wurde.*

hundert Kilometer westlich der bulgarischen Grenze angesetzt.

Während des Balkanfeldzuges habe ich mir regelmäßig Aufzeichnungen gemacht, aus denen ich im folgenden zitieren will, weil ich glaube, daß sie meine damalige Stimmung recht genau wiedergeben.

*Am 11. April, früh um 6.00 Uhr, geht es von Sofia aus weiter. Kaum sind wir an dem zerstörten Schlagbaum vorbei im Feindesland, findet man sich aus dem friedlichen Bulgarien mitten in eine Kriegslandschaft versetzt: zerschossene Häuser, Drahtverhaue, beseitigte Sperren und Höckerhindernisse, zertrampelte Felder und Rauchgeruch zeugen davon, daß heftige Kämpfe stattgefunden haben. Munition und verschossene Kartuschen im Straßengraben, tote Pferde liegen neben verlassenen Geschützen. In Pirot ist kurzer Aufenthalt, dann geht es weiter nach Niska Banja bei Nisch, wo wir gegen 16.00 Uhr eintreffen.*

*Niska Banja ist ein höchst eleganter Badeort mit großen Hotels und schönen Anlagen. Die Serben haben in größter Eile kurz vor uns den Ort geräumt. Vor dem Kurhaus, das offensichtlich ein Lazarett werden sollte, ist auf dem Rasen aus roten Ziegelsteinen ein großes Kreuz ausgelegt. Der weiße Untergrund ist nur zur Hälfte gekalkt, die Schubkarren, mit denen der Kalk herangeholt wurde, sind noch halb gefüllt. So plötzlich waren die Deutschen da.*

*Heute ist der 13. April – Ostern. Welch ungeheurer Gegensatz, sonst ein Tag des Friedens und der Freude. Heute Krieg und Sterben, das auch mich treffen kann. Es überkommt mich trotz allem tiefe Ruhe, wenn ich daran denke, daß Gott allein über Leben und Tod entscheidet.*

*Etwa um 18.00 Uhr kommt der mit höchster Spannung erwartete Befehl zum Angriff. Wir machen einen großen »Horizontschleicher«, um die Brücke bei Krusewac im Handstreich zu nehmen und ihre Sprengung zu verhindern. In später Nacht erreichen wir den Platz und besetzen die unversehrte Brücke, aus der ein schneidiger Spähtrupp im feindlichen Feuer die Sprengladungen beseitigt hat. Dann kurzes Lager auf Stroh in einem ärmlichen Dorf. Ich komme allerdings nicht zur Ruhe; die halbe Nacht bin ich unterwegs, erst um die auf der sehr schlechten, aufgeweichten Straße zurückgebliebenen Fahrzeuge zu holen, dann um gegen Morgen schon den Abtransport der etwa 100 Gefangenen zu überwachen und die erbeuteten Waffen und Fahrzeuge zu zählen.*

*14. April. Im Morgengrauen geht es weiter im Eiltempo dem weichenden Gegner nach. Das Feuer von den Bergen verstummt, der Feind türmt. Weiter, weiter. Die Zahl der Gefangenen nimmt ständig zu, sie werden rasch entwaffnet und weiter nach hinten geschickt, auch Offiziere sind jetzt darunter. Erneuter Aufenthalt; diesmal ist es eine größere Brücke über einen Fluß, die völlig in die Luft gegangen ist. Unser Panzerspähtrupp war etwas voreilig: mit einem Mal sind wir mitsamt dem Stab in der vordersten Linie. Feindliche Artillerie beginnt die Straße zu bepflastern. Alles springt aus den Wagen und sucht Deckung. Da es ziemlich ungemütlich wird und wir nach wenigen Minuten zwei Schwerverletzte haben, wenden die Panzerspähwagen und die Fahrzeuge des*

*Stabes mitten im Feuer; »aus allen Knopflöchern schießend« fahren wir zurück. Nur die Geschütze und der schnell nach vorn geworfene Pakzug bleiben mit der Kradschützen-Kompanie am Feind.*

*Für diese Männer ist es eine Nervenprobe, die anderen zurückgehen zu sehen. Darum springe ich aus dem zurückfahrenden Kommandeurwagen und gehe möglichst ruhig auf der Straße wieder nach vorn und erkläre den im Graben liegenden Leuten, alles sei halb so gefährlich, bald komme Unterstützung. Rittmeister Coelle sitzt wie immer in größter Seelenruhe inmitten der um ihn herum einschlagenden Granaten und ist wenig erbaut, als ich ihm den Befehl des Kommandeurs überbringe, vorläufig mit seiner Kradschützen-Kompanie nicht anzugreifen.*

*Da die große Eisenbahnbrücke über den Ibar bei Kraljevo unmittelbar vor unserem vordersten Panzerspähtrupp in die Luft ging, verzögerte sich unser Eindringen in die Stadt. Da es inzwischen Abend wird, beziehen wir Quartier in einigen Häusern am diesseitigen Ufer. Ich erhalte Befehl, noch am Abend zum Kommandeur des Kradschützen-Bataillons, dem auch unsere Abteilung untersteht, nach Kraljevo zu kommen. Mit einem bewaffneten Melder als Begleiter mache ich mich auf den Weg. In der eben eroberten, noch völlig menschenleeren Stadt treffe ich Oberstleutnant Welcker, den Kommandeur der Kradschützen-Abteilung. Gerade ist das Angebot der Kapitulation einer jugoslawischen Armee eingegangen; Welcker zeigt mir das interessante Schriftstück.*

*Nachdem ich den schriftlichen Befehl erhalten habe, daß wir nach Süden in Richtung Albanien abdrehen sollen, klettere ich todmüde über die gesprengten Eisenträger der Brücke auf das andere Ufer zurück. Es ist eine üble Unternehmung, da man von den etwa 15 Meter hohen stehengebliebenen Brückenpfeilern auf unmittelbar über dem Wasser liegende Teile herunterhangeln und auf der anderen Seite wieder heraufklettern muß, und das alles bei Dunkelheit.*

*Am 15. April kommen wir tief in der Nacht in der Nähe von Kursumlija an, wo wir bis 8.00 Uhr früh halten, da der Paß vor uns total verstopft ist. Ich werde dauernd aus meinem Fahrzeug herausgeholt und schlafe höchstens zwei Stunden.*

*16. April. Wir sind auf der Vormarschstraße einer Panzerdivision. Zum Glück ist sie in der Nacht ein Stück weiter vorangekommen, so daß wir den ziemlich steilen Paß passieren können. Selbst der General kann nicht allzu sehr antreiben. Es geht flott bis Pristina – eine interessante, alte Stadt, schon ganz orientalisch. Überall ist die Wirkung der Bomben zu sehen. Ein gewohnter Anblick.*

*Am 17. April erreicht uns die Nachricht vom Kapitulationsangebot der serbischen Armee, die direkt vor uns liegt; ihr Stab ist in Mitrovica untergebracht. Wir rücken möglichst schnell vor, um durch unser Erscheinen die Übergabeverhandlungen zu beschleunigen und noch Schwankende von unserer Überlegenheit zu überzeugen. Ich bin gerade beim General, als eine serbische Kommission aus hohen Offizieren kommt und die Übergabe erfolgt.*

*Nach Ausbesserung einer Brücke zieht die Division in Mitrovica ein. Rechts und links der Straße sieht man die abgestellten Waffen der Serben, überall Geschütz- und Gewehrpyramiden, Berge von Munition. Die Truppen selbst liegen in Kasernen. Die Aufklärungsabteilung wird nach Südwesten auf Pec nahe der albanischen Grenze in Marsch gesetzt. Am gleichen Tag kapituliert die jugoslawische Wehrmacht. Der eigentliche Krieg ist fürs erste zu Ende.*

Bis Anfang Mai 1941 lagen wir in Plovdiv/Bulgarien, nahe der türkischen Grenze. Dann rückte die gesamte Aufklärungsabteilung in langen Märschen quer durch den Balkan nach Hollabrunn bei Wien. Die Österreicher nahmen uns freundlich auf, und wir fühlten uns heimisch wie in Deutschland. Als Adjutant des Kommandeurs wohnte ich mit einigen weiteren Offizieren in dem geräumigen Schloß. Der Besitzer, Anton Erzherzog von Österreich, war die meiste Zeit in Wien, wir sahen ihn selten. Um so häufiger zeigte sich seine Frau, Ileana, Tochter des Königs von Rumänien, eine temperamentvolle Dame von ungewöhnlichem Charme, die uns bisweilen zum Essen einlud.

Anfang Juni kamen meine Frau und Frau von Kuenheim, geb. Gräfin Dönhoff, zu Besuch nach Hollabrunn. Das Kuenheimsche Gut Spanden lag in der Nachbarschaft von Schlobitten, und so unternahmen sie die lange Reise gemeinsam. Unterwegs verlor meine Frau eine wertvolle Kette aus Naturperlen, die Teil des Fideikommiß-Schmuckes war. Ein ehrlicher Finder lieferte sie auf dem Fundbüro ab; er bekam einen Finderlohn und im Herbst eine Gans. Bis 1944 schickten wir ihm regelmäßig zu Weihnachten einen Hasen.

Meine Frau berichtete, daß mehrere Divisionsstäbe nacheinander in Schlobitten einquartiert worden waren; dies bedeutete zweifellos, daß ein Aufmarsch gegen Rußland vorbereitet wurde. Wir zogen daraus den Schluß, daß wir vor einer langen Trennung standen und daß der Krieg auch mich nach Rußland führen würde. Da ich meiner Frau gern mitteilen wollte, wo ich jeweils eingesetzt war, Ortsangaben aus dem Felde aber strikt untersagt waren, verabredeten wir ein besonderes System: Wir kauften uns zwei kleine Landkarten von Rußland, dazu sehr dünnes Briefpapier, das wir auf das Format der Landkarte zuschnitten. Beim Vormarsch legte ich den Briefbogen auf die Landkarte, durchstach ihn mit einer Nadel an der Stelle, an der ich mich etwa befand, und beschrieb dann das Papier.

Mitte Juni wurde Major von Kuenheim mit 58 Jahren aus Altersgründen zum Ersatztruppenteil in die Heimat versetzt. Er war ein großartiger Kommandeur gewesen, und wir nahmen traurig Abschied von ihm. Sein Nachfolger war Major von Fabeck, ein blonder Hüne. Er kam direkt aus der Adjutantur, als Adjutant der 4. Panzerdivision, besaß also kaum Kriegserfahrung, und da er überdies vier Jahre jünger war als ich, äußerte ich den Wunsch, eine Kompanie zu übernehmen. Major von Fabeck, der lieber einen jungen aktiven Offizier als Adjutanten zur Seite haben wollte, unterstützte mich in diesem Wunsch bei der Division.

Vom 22. Juni an wurden wir mit Siegesnachrichten vom Einmarsch in die Sowjetunion überschüttet. Wann unser eigener Marschbefehl eintreffen würde, war eine Frage von Stunden.

212

# Der Rußlandfeldzug –
## aus einem Tagebuch

Als ich dreißig Jahre nach den Ereignissen jenes Tagebuch wieder las, das ich während des Rußlandfeldzuges fast täglich geführt habe, war ich schockiert von meiner eigenen Gefühlskälte. Über die schrecklichsten Ereignisse bin ich hinweggegangen, als ob sie wie selbstverständlich zum täglichen Leben gehörten. Schon von daher sind diese Aufzeichnungen ein Dokument der Zeit, der Abstumpfung und seelischen Verrohung durch den Krieg. Ich scheine alles sofort beiseite geschoben zu haben, anders wußte ich mir offensichtlich nicht zu helfen. Nur bei sehr wenigen Gelegenheiten, etwa beim Tod meines Kompaniehauptfeldwebels Baasner, äußerte ich etwas über meine Gefühle; in Wahrheit hatte auch dieser Tod mich viel tiefer getroffen, als ich das damals zum Ausdruck bringen konnte.

Am bedrückendsten war die unmenschliche Kriegführung. Wir hörten von Hitlers berüchtigtem »Kommissarbefehl«, von Massenerschießungen, vom Wüten der SS-Einsatzgruppen. Aber es war gefährlich, über diese Vorgänge zu sprechen, und so schwieg man, wodurch die Schuld noch drückender wurde. Mit ganz wenigen engen Vertrauten konnte man sich bisweilen aussprechen. Besonders die älteren Reserveoffiziere waren zutiefst empört. Aber was konnten wir tun, außer die Ungeheuerlichkeiten, die wir konkret belegen konnten, an die Division zu berichten? Das meiste aber wußten wir nur vom Hörensagen, und eingespannt in eine gewaltige Kriegsmaschinerie, die einem physisch und psychisch das Letzte abverlangte, blieb nicht viel Zeit, darüber nachzudenken. Bei der kürzesten Ruhepause schlief man vor Erschöpfung sofort ein. Im nachhinein wundere ich mich, daß ich es überhaupt fertiggebracht habe, unter den Bedingungen dieses Feldzuges Tagebuch zu führen.

Heute erscheint es mir unverständlich, daß ich mich widerspruchslos in diese Gigantomanie einspannen ließ, deren Vergeblichkeit mir von Anfang an eigentlich deutlich war. Damals aber beherrschte uns das Gefühl, Teil einer ungeheuren Kriegsmaschine zu sein, die sich machtvoll nach Osten gegen den Bolschewismus wälzte.

Menschen, die weniger nachdenken als andere, haben es unter den Bedingungen des Krieges leichter; sie empfinden eine gewisse Befreiung von der Normalität und Banalität des alltäglichen Lebens und sehen eine Chance, sich etwas beweisen zu können. Auch für mich gab es solche Augenblicke des Stolzes; ich erinnere mich an einen Morgen, als unsere Abteilung im Handstreich einen Brückenkopf bilden konnte, zahlreiche Gefangene machte, Unmengen von Waffen erbeutete und dann im Wehrmachtbericht erwähnt wurde.

Diese Erfahrungen der Front veränderten mich vollkommen; Wärme und Liebe scheine ich zu Hause bei meiner Familie, bei denen, die mir nahestanden, gelassen zu haben. Mitleid vergrub ich in meinem Innern. Ohne es zu merken, war ich ein Rädchen in der Kriegswalze, ein gefühlloses Stück Material geworden; selbst Angst kam kaum je auf. Das einzige, was einem blieb, war die Kameradschaft.

Das war der Zustand, in dem ich Tagebuch führte, und unter diesen Voraussetzungen sollten meine Aufzeichnungen gelesen werden, die hier und da gekürzt und sprachlich gebessert sind. Gerade die Flüchtigkeit des unter dem Eindruck des Augenblicks Geschriebenen zeigt, in welcher Verfassung das Erlebte und Beobachtete zu Papier gebracht wurde. Für Fragen nach dem Sinn des Geschehens hat nicht Zeit, wer im Feuer steht.

*Nachdem unsere Division in Hollabrunn nahe Wien aufgefrischt worden ist, rücken wir am 28. Juni 1941 von dort ab nach Schlesien. Ich liege in Jägersdorf und bin bei dem SS-Obergruppenführer von Woyrsch gut untergebracht; er selber ist abwesend. Das Schloß ist früher ein barocker Bau gewesen, das alte Gebäude noch deutlich erkennbar, jetzt jedoch durch Anbauten völlig entstellt. Innen ist alles neu, auch die fast durchweg häßlichen*

*Möbel; Zentralheizung, geschmacklose Kachelbäder und Waschtische aus Marmor. Als SS-Obergruppenführer verdient man viel Geld!*

*Letzte Vorbereitungen, es gibt viel zu tun. Am Tag vor dem Abrücken übernehme ich die 3. Kompanie und gebe meinen Adjutantenposten ab. Der Augenblick der Übernahme ist für mich nicht einfach, da ich niemanden kenne und dem direkten Dienst durch lange Ordonnanzoffizier- und Adjutantenzeit entfremdet bin. Trotzdem freue ich mich über die neue Aufgabe. Die Übergabe der Kompanie an mich ist feierlich; erst spricht der bisherige Chef, Rittmeister Echt, zu den Männern, dann verabschiedet der Kommandeur, Major von Fabeck, vor versammelter Mannschaft den scheidenden Rittmeister und übergibt mir das Kommando. Ich melde: »Die Kompanie hört auf mein Kommando. Stillgestanden, richt' euch, Augen geradeaus, Augen rechts. Melde gehorsamst, 3. Kompanie übernommen.« Anschließend spreche ich zur Kompanie und begrüße die Unteroffiziere durch Handschlag.*

*Die vollkommen zerschossene Stadt Przemysl liegt 4 Kilometer entfernt. Am 4. Juli weiter nach Lemberg. Hier wird hart neben dem Flugplatz, dicht bei der Stadt biwakiert. Auf den schönen Grünflächen bei herrlichem Wetter und naher Badegelegenheit ist das ein Vergnügen. Die dauernden Erschießungen von Landeseinwohnern (Juden) durch die Polizei in einem nahen Wäldchen stören den Frieden und erwecken Widerwillen, einmal aus menschlichen Gründen, dann aber auch wegen der politischen Folgen.*

*Einige Male war ich in der Stadt, der man trotz Zerstörungen den alten österreichischen Baustil anmerkt. Das berüchtigte Gefängnis der GPU (russische Geheimpolizei) brennt immer noch; hier haben die sowjetischen Hinschlachtungen hauptsächlich von Ukrainern stattgefunden. Viele Juden, die uns natürlich feindlich mustern. Alle Läden haben geschlossen, soweit sie nicht ausgebrannt sind. Wir liegen bis zum 6. Juli auf dem Flugplatz.*

*Am letzten Tage unserer Anwesenheit tauchen in Lemberg blaugelbe (ukrainische) Fahnen und deutsche Hakenkreuzflaggen auf, die letzteren meist sehr komisch; die runde weiße Fläche ist oft viereckig, und das Hakenkreuz ist mitunter verzerrt. Man merkt, daß sich die Ukrainer über die Befreiung vom russischen Joch freuen.*

*Am 7. Juli brechen wir um die Mittagszeit auf, in südöstlicher Richtung geht es weiter vor. Die Straße ist voller liegengelassener russischer Panzer; ihre Zahl geht in die Hunderte. Meist sind sie zerschossen, darunter auch die schweren T 34-Kampfwagen. Zahlreich sind auch die Geschütze, sie stehen gewöhnlich neben den Zugmaschinen. Man bekommt einen Eindruck von dem Ausmaß der Motorisierung der russischen Armee. Abseits der Dörfer treffen wir auf viele russische Leichen, die nun schon seit Tagen hier liegen und einen widerlichen Geruch verbreiten; fast noch schlimmer ist der Gestank der toten Pferde.*

*Am 8. Juli geht es weiter vorwärts, den Panzerdivisionen nach. Nachdem wir hinter Lemberg die noch nicht fertige Bunkerlinie der Russen durchfahren haben – starke Bunker neuester Bauart mit mehreren Stockwerken und halbfertigen Panzerhindernissen –, erreichen wir die berühmte, 1934 fertiggestellte Stalinlinie.*

*Nachmittags bei einem Halt wird plötzlich Fliegeralarm gerufen, und schon hört man das Sausen und Einschlagen der Bomben in nächster Nähe. Alles springt unter die Fahrzeuge. Über uns ziehen in tadelloser Ordnung acht Sowjetbomber. Beim Abfliegen verfolge ich sie mit dem Glas. Zwei deutsche Jäger tauchen am Horizont auf und bringen noch eine Maschine zum Absturz. Inzwischen wird von vorn nach Sanitätern gerufen. Ein Unteroffizier der 2. Kompanie kommt blutüberströmt zu uns gelaufen; er wird verbunden. Ich gehe nach vorn.*

*Ein Volltreffer ist in die 2. Kompanie gegangen, acht Mann tot, zum größten Teil bis zur Unkenntlichkeit verstümmelt, und 17 Verwundete. Zum Glück sind bei der SS Sanitätskraftwagen und ein Arzt, der unserem hilft. Zwei Mann sterben noch beim Transport. Da wir sofort abrücken müssen, wird schnell ein Massengrab geschaufelt. Wir helfen Malern und Tischlern, acht Kreuze anzufertigen. Rittmeister Coelle und ein Unteroffizier, der Pfarrer ist, sprechen am offenen Grab, an dem die Kompanie im Stahlhelm angetreten ist, und schon geht es weiter, ehe man richtig zur Besinnung kommt. Erst nachträglich wird einem klar, daß wir alle mit einem Fuß im Grab gestanden haben ...*

*Inzwischen wird es dunkel. Ich erhalte den Auftrag, mit dem Rest der Abteilung als stellvertretender Abteilungs-Kommandeur in das vom Feind etwas abgelegene Dorf Piatki vorzurücken. Mit schußbereiter Maschinenpistole und Gewehren fahre ich schnell in meinem Wagen voraus. Das Dorf ist feindfrei, und wir ziehen dort unter. Zahlreiche Wachen müssen aufgestellt werden, da im 3 Kilometer nördlich gelegenen Wald nach Einwohneraussagen noch zahlreiche versprengte Russen liegen. Am 10. Juli wird von Rittmeister Coelle in dieser Richtung vorgefühlt. Es kommt zu einem kleinen Zusammenstoß, bei dem Leutnant von Puttkamer, Zugführer bei der 2. Kompanie, durch Handgranatsplitter am Bein leicht verwundet wird, auch einige andere Leute werden unwesentlich verletzt.* (Puttkamer geriet später in russische Gefangenschaft und wurde dort Mitbegründer des »Nationalkomitees Freies Deutschland«. Jahrzehnte später traf ich ihn als Botschafter der Bundesrepublik in Stockholm wieder; wir verstanden uns immer noch gut.)

*Bis zum 15. Juli liegen wir in Piatki neben der ehemaligen Kirche, die, wie in fast allen Dörfern, von den Bolschewisten zu einer Versammlungsstätte mit einer Bühne umgewandelt worden ist. Seltener hat man Getreidespeicher daraus gemacht. Manchmal sind die Kirchen ganz umgebaut, und sogar der Turm ist abgerissen worden; das Kreuz wurde überall entfernt. Die Kirche in Piatki ist total verwahrlost. Die Fenster sind zur Hälfte mit Brettern vernagelt, die Dachrinnen hängen herunter. Die Inneneinrichtung ist mehr als dürftig. Überall schreiende Plakate, die die Leistungen des Bolschewismus verherrlichen; Bilder von Marx, Engels, Lenin und Stalin hängen an den Wänden. Die Bevölkerung hat nach der Flucht der Kommissare und noch vor unserem Einrücken von sich aus diese »Kultstätten« demoliert.*

*Wir bleiben in Bereitschaft gegen die nördlich von uns versprengten Bolschewisten, die sich jedoch nicht mehr sehen lassen. Täglich machen wir Gefangene, meist Überläufer. Der Boden ist überaus fruchtbar. Schwarzer Humus, so tief man gräbt. Die Bolschewisten haben aus den ehemaligen Gütern so etwas wie Domänen gemacht, sogenannte Kolchosenwirtschaften, die von Kommissaren verwaltet wurden. Daneben bestanden Kollektivwirtschaften, gebildet aus den ehemaligen Bauernländereien, ebenfalls unter der Leitung von Kommissaren. Der Lohn war denkbar gering. Eine Frau erzählt, sie habe den ganzen Sommer tagaus, tagein gearbeitet und im Herbst zweieinhalb Zentner Roggen erhalten. Zu eigen haben die Bauern nur ihr kleines Gartenland. Von ihrer einzigen Kuh müssen sie einen großen Teil der Milch, von ihren Hühnern einen großen Teil der Eier abgeben. Das Land ist, abgesehen von den Gärten in den Dörfern, in riesige Schläge von mehreren hundert Morgen eingeteilt. Die Felder stehen sehr gut. Der Ackerbau ist extensiv mit Brachen. Man baut Gerste, Roggen, Zuckerrüben, viel Hülsenfrüchte und Hafer, merkwürdigerweise verhältnismäßig wenig Weizen an.*

*Der Maschinenpark ist gut bestückt und äußerst modern, aber sehr schlecht gehalten. Alle Maschinen stehen im Freien; ich habe nur russische Fabrikate gesehen. Die Trecker sind durch Herausnehmen wichtiger Teile unbrauchbar gemacht. Es gibt kombinierte Drill- und Düngerstreumaschinen, vereinzelt Mähdrescher und moderne Dreschmaschinen. Da es keine Scheunen gibt, wird möglichst vom Feld gedroschen, der Rest in Schober gebracht. Die Gebäude sind heruntergekommen, wenn auch vereinzelt Neubauten aufgeführt sind. Typisch ist der riesige Hof, die Gebäude endlos weit auseinandergezogen. Vieh ist kaum zu sehen; das Bauernvieh ist schlecht, das Kolchosenvieh fortgetrieben.*

In einer Eingabe an die Division schrieb ich während der nächsten Ruhepause am 10. August in Nowa Alexandrowka, wo wir ähnliche Verhältnisse vorfanden:

*Die Bevölkerung ist im allgemeinen willig. Es fehlt ihr jedoch im weiten Umfang eine fachmännische Aufsicht, die vor allem zur Arbeit treibt. Die bisherigen Betriebsleiter sind fast restlos geflohen. Es wurde daher den einzelnen Betrieben aufgegeben, sofort neue Betriebsleiter zu wählen. Diesem Befehl wurde im allgemeinen umgehend nachgekommen. Es darf aber nicht übersehen werden, daß den meisten neuen Betriebsleitern der Überblick fehlt, da sie bisher nur in untergeordneter Stellung tätig waren. Zahlreiche Fehler in der Arbeitseinteilung sind die Folge, so daß auch dadurch mit einer Verlängerung der Einerntung gerechnet werden muß. Das starke Interesse der deutschen Wehrmacht an der Einbringung der Ernte erweckt vielfach Miß-*

*trauen. Die Bevölkerung glaubt, die Truppe würde ihr die*
*gesamte Ernte fortnehmen. Um dieser Ansicht zu begegnen,*
*wurde daher von vornherein mitgeteilt, daß die bisherigen*
*Zwangsabgaben von 90 Prozent der Ernte fortfielen und das*
*Getreide frei verkauft werden könnte. Der Gelderlös könnte*
*unter die Leute des Betriebes verteilt werden.*
*Es hat sich gezeigt, daß für die Inbetriebsetzung der Landwirt-*
*schaft das Eingreifen von Offizieren unbedingt erforderlich ist,*
*da der Bevölkerung durch den jahrzehntelangen Bolschewis-*
*mus jede eigene Initiative fehlt. Nur dadurch kann auch der*
*erforderliche Betriebsstoff für die Traktoren gerecht verteilt wer-*
*den. Jeder Truppenteil müßte s o f o r t einen sachverständigen*
*Offizier bestimmen, der die Einbringung der Ernte in den Unter-*
*kunftsbereich seines Truppenteils überwacht. Beim Abrücken*
*müßte die Aufsicht von der nachfolgenden Truppe übernom-*
*men werden.*

*Am 18. Juli um 0.30 Uhr weiter nach Dunajka und Trillissy,*
*zunächst bei völliger Dunkelheit. Wir kommen auf den rechten*
*Flügel der Division, um uns in die Abwehrfront gegen die aus Kiew*
*zur Entlastung vorstoßenden Russen einzureihen. Unser Ziel ist*
*von den Russen besetzt, deutlich kann ich im Fernglas russische*
*Kraftwagen und Infanterie erkennen.*
*Die Bevölkerung meldet, daß im nahen Roggenfeld ein gestern*
*abgestürzter deutscher Flieger liegt. Es entsteht das übliche*
*Gerücht, er sei von den Bolschewisten ermordet worden. Wir*
*untersuchen die Leiche genau. Er ist einwandfrei durch einen*
*Schuß gefallen. Die Füße sind mit einem losen Band umwunden,*
*was zunächst auf »Fesselung« hindeutet. Die Einwohner geben*
*aber an, daß dies eine fromme Sitte sei; sie hätten an der Leiche*
*gebetet. Der Tote wurde am Wege von uns begraben. Sein Name*
*blieb unbekannt, da die Erkennungsmarke fehlte. – Später beob-*
*achteten wir den Abschuß von sechs russischen Flugzeugen durch*
*unsere glänzenden Jäger.*
*Am 26. Juli kommen wir bei Ijschenskoje zum ersten Mal an die*
*vorderste Front. Die Nacht ist unruhig, ständig Schießereien. Alles*
*schläft angezogen in Stiefeln. Am Morgen wird mein Infanterie-*

geschützzug plötzlich nach vorn befohlen, die Russen greifen an. Ich fahre voraus zur Beobachtungsstelle; tatsächlich sieht man die Kerle in ziemlicher Menge durch das hohe Getreide anschleichen. Auch Lastwagen fahren in der Ferne, die von dem aufgeregten Leutnant Müller gleich als Panzer angesehen werden. Der Kommandeur des neben uns liegenden Infanteriebataillons erscheint und erteilt mir als einzigem anwesenden Offizier den Auftrag, die Russen durch einen Angriff zurückzuwerfen und dabei möglichst Gefangene zu machen. Unter dem Schutz der beiden Panzerspähwagen von Leutnant Prinz von Sachsen-Coburg gehen wir vor. Die Russen schießen kaum und wenn, dann nur aus Gewehren.

Rechts auf einem Bahndamm tauchen immer wieder Gestalten auf. Ich nehme das Gewehr meines Nebenmannes und schieße in ihre Richtung. Links von uns will die Infanterie trotz meiner aufmunternden Rufe nicht recht vorwärts. Inzwischen kommt unser Adjutant, Oberleutnant Behrend, und treibt mit großem Schwung auch die saumselige Infanterie vor. Da nun der zuständige Infanteriekompanieführer erscheint, bleibe ich zurück und kämme mit wenigen Leuten das Kornfeld in Richtung eines immer wieder aufschreienden verwundeten Russen durch. Plötzlich ein Riesenhallo, etwa 40 Russen stehen mit erhobenen Händen im Kornfeld auf, um sich zu ergeben. Da die übrigen Russen in weiter Ferne türmen und es allmählich dunkel wird, wird der Vorstoß abgebrochen; stolz kehre ich mit 46 Gefangenen und zahlreichen Waffen zurück.

Am Abend werden wir durch die Infanterie abgelöst und rücken um 23 Uhr ab. Dabei geraten wir in der Dunkelheit auf einen derartig schlechten Weg, daß ein furchtbares Durcheinander entsteht. Ich muß das wilde Knäuel entwirren, was zirka fünf Stunden dauert. Dann endlich können wir todmüde weiterfahren; es geht nach Mirowka, einem riesigen Dorf in fabelhafter Obstgegend. Die Kirschbäume hängen voller Sauerkirschen, alles ist rot – ein Fressen für unsere ausgehungerten Landser. Die Leute geben willig alles ab. Ich befehle immer wieder, keine Äste abzubrechen; wir sollen uns so anständig wie möglich benehmen, zumal die Bevölkerung in der Ukraine uns freundlich entgegenkommt.

In diesem Dorf wohnte ich bei einem verhältnismäßig wohlhabenden Bauern. Da es recht warm war, schlief ich im Garten in meinem Zelt. Die Familie war besonders nett und brachte mir immer wieder etwas zu essen. Wie in fast allen Bauernstuben war in einer Ecke ein kleiner Altar mit Andreaskreuz und mehreren Ikonen eingerichtet, vor dem die Familie abends betete. Beim Abschied machte mir der Bauer ein besonders wertvolles Geschenk: Er überreichte mir eine Ikone von seinem Altar zum Dank für das gute Benehmen meiner Soldaten. Ich war sehr gerührt und habe sie in meinem Arbeitszimmer in Schlobitten aufgestellt.

*In der Nacht zum 30. Juli werde ich plötzlich geweckt. Rote Leuchtkugeln sind abgeschossen, der Feind greift an. Neben uns wird die 2. Kompanie alarmiert. Wir schlafen weiter bis 5 Uhr, da wir in der Dunkelheit mit den Geschützen doch nicht schießen können. Der Nachtangriff war zwar abgeschlagen worden, im Morgengrauen zeigte sich jedoch, daß der Russe noch in einem Teil des Dorfes saß. Ich fahre schnell vor meinem Infanteriegeschützzug her, da ich am Abend zuvor Sicherungen aufgestellt hatte und daher wußte, wie die Situation war. Eine wilde Schießerei ist im Gange. Schnell vor zu Rittmeister Coelle, der mit seiner Kompanie im Häuserkampf das Dorf säubert. Der letzte Teil der Strecke muß kriechend zurückgelegt werden. Coelle winkt schon von weitem, daß ich mich möglichst tief ducken soll. Unter dem Pfeifen der Kugeln bereden wir, daß er einen Teil des Dorfes räumt. Ich rase zurück, und schon schießen unsere braven Infanteriegeschütze ins Dorf. Wenn unser Geschützfeuer einsetzt, wirkt dies auf den Gegner immer demoralisierend. So gelingt es bald, den Feind wieder zu vertreiben. Wir haben eine ganze Menge Gefangene. Ich lasse sie die zahlreichen russischen Toten zusammentragen und befehle den Einwohnern, sie zu begraben.*

*Auch wir haben einen Mann durch Herzschuß verloren; er wird feierlich bestattet. Es war eine brenzlige Sache gewesen. Die Russen kamen im Schutze der Nacht bis auf 40 Meter heran und wurden erst im letzten Moment erkannt. Nur der Umsicht des Führers der Sicherung, Leutnant Wittmaack, war es zu verdan-*

ken, daß alles gut ablief. Er erhielt richtigerweise das Eiserne Kreuz I. Klasse.

Inzwischen wurden wir durch die SS-Division Wiking abgelöst. Wie ein Heuschreckenschwarm fiel sie bei uns ein, brach überall die Äste der Kirschbäume ab, um schneller an die Kirschen zu kommen. Oberleutnant Blum hatte einen furchtbaren Auftritt mit den SS-Leuten, bei dem es beinahe zu Handgreiflichkeiten gekommen wäre. Die SS säuberte später das Dorf und machte dabei noch einmal 300 Gefangene, darunter 80 von uns verwundete Russen . . .

7.–11. August – Ruhepause in Nowa Alexandrowka. Menschen, Waffen und Fahrzeuge sehen unglaublich aus. Die Riesenentfernungen, der Staub und die vielen kleinen Gefechte haben alles erheblich ramponiert. Wir reinigen Waffen und Geräte, säubern und schmieren die Fahrzeuge und reparieren das Dringendste. Die schmutzige Wäsche wird gewaschen. Es geht schrecklich viel kaputt, Socken sind meist nur noch Lumpen. Viele Offiziere tragen schon Fußlappen, die Mannschaften laufen oft barfuß in Stiefeln. Wo auch diese zerschlissen sind, tauschen wir sie mit denen der Gefangenen. Ich halte sehr darauf, daß unsere alten Stiefel den Gefangenen gegeben werden, damit sie wenigstens etwas haben. Endlich lasse ich mir auch die Haare schneiden von unserem Schirrmeister – im Zivilberuf Friseur in Braunsberg – und wasche mir den Kopf. Das Wasser sieht hinterher aus, als ob eine Stube aufgewischt worden wäre!

Schließlich wird mir die tagelange Warterei doch recht über. Man glaubt unwillkürlich an einen allgemeinen Stillstand der Operationen, wenn man selbst nicht weiterkommt. Sehr lästig sind die vielen russischen Flieger, fast täglich werfen sie Bomben in nächster Nähe ab. Jedes Mal erhebt sich eine wilde Schießerei aus allen Rohren – nur treffen wir nichts, die Flugzeuge fallen nicht herunter.

Am 14. August um 5.30 Uhr Abmarsch nach Saporoschje.

In Saporoschje liege ich im Garten von sehr netten Leuten, die mich gleich in ihr Haus bitten. Es ist ein kleiner, sauberer Raum mit einer rundumlaufenden Bank und einem riesigen Ofen, auf *dem die ganze Familie schläft. Hübsche Flickendecken auf dem gestampften Lehmboden, die Wände hell getüncht. Störend ist nur die stickige Luft, da in keinem ukrainischen Bauernhaus die Fenster zu öffnen sind. Beharrlich wird auch im heißesten Sommer die Tür sofort wieder geschlossen. Frische Luft ist Gift!*

*Nach einheimischem Brauch wird mir Brot und Milch gereicht. Die Hausfrau trinkt aus dem mir angebotenen Napf vor, abzulehnen wäre eine Beleidigung. Ich überwinde mich, trinke. Die Milch ist mit braunen Blättern durchsetzt – ich weiß nicht, was es ist –, schmeckt süßlich, leicht angebrannt. Alles redet auf mich ein, ich verstehe kein Wort. Nach einer Weile breche ich auf und werde höflich bis an die Tür geleitet. Der Russe gebraucht hauptsächlich zwei Wörter. Will man etwas von ihm, so antwortet er »sawtra«, das heißt morgen. Kommt man am nächsten Tag, um nachzusehen, ob es gemacht ist, heißt es »nitschewo«, das heißt schadet nichts. Wir bemühen uns, nett zu ihnen zu sein, und sie sind freundlich zu uns, wenn man ihnen auch Furcht gegenüber den fremden Soldaten anmerkt. Im übrigen haben die guten Leutchen in diesem Dorf eine unglaubliche Angst vor Flugzeugen, auch vor den eigenen. Brummt nur ein Flieger von weitem, springt alles sofort in die außerhalb der Häuser liegenden Erdkeller.*

*Am Nachmittag, als ich gerade die Wachen überprüfe, kommt plötzlich ein verirrter russischer Lastkraftwagen an, durchbricht die sprachlos starrenden deutschen Posten und wäre wohlbehalten durch das Dorf durchgefahren, wenn ich nicht im letzten Augenblick meine Pistole gezogen hätte. Auf mein donnerndes »stoi« und angesichts der unfreundlichen Waffe hält der Fahrer, und der neben ihm sitzende Sergeant entschließt sich zögernd, seine geladene Maschinenpistole im Arm, auszusteigen. Nun springen auch meine Männer hinzu: Wir haben fünf russische Soldaten und einen mit Benzin beladenen LKW geschnappt. Ich will den selbst erbeuteten Wagen gleich für meine Kompanie haben, leider gestattet der Kommandeur das aber nicht. So haben wir wenigstens Sprit und eine neue Maschinenpistole für den Hauptfeldwebel.*

*Am 16. August um 4 Uhr früh rücken wir fast 100 Kilometer nach Südosten ab. Bis zum 18. liege ich mit meiner Kompanie in*

*Reserve. Wir entdecken die Wohnung eines russischen Obersten, die er sechs Stunden vorher noch bewohnt hat. Das Telephon klingelt, wir hören russische Stimmen. Ich lasse schnell unseren Dolmetscher kommen. Beim nächsten Anruf meldet er sich als versprengter russischer Soldat, der wissen will, wo seine Einheit liegt. Tatsächlich gelingt es auf diese Weise, den Standort der Russen zu erfahren.*

*Am 19. August wird endlich die 3. Kompanie zur Unterstützung der 2. Kompanie in vorderster Linie bei einer bolschewistischen Siedlung südlich Nowosielka eingesetzt. Dort ist in unserer Front ein großes Loch von zirka zwölf Kilometern entstanden. Coelle hat die Aufgabe, durch geschicktes Manövrieren die Russen über unsere Stärke im unklaren zu lassen. Tatsächlich gelingt das auch. Ich fahre mit meiner Kompanie vor. Man sieht in wundervollem Panorama die vordersten russischen Linien vor sich. Auffallend viele Brände mit Rauchsäulen gegen den Himmel – ich zähle weit über zwanzig. Beim Näherkommen sind es abgeschossene russische Panzerwagen. Unmittelbar zuvor hat ein großer Panzerangriff stattgefunden. Ein leichter Panzer war dabei auch von unserem Pakzug erledigt worden. Der moralische Effekt eines angreifenden Panzers ist doch gewaltig. Man kann sich ja gegen ein solches Biest als einzelner gar nicht wehren.*

*Meine Kompanie verstärkt die Sicherungen, von einer durchgehenden Linie bei uns kann nicht gesprochen werden. Es ist anstrengend und ungemütlich, alles Tag und Nacht ohne Ablösung eingesetzt. Ich bin Rittmeister Coelle unterstellt. Er spricht recht gut russisch. Es ist eine erfreuliche Zusammenarbeit. Mit seiner Weltkriegserfahrung ist er ein prachtvoller Kamerad. Sicher und selbstverständlich trifft er seine Anordnungen und flößt allen Ruhe ein. Wir fahren unsere Linie ab, damit ich im Bilde bin. Sehr schön für die Deckung sind lange Waldraine, in denen wir uns vor Fliegern und Artillerie verbergen.*

*Am 21. August früh um 4 Uhr gehe ich mit Coelle auf einen sehr weit vorgeschobenen Posten. Das letzte Stück kriechen wir, um zu sehen, ob die Russen noch da sind. Es ist jedoch so neblig, daß wir nichts erkennen können. Also werden Spähtrupps gegen den Feind angesetzt. Gegen 8 Uhr läßt sich übersehen, daß der*

*Russe während der Nacht anscheinend die ganze Stellung geräumt hat. Also stoßen wir sofort nach. Ich fahre mit Coelle vor, hinter den Spähtrupps her. Wir staunen, wie stark die Stellung ausgebaut ist. Ein gewaltig breiter Tankabwehrgraben, dahinter die Schützengräben der Infanterie mit zahlreichen Beobachterposten für Artillerie, zum Teil gepanzert. Überall Telephonleitungen.*

*Leutnant Berghoff berichtet, daß er ausgemacht habe, wo die uns belästigende feindliche Batterie etwa stehen müsse. Coelle beauftragt mich auf meinen Wunsch, möglichst schnell mit Berghoff eine genaue Erkundung vorzunehmen. Es gelingt uns auch tatsächlich, der Division den Stand der Geschütze zu melden. Darüber hinaus stellen wir von unserer Beobachtungshöhe fest, daß diesseits des Bachabschnitts kein Gegner mehr ist. Um eine genaue Meldung machen zu können, fahren wir bis fast an den Fluß vor. Dort hören wir plötzlich laute Zurufe von einem Kradmelder, der unten am Bach steht. Wir halten gerade noch im letzten Augenblick, andernfalls wären wir auf eine große Minensperre aufgelaufen. Berghoff und ich raus, um die Sache näher zu untersuchen. Ein geschickt getarnter dreifacher Ring liegt um die dort befindliche Furt. Es ist ein nicht angenehmes Gefühl, zwischen den Dingern durchzulaufen. Berghoff als Pionier hebt schließlich ganz vorsichtig eine auch ihm unbekannte, russische Mine heraus. Schnell Meldung zurück, um den Pionierzug vorzuholen, damit die Minen beseitigt werden.*

*Gleichzeitig mit dem Zuge trifft auch Rittmeister Coelle ein. Wir nehmen Verbindung mit dem inzwischen vorgekommenen Kradschützenbataillon auf. Nach Beseitigung der Minen hat die Aufklärungsabteilung durch andere Spähtrupps und mich drei Stellen für den Übergang des Flusses ausgemacht – ein ganz netter Erfolg. Jetzt kommen die ersten Russen mit Waffen an und wollen sich ergeben. Wir haben niemand zum Bewachen, nehmen ihnen nur die Waffen ab und jagen sie nach hinten.*

*Mein Pionierzug hat an diesem Tag, teilweise unter feindlichem Beschuß, über 150 Minen herausgenommen und unschädlich gemacht. Die Männer erhielten dafür sechs Eiserne Kreuze.*

*Vom 22. bis 24. August liegen wir in Jelenowka in Ruhe. Neben uns auf den Feldern stehen über dreißig an den Vortagen von unserer Division abgeschossene Panzer.*

*Am 25. August besorgen wir uns Pflaumen und kochen ein schönes Kompott für die ganze Kompanie.*

*Am 27. August geht es nach Dnjepropetrowsk, das unsere Division vor drei Tagen erobert hat. Eine Riesenindustriestadt mit über 500.000 Einwohnern. Der Dnjepr teilt sie in zwei fast gleichgroße Hälften. Das Westufer des Flusses steigt auf etwa 200 Meter an. Parallel zum Strom zieht sich in schöner Lage die Hauptstraße hin. Die Stadt ist sehr zerstört, überall sieht man Granattrichter; abgeschossene Masten und dicke Kabel hängen über die Straßen. Von den fernen Höhen, weit hinter dem jenseitigen Ufer, schießen die Russen ununterbrochen in die Stadt; besonders haben sie es auf die Industriebetriebe abgesehen. Dazu kommen fast ständig feindliche Fliegerangriffe, die den Aufenthalt hier sehr unangenehm machen. Wir fahren an den nördlichen Stadtrand in einen Park hart am Dnjepr, den wir hier zu bewachen haben. Auf der anderen Seite steht der Feind, da der Brückenkopf hier nicht so weit reicht. Es sieht ganz friedlich aus. Unsere Stellung ist aber durch die breiten zum Flußufer führenden Wege leicht einzusehen.*

*In der Nacht baut der Pionierzug große Baumkulissen auf, dann graben wir uns etwas ein, da die russische Artillerie ab und zu in unsere Gegend hereinstreut. In der Nacht vom 29. auf den 30. August hat der Feind anscheinend gemerkt, daß deutsche Truppen im Park liegen. Ringsherum prasseln Bomben nieder. Es ist ein widerliches Gefühl, im Zelt zu liegen und die Bomben zischen zu hören. Man denkt jeden Augenblick, gleich getroffen zu werden.*

*Am Morgen setzt ein langer trauriger Zug von verwundeten Zivilisten ein, die zu unserem Arzt kommen. Männer, Frauen und Kinder. Ich sehe ein vielleicht fünfjähriges Mädchen auf dem Arm eines Mannes, das eine furchtbare Wunde am Oberschenkel hat. Einem kleinen Jungen ist der Fuß weggerissen. Selber Vater von Kindern in diesem Alter, erschüttert mich dieser Anblick sehr.*

*Der Kommandeur entschließt sich nach Genehmigung durch die Division, nur die kämpfenden Teile in der Stadt zu lassen, und verlegt am Mittag alles übrige nach dem Dorf Dijewka, drei Kilometer vom Stadtrand entfernt.*

*Ich versuche, noch einiges in der Stadt zu besorgen. Die Bevöl-
kerung hat jedoch schon alles geplündert. Wir entdecken nur noch
ein Weinlager mit 40.000 Litern, meist Rotwein. Landser pumpen
mit einer Feuerwehrpumpe das köstliche Naß in alle möglichen
Gefäße. Zurück, »was die Jule winden kann«, und schon hat jeder
der Abteilung am Abend einen Liter Wein extra.*

*Das Stadtbild ist schwer zu beschreiben. Von weitem sieht Dnje-
propetrowsk wie eine deutsche Industriestadt mit riesigen Werken
aus. Nur fehlt, wie in allen russischen Orten, das schöne Profil der
Kirchtürme völlig. Kommt man näher, erkennt man die Armselig-
keit der Privathäuser. Alle sind einstöckig, verwahrlost, der Putz
ist abgeblättert. Um so mehr fallen die protzigen Bauten für die
Verwaltung auf. Ihr Stil ist unruhig, meist mit flachen Dächern,
häufig sind Figuren außen angebracht. Schließlich gibt es noch
einige Mietskasernen in häßlichem Stil mit vielen kleinen Bal-
kons, die verlassen neben den einstöckigen Katen dastehen.
Ebenso uneinheitlich sind die Straßen. Die Hauptstraße hat eine
anständige Breite mit beiderseitiger Baumreihe und Bürgersteig.
In der Mitte fährt die Straßenbahn. Alle anderen Straßen haben
miserables Pflaster mit tiefen Löchern, keine oder zerfallene Bür-
gersteige.*

*Mitten in der Stadt an der Hauptstraße liegt ein kleiner Park
mit alten Bäumen. Hier haben wir unseren Heldenfriedhof angelegt. Erst waren es nur einige Kreuze, jetzt sind es schon viele
hundert. Von unserer Abteilung liegen dort auch zwei Mann.*

*Bis zum 5. September bleibe ich in Dijewka. Die Leute sind
recht nett. Abends kommen die Mädchen und Burschen. Sie singen und tanzen uns ukrainische Weisen vor – auch hier der für
Rußland typische Wechselgesang zwischen Solostimme und mehr-
stimmigem Chor. Als Dank ließ ich die Kompanie an einem
Abend deutsche Soldatenlieder singen, was sehr gefiel.*

*Am 5. September rückt meine Kompanie zur Verstärkung von
Rittmeister Coelle zurück nach Dnjepropetrowsk. Wir ziehen in
die großen Keller des Wasserwerks neben dem Dnjepr, da die
Flieger und der Artilleriebeschuß jeden Aufenthalt im Freien sehr
unangenehm machen. Es sind riesengroße Räume, etwa 20 Meter
breit und 100 Meter lang. Bald sind sie ganz erträglich eingerich-*

*tet. Da der ganze Stadtteil geräumt ist, holen sich die Soldaten Bänke und Stühle aus den Häusern. Betten bauen wir uns selbst. Unerfreulich ist nur das fehlende Tageslicht. Neben unserer »Wohnung« sind Räume mit großen Wasserbehältern für Trinkwasser, in denen wir prachtvoll baden, wenn es auch, was die Trinkwasserversorgung der Stadt betrifft, nicht besonders hygienisch ist.*

*Am 10. September können wir Dnjepropetrowsk endlich verlassen. Es war für uns im Gegensatz zu den übrigen Teilen der Division, die im Brückenkopf lagen, eine Zeit mit verhältnismäßig geringen Verlusten: nur drei Tote und fünf Verwundete. Die Bildung des Brückenkopfes bei Dnjepropetrowsk ist das bisher größte Ruhmesblatt unserer Division ...*

*Am 17. September gestattet die Division unsere Verlegung nach Surskije. Hier überträgt mir der Kommandeur die Ortskommandantur. Diese Tätigkeit macht mir Spaß, obgleich viel Arbeit damit verbunden ist. Man erhält einen gewissen Einblick in die Mentalität der Bevölkerung. Unter den Ukrainern scheint es zwei Parteien zu geben, die sich zum Teil sogar mit Waffen bekämpfen. Die einen streben eine »wahrhaft freie« Ukraine an, die anderen wollen einen ukrainischen Staat mit Hilfe der Deutschen. Natürlich werden die ersteren von allen deutschen Dienststellen bekämpft. Wir halten Versammlungen mit Hilfe von Dolmetschern ab, die die Bevölkerung aufklären sollen, setzen Bürgermeister in den Ortschaften und Betriebsführer für die Kollektivbetriebe ein. Ich beschäftige mich in den ersten beiden Tagen mit der Ausstellung von Bescheinigungen, hauptsächlich für Arbeitssuchende. Es waren über dreihundert.*

*Wir rücken am 19. September ab zu neuer Verwendung südlich von Dnjepropetrowsk. Wieder Sicherung wie vor 14 Tagen, damals am Nordrand der Stadt.*

*Vom 20. September bis 1. Oktober liegen wir in Starje-Kodaki, einem wohlhabenden, langgestreckten Dorf am Ufer des Dnjepr. Ich habe einen Abschnitt von 3 Kilometern unter mir als Abschnittskommandant. Es unterstehen mir ein Zug Pioniere und ein Pakgeschütz von meiner Kompanie sowie ein Zug Kradschützen mit Leutnant Wittmaack – eine höchst spärliche Besetzung für die lange Front. Der Russe hat anscheinend keine Angriffsab-*

*sichten. Man sieht seine ausgebauten Stellungen am jenseitigen Flußufer ganz deutlich. Bei Tage zieht er sich bis auf ein paar Wachen in das gegenüberliegende Dorf zurück und paßt ebenso wie wir auf, daß nachts kein Landungsversuch gemacht wird. Der einzige grundlegende Unterschied ist der, daß wir keine Artillerie haben, während der Gegner uns schon am ersten Tag ganz scheußlich mit Artillerie eindeckt. Da ich eisern darauf halte, daß alles in die von uns ausgebauten Bunker kriecht, haben wir außer einem Verwundeten keine Verluste.*

*Man kann tagsüber mit schnell angezogenem zerlumpten Zivil gewissermaßen auf dem Präsentierteller vor den Russen herumlaufen und hat einen ausgezeichneten Einblick in die russische Linie. Halsbrecherisch sind die nächtlichen Kontrollgänge am Flußufer über Steingeröll und Sandhügel durch die tief eingeschnittenen Schluchten (hier mogila genannt), die für die östliche Ukraine typisch sind. Einmal wäre ich nachts beinahe 20 Meter tief in eine solche Schlucht gestürzt. Zwei Mann wurden durch solche Stürze verletzt.*

*Landschaftlich ist es wunderschön. Der über einen Kilometer breite Strom hat an zwei Stellen brausende Stromschnellen. Die Ufer, besonders an unserer Seite, erheben sich bis zu 50 Meter über dem Fluß, das jenseitige Ufer ist teilweise bewaldet.*

*Seit vier Wochen liegen wir nun in der Gegend von Dnjepropetrowsk, und immer noch sitzen die Russen am anderen Ufer des Dnjepr. Am 28. September gegen Abend erfolgt endlich ein deutscher Panzerangriff von einer bei Krementschug über den Fluß gegangenen Panzerdivision auf das uns gegenüberliegende Dorf. Unser Jubel ist groß! In der Nacht baut der Gegner ab und ist am nächsten Morgen spurlos verschwunden. Ich schicke Leutnant Stäckel als Verbindungsoffizier im Kahn über den Fluß, da deutsche Pioniere auf dem anderen Ufer zu sehen sind.*

*Am 2. Oktober ist alles soweit, daß wir um 7 Uhr abrücken können. Zunächst geht es zurück nach Dnjepropetrowsk. In der Stadt ist wieder Leben, da die russische Artillerie nicht mehr hineinschießt. Wir müssen viele Stunden warten, weil wir über den Dnjepr gesetzt werden sollen und am Ufer ein Riesenandrang herrscht. Am Nachmittag sind wir endlich an der Reihe. Es dauert noch einmal vier Stunden, bis der von mir geführte Teil mit dem letzten Fahrzeug drüben ist. Im Dunkeln Weitermarsch nach Bellikaja.*

Dieser Tag, der 2. Oktober 1941, war das von Hitler festgesetzte Datum für die Wiederaufnahme der Offensive auf der ganzen Front. In seinem Tagesbefehl an die Soldaten der Ostfront hieß es, dies sei »der Beginn der letzten großen Entscheidungsschlacht dieses Jahres«. Die Panzergruppe 1 unter Generalfeldmarschall Ewald von Kleist, zu der unsere Division gehörte, sollte den Vormarsch der 17. Armee auf die Industriezentren im Donez-Becken unterstützen, mit dem linken Flügel Stalino, mit dem rechten Flügel Rostow erobern und einen Brückenkopf am Don bilden. Am 7. Oktober wurde meine Kompanie bei Pologi in dreitägige schwere Kämpfe mit eingekesselten Russen verwickelt, bei denen zahlreiche Tote und Verwundete zu beklagen waren. Dabei entstand folgende dramatische Situation:

*Am 7. Oktober nachmittags werden wir plötzlich alarmiert. Die von unserer Division und anderen Verbänden eingekesselten Russen drohen durch eine Lücke zu entweichen. Wir fahren schnell in ein auf der Karte nicht eingezeichnetes Dorf in der Mitte des fast 10 Kilometer großen Lochs. Alles ist zunächst still, vom Feinde ist nichts zu sehen. Die drei Kompaniechefs erhalten je einen Abschnitt zugewiesen, die aber so groß sind, daß nur Spähtrupps auf Krädern hin und her fahren können. Bei Dunkelheit kommt weiterer Befehl, daß die kampfkräftigen Teile nach »Mogila Resni«, einer etwa 5 Kilometer entfernten tiefen Schlucht, gehen sollen, um die dortigen Höhen zu besetzen. Der Kommandeur fährt mit allen übrigen ab und läßt mich mit dem Pionierzug und dem ganzen Troß der Abteilung in dem namenlosen Dorf zurück. Keine angenehme Situation, obgleich ich von der wirklichen Gefahr erst am nächsten Tag einen wahren Eindruck erhalte. Für die Nacht baue ich die Sicherungen selber auf. Angezogen schlafe ich trotz einiger Unterbrechungen nicht schlecht. Um 4 Uhr stehe ich auf, um die Tagessicherungen einzuteilen. Ich habe mir mein Scherenfernrohr im Stalldach der Dorfkolchose eingebaut. Man hat dort einen fabelhaften Überblick. Anfangs ist nicht viel zu sehen. Ab etwa 9 Uhr sieht man aber immer mehr Russen sich auf uns zuwälzen. Schließlich ist es ein wahrer Heerwurm, vornweg über 80 (!) Panzerwagen, dann batterieweise motorisierte Geschütze. Es folgen pferdebespannte Geschütze und endlose Lastwagen und Pferdewagen. Dazu Tausende von Infanteristen. Mir ist mit meinen 5 leichten MGs und dem ganzen Troß nicht angenehm zumute. Ich schicke Leutnant Stäckel zwecks Verbindungsaufnahme zur Abteilung, da wir allein sind und auch nach links an die benachbarte Panzerdivision keinen Anschluß haben.*

Schließlich ließen sich die Russen durch unsere Manöver täuschen. Sie glaubten starke feindliche Kräfte vor sich zu haben und drehten ab. Bald darauf geriet der russische Heerwurm in unser flankierendes Artilleriefeuer und wurde vernichtet. Dieser Anblick hat mich damals sehr betroffen gemacht. Auch das Tagebuch spricht davon:

*Man wird ja sehr abgestumpft, und Augenblicke, die einen vor dem Krieg erschüttert hätten, lassen einen nun gleichgültig. So ging ich über das Schlachtfeld, um das beste der erbeuteten russischen Pakgeschütze für meine Kompanie anstelle eines vernichteten eigenen Geschützes auszusuchen. Überall lagen die Russen, meist ziemlich alte Leute, so wie sie von unseren Geschossen hingemäht waren. Wir gingen durch die vernichteten Stellungen und nahmen ganz kaltschnäuzig, was wir brauchen konnten: Kochgeschirre, Schnellfeuergewehre, Ferngläser. Die Toten blieben unbeerdigt liegen. Sie werden meist erst nach Tagen von Zivilisten verscharrt. Nur einen deutschen Gefallenen, den wir noch fanden, meldeten wir seinem Truppenteil, der ihn beerdigte.*

In der Woche darauf setzten die gefürchteten Regenfälle ein: Mensch und Tier, Panzer und Fahrzeuge, alles versank im Schlamm. Am 14. Oktober erreichten wir die Hafenstadt Mariopol und sahen zum ersten Mal das Schwarze Meer, genauer gesagt, das Asowsche Meer. Major von Fabeck wurde hier durch eine Fliegerbombe schwer verwundet; sein Nachfolger als Kommandeur wurde zu unserer Freude Rittmeister

Coelle. Am gleichen Tage traf mich ein anderes Ereignis ungleich schwerer:

*Kaum sind wir wieder in Marsch, erreicht mich die erschütternde Nachricht, daß mein guter Hauptfeldwebel Baasner durch Splitter am Kopf gefallen ist. Ich drehe gleich um und verlasse die vormarschierende Kompanie, um den Hauptfeldwebel wenigstens selbst zu beerdigen. Unmittelbar neben dem nur leicht beschädigten Wagen traf ihn der Splitter. Er war sofort tot.*

*Ich fuhr gleich zur Ortskommandantur weiter, besorgte mir einen LKW, um die Leiche zu holen und fand auch einen Platz, auf dem schon bei der wenige Tage zuvor erfolgten Eroberung der Stadt einige SS-Leute begraben wurden. Dort legten wir unseren Hauptfeldwebel in sein Grab. Zufällig kam gerade ein Feldgeistlicher vorbei, der ein Gebet sprach. Die zahlreich herumstehenden Einheimischen verhielten sich ruhig und rücksichtsvoll.*

*Dieser Tod ist mir sehr nahegegangen. Ich habe fast immer mit Baasner zusammen gewohnt, habe ihn selbst zum Hauptfeldwebel gemacht und mich stets gefreut, wie gut er seinen Posten ausfüllte. Dazu kam noch, daß er in Mohrungen wohnte, so daß wir uns viel über unsere gemeinsame Heimat unterhalten hatten. Ein Bruder von ihm war schon gefallen, der zweite verwundet. Erst kurz vor dem Krieg hatte er geheiratet, seine anderthalbjährige Tochter hatte er nur am Tage ihrer Geburt gesehen. Es war mir bitter schwer, der armen Frau die traurige Nachricht mitzuteilen.*

Bis Ende des Monats lagen wir dann in guten Quartieren und ruhten uns aus. Ich hatte wieder Gelegenheit, die Landwirtschaft zu beobachten.

*Einmal fahre ich, um Lebensmittel zu besorgen, in ein 12 Kilometer entferntes großes Dorf. Dort treffe ich zu meinem Erstaunen einen deutschen Sonderführer, der in einem großen Bezirk, der noch teilweise in russischer Hand ist, bereits die Landwirtschaft in Ordnung bringen soll. Er hat zwei deutsche Wachmänner bei sich und klagt mir sein Leid, daß er eigentlich nichts machen könne. Schade, daß diese Leute nicht im August schon da waren, als wir in der Ukraine versuchten, die Mähdrescher wieder in Gang zu bringen, aber wegen des weiteren Vormarsches uns nicht recht darum kümmern konnten.*

*Hier, wo die Steppe beginnt, gibt es viele Bienen. Ich sah auf Kolchosbetrieben zum Teil mehr als hundert Bienenvölker in schönen, extra dazu gebauten Kellern ihren Winterschlaf halten. Da hier großer Zuckermangel herrscht – die Bevölkerung hat zum letzten Mal vor etwa einem Jahr 1/4 Pfund Zucker pro Kopf erhalten –, lassen wir den Bienen einen Teil des Honigs. Leider werden jedoch die Stöcke oft von anderen geplündert, so daß die Bienen verhungern.*

Mitte November verdichteten sich die Gerüchte, daß unsere Panzergruppe zum Angriff auf Rostow eingesetzt werden sollte. Der zähe Kampf um die Stadt am Don endete mit einem Fiasko: Zum ersten Mal seit Kriegsbeginn wurde eine deutsche Armee zum Rückzug gezwungen. Hitler berief den Oberbefehlshaber der Heeresgruppe Süd, Generalfeldmarschall von Rundstedt, daraufhin sofort ab. Aus meinen Tagebucheintragungen geht deutlich hervor, daß sich das Bild seit September gewandelt hatte. Die Signale häuften sich, daß dieser Krieg nicht zu gewinnen war.

*Wir erhalten den Auftrag, Rostow in weitem Bogen nördlich zu umgehen. Dort sollen wir die große, nach Osten führende Straße sperren, auf der sich der gesamte militärische Verkehr der Russen abspielt. Am 18. November um 4.30 Uhr geht es bei strengem Frost los – vorbei an General Eberhardt und dem Divisionsstab. »Ave Caesar Imperator, morituri te salutant«, schießt es mir durch den Sinn. In freier Übersetzung: »Morgen, morgen, General. Du hast uns einen äußerst beschissenen Auftrag erteilt!«*

*Schon am Vormittag bleiben wir gegenüber starkem Feind liegen. Die Russen haben feste Stellungen bezogen. Zum ersten Mal sehe ich bis an den Turm eingegrabene Panzer, die sehr geschickt als eine Art Befestigungsanlage aufgestellt sind. Unsere Panzer und die nachfolgende Infanterie überrennen sie aber schließlich doch. Den Nachmittag verbringen wir in einem tief in einen Hügel eingetriebenen Bunker, in dem wir uns etwas Feuer machen. Der Bunker ist Teil einer am Tage zuvor genommenen Russenstellung. Fabelhaft, wie diese Leute ihre Schützengräben anzulegen verstehen. Da können wir viel lernen.*

In aller Frühe ein weiter Marsch bei eisiger Kälte, immer dicht hinter der kämpfenden Infanterie her; den ganzen Tag. Bei Einbruch der Dunkelheit weist uns der Kommandeur eine ausgehobene Russenstellung als Nachtquartier an. Ich entscheide als ältester anwesender Offizier, daß wir uns statt dessen in drei in der Nähe liegende Strohhaufen legen, um die eisige Nacht einigermaßen erträglich zu überstehen. Überall sieht man brennende Dörfer; hinter uns der Feuerschein des brennenden Rostow. Die Nacht ist bitter kalt; obwohl wir uns ganz tief im Stroh verkriechen, wachen die meisten sehr bald wieder auf. Dann müssen wir herumlaufen, um die fast erstarrten Füße zu wärmen.

Im Morgendämmern werden Panzerspähtrupps vorgeschickt, bald rückt die Abteilung nach. An einem Hügel, auf dem ein brennender Strohhaufen wie ein Signal wirkt, stoßen plötzlich von rechts Panzer vor. Links von uns kämpfen Artillerie und Infanterie sich vor; die Leute vor uns sind in heftige Nahkämpfe verwickelt. Über uns sind fast ständig russische Flieger. Es ist ein eindrucksvolles Bild der modernen Schlacht. Nachdem wir alle verfügbaren Paks aufgefahren haben, stellt sich zum Glück heraus, daß es eigene Panzer sind, die rechts von uns aufgetaucht sind. Mit Mühe halte ich einen uns neu zugeteilten Leutnant davon ab, mit seiner Pak auf die vermeintlichen Russenpanzer zu schießen.

Ich erhalte den Auftrag, in einem nahen Dorf mit Teilen des Trosses unterzuziehen. Der Ort ist mit Infanterie geradezu vollgestopft; außerdem wimmelt es von Kriegsgefangenen, die kaum bewacht werden. Schließlich ist noch ein vorgeschobener Verbandplatz in den unzerstörten Häusern untergebracht. Ein gefallener deutscher Offizier und 16 Mann liegen hinter einer Hausecke – niemand hat Zeit, sie zu begraben. Wir klemmen uns in ein winziges Haus mit zerbrochenen Scheiben. Scheußliche Unterkunft bei dieser eisigen Kälte. Wenig später geht die Abteilung weiter vor. Nach langer Fahrt gelangen wir im Stockdunkeln nach Bolschelogskij. Das Quartiersuchen ist ein Problem für sich. Es dauert Stunden!

Am 21. November wird Rostow eingenommen.

Am 24. November fahre ich mit Rittmeister Coelle zu einer Erkundung in Richtung Nowjtscherkas vor. Wir wollen mit unseren Pionieren die große doppelgeleisige Eisenbahn sprengen. Die Russen haben das jedoch schon selber sehr gründlich erledigt; statt dessen besorgen wir uns etwas Steppenhonig und fangen Hühner in einem verlassenen Dorf zwischen den Fronten. Die Gegend ist ganz eigenartig. Hügelland, meist Steppe. Zum Don hin fällt das Ufer steil ab. Das Tal des Stromes ist unendlich breit, bis zu 20 Kilometer, alles Überschwemmungsgebiet mit viel Schilf. Dazwischen weiden große Schaf- und Rinderherden.

Sehr schwerer Fliegerangriff aufs Dorf. Ich fahre in meinem Wagen gerade den gefrorenen Weg entlang, als die Biester kommen, ohne daß ich sie sehe oder höre. Ahnungslos gehe ich ins Quartier meiner Pioniere, und schon fallen die Bomben. Als ich zum Wagen zurückkehre, hat er einen Splitter von der Seite abbekommen, mein Sitz ist zerfetzt. Gut, daß ich draußen war! In dieser brenzligen Lage kommt Verstärkung durch unsere Artillerie. Unser Kommandeur, Rittmeister Coelle, hat eine Stellung ausgesucht, von der man die »Rollbahn« (breite Straße) in einer Entfernung von etwa 500 Meter einsehen kann. Reger Nachschubverkehr aus Rostow nach Osten ist im Morgengrauen deutlich zu erkennen. Im plötzlichen Geschoßhagel der gesamten Aufklärungsabteilung entsteht ein unbeschreibliches Durcheinander auf der Straße. Sie ist vollkommen blockiert und für den Feind unbenutzbar geworden. Damit ist der Auftrag erledigt.

Zwei Tage später werden wir plötzlich zurückgezogen. Es geht in ein Dorf im Norden Rostows, das fast schon Vorstadt ist – ganz gute Quartiere also. Meine Fahrzeuge sind zum großen Teil ausgefallen. Trotz ständiger Reparaturen kommen wir nicht vorwärts; es geht mehr entzwei, als wir in Ordnung bringen können. Am 27. November erhalten wir Befehl, durchgebrochene Russen in der Nacht zurückzutreiben; eine üble Aufgabe. Gegen Abend rücken die 2. und 3. Kompanie ab. Ich fahre mit Coelle nach Rostow hinein zu Oberst Zwade, Kommandeur eines Infanterieregiments unserer Division. Lange nächtliche Beratung. Um 23 Uhr geht es bei minus 20 Grad zunächst mit Fahrzeugen nach Osten, dann zu Fuß nach Südosten; nur meine Pakgeschütze und ein Panzerspähwagen fahren noch.

Ich gehe mit Coelle ganz vorn. Plötzlich erkenne ich in schwachem Licht die Umrisse von Leuten; die anderen können nichts entdecken. Ein sofort vorgeschickter Spähtrupp erhält Feuer, angeblich von eigenen Truppen. Coelle läßt mich mit den Paks zurück, um eine Bodensenke abzusperren, und geht selbst mit den Kradschützen weiter vor. Im eisigen Wind igeln wir uns ein. Nicht sehr weit von uns ertönt plötzlich lebhaftes MG-Feuer, unsere Kradschützen sind am Feind und jagen ihn über den Don zurück. Wir können es vor Kälte kaum noch aushalten, längst sind die Füße abgestorben. Endlich, gegen 2 Uhr, kommen alle wohlbehalten zurück. Todmüde sind wir am Morgen in den Quartieren.

Ehe ich zum Schlafen komme, erhalten wir schon wieder einen Alarmbefehl. Raus, halb erfroren und völlig übermüdet in den eisigen Wind. Ich bekomme Befehl, mit zwei verstärkten Zügen eine Kolchose zu sichern. Gleichzeitig wird uns bekanntgegeben, daß die Front zurückverlegt werden müsse, weil die Division gegen plötzlich aufgetauchte starke Feindkräfte eine Linie von 47 Kilometern nicht halten könne.

Kaum habe ich mit meiner kleinen Kampftruppe den Kolchos erreicht, schießt die russische Artillerie auf die Ruinen der wenigen Gebäude, zwischen denen die Trosse unseres Infanterieregiments 120 liegen. Ich bin noch mit Aufstellung der Sicherungen beschäftigt, da kommt ein höchst unangenehmer russischer Fliegerangriff. Ein Munitions-LKW geht in Flammen auf, und die rote und grüne Signalmunition explodiert wie ein Sylvesterfeuerwerk. Es gibt Tote und Verwundete. Meine Männer haben gottlob nichts abbekommen.

Inzwischen kommt der Gefechtslärm immer näher, unsere Truppen müssen weiter zurück. Ich will mit dem Führer der Trosse die Sicherungen verstärken, aber erst nach langem Hin und Her finde ich den zuständigen Mann, einen total betrunkenen Zahlmeister. Er ist unzurechnungsfähig, man kann nichts mit ihm besprechen. Gegen Abend kommt unter Führung des Ritterkreuzträgers Hauptmann Schroedter von vorn ein Bataillon des Regiments stark erschöpft zurück. Jetzt sind vor uns keine deutschen Truppen mehr. Hauptmann Schroedter teilt mir mit, daß wir noch heute nacht zurückverlegen. Da ich keine Befehle habe und die Funkverbindung nicht klappt, fahre ich zum Abteilungsstab in *die Stadt. Eine unheimliche Sache, allein in den Vorstädten von Rostow. In der beginnenden Dunkelheit verfahre ich mich noch; nur durch Zufall finde ich Rittmeister Coelle, der mich schon dringend sucht. Auch wir sollen sofort zurück.*

*Ich eile zu meinem noch ahnungslosen Troß, der mit zahlreichen fahruntüchtigen Fahrzeugen in einem Dorf dicht bei Rostow steht, um ihn beschleunigt in Marsch zu setzen. Eine der schwierigsten Unternehmungen meines Lebens. Daß wir die letzten sind und hinter uns schon die Russen kommen, verschweige ich. Trotzdem muß ich feststellen, daß die Kopflosigkeit zum Teil groß ist. Auf jeden Fall will ich alle Fahrzeuge mitnehmen; wenn es gar nicht mehr geht, kann man sie später immer noch stehenlassen. Nur das Brückengerät muß liegenbleiben. Im letzten Augenblick erscheinen noch drei Feuerwerker von der Division, die abgeladene Munition bewachen und fragen, was damit geschehen soll. Da der Divisionsstab längst fort ist, nehme ich den Befehl auf eigene Kappe, die Munition in dem Augenblick zu sprengen, in dem wir abrücken. Die Leute nehmen wir mit.*

*Alles dauert unendlich lang; die meisten Wagen müssen abgeschleppt werden. Endlich geht es in langsamstem Tempo los, ich vorneweg, damit nur ja keiner den falschen Weg fährt. Den umsichtigen Hauptfeldwebel Groß, Nachfolger des gefallenen Baasner, lasse ich als Schlußmann zurück. Wir sind kaum ein paar hundert Meter entfernt, da fliegt die Munition im Dorf in die Luft.*

*Es beginnt zu dämmern. Nach etwa einem Kilometer halte ich und muß feststellen, daß nur noch wenige Fahrzeuge folgen, der Rest ist abgerissen und fehlt. Die Lage wird noch dadurch erschwert, daß der Weg durch die Vororte Rostows schwer zu finden ist; die Abteilung wird nicht lange auf uns warten können. Die Verantwortung drückt wie eine bleierne Last. Endlich kommt Groß und meldet, daß viele Fahrzeuge mit Defekten liegengeblieben sind. Ich schicke Unteroffizier Schulz mit einem der besten und größten LKWs zurück; er soll alle Männer aufsammeln und, soweit möglich, alle halbwegs intakten Wagen in Schlepp nehmen. Ich selber muß unbedingt Verbindung mit dem Stab aufnehmen und führe den Rest weiter. Am verabredeten Treffpunkt wartet die Abteilung bereits mit Ungeduld auf uns.*

*Es findet gerade eine Offizierbesprechung statt, zu der ich als letzter Offizier hinzukomme. Es wird Anweisung über die Rückzugstraße gegeben, die nur wenige Kilometer entfernt ist. Gleich nach der Befehlsausgabe kommt Groß und meldet zu meiner Erleichterung, daß bis auf drei Fahrzeuge alles da ist. Zwei Wagen sind stehengelassen worden, der Fahrer des dritten, ein besonders zuverlässiger Mann, will auf eigene Faust nachkommen. Die Abteilung setzt sich in Bewegung – die Panzerspähwagen als Deckung ganz hinten.*

*Es ist jetzt 21 Uhr und ziemlich dunkel, dazu schneidender Frost. An der Rückzugstraße nach Taganrog entsteht eine Stockung. Eine unübersehbare Zahl von Sankas mit Verwundeten aus dem Rostower Lazarett muß vorbeigelassen werden. Wir sind noch nicht aus den Vororten von Rostow heraus, da stockt es schon wieder, dieses Mal in meiner eigenen Kompanie. Der Motor eines meiner großen Lastwagen ist beim Halt vor einer schmalen Brücke eingefroren. Ich kann mich gerade noch mit meinem kleinen PKW vorbeiklemmen. Alles bemüht sich, den LKW wieder flottzumachen. Er muß zur Seite gerollt werden, damit die Straße für die vielen hundert Fahrzeuge der Division, die aus Rostow herausrollen, wieder frei wird.*

*Das an mehreren Stellen brennende Rostow bleibt hinter uns. Dauernd überholen mich Kolonnen, Sankas mit Verwundeten, dann geschlossene Einheiten, meist von der Leibstandarte »Adolf Hitler«. Soldaten zu Fuß sieht man kaum. Nach etwa zweistündiger Fahrt in langsamstem Tempo steht ein Einweiser mitten auf der Straße: Aufklärungsabteilung links ab! Es geht einen holprigen Landweg entlang, der erst durch ein kleines Dorf führt und dann plötzlich endet. Alles kehrt! Wieder auf die große Straße zurück. Hier ist inzwischen alles vollgestopft mit dem Infanterieregiment 92. Wir müssen bis etwa 4 Uhr bei eisiger Kälte warten. Man steigt aus, läuft, um nicht zu erfrieren, einmal um den Wagen herum, dann setzt man sich, bis über den Kopf in Decken gehüllt, wieder hinein. Plötzlich vor mir lautes Gefluche. Der Regimentskommandeur Oberst Zwade bläst einen Leutnant von uns an, weil unsere Fahrzeuge in der Seitenstraße ihm den Weg versperren. Das hat den Vorteil, daß wir wieder auf die große Straße dürfen. Plötzlich sind jetzt Teile der 2. Kompanie mit unserem Kommandeur Rittmeister Coelle vor mir. Ein LKW der 2. Kompanie rutscht auf dem gefrorenen Boden eine tiefe Böschung hinab in den Graben. Anscheinend war der Fahrer eingeschlafen. Wir holen die Leute, die unter dem Wagen liegen, und das Gepäck wieder heraus. Gegen 6 Uhr früh erreichen wir ein großes Dorf, Sultany-Saly, das aber hoffnungslos überbelegt ist, so daß wir in den armseligen Häusern nur Platz zum Sitzen finden.*

*Mittags werden wir zum Kommandeur befohlen. Es ist kein Sprit mehr da; alle nicht lebenswichtigen Fahrzeuge müssen stehengelassen werden – ein schwerwiegender Befehl. Meine Kompanie muß mehrere Fahrzeuge zurücklassen, vor allem die Wagen, die geschleppt wurden. Das Pioniergerät wird verbrannt. Die Stimmung unter den Leuten ist gedämpft, zum Teil geradezu niedergeschlagen. Nach den schweren Kämpfen beim Vormarsch und nach den Verlusten bei der Eroberung von Rostow vor nur fünf Tagen jetzt die Wiederaufgabe des gewonnenen Geländes! Dazu die Menschen- und Materialverluste.*

*Gegen Abend rückt die Aufklärungsabteilung ab, nachdem bereits fast alle anderen Einheiten das Dorf verlassen haben. Gleich hinter dem Ort kommen wir in feindliches Artillerie-Störungsfeuer. Erst tief nachts erreichen wir eine kleine Kolchose. Bei schneidender Kälte legen wir uns so dicht wie möglich in den winzigen Raum eines alleinstehenden Hauses. Um die armselige Hütte herum sind in der Dunkelheit nur ungenaue Strohhaufen auszumachen. Einen großen Teil meiner Leute muß ich zur Wache einteilen. Gegen Morgen schießen plötzlich russische MGs ziemlich in der Nähe. Da es völlig unklar ist, ob es gegen den Feind überhaupt noch eine deutsche Linie gibt, und wir nur eine Handvoll kampffähiger Männer haben, ist das Feuer recht ungemütlich. Es scheint in der Nähe noch etwas Artillerie zu geben, das ist der ganze Schutz meiner Kompanie. Unter diesen Umständen entschließt sich der Kommandeur, noch in der beginnenden Dämmerung abzurücken.*

*Die Leute sind todmüde. Man merkt jetzt, wie es mit jedem einzelnen bestellt ist. Manche lassen ihre Fahrzeuge bei Spritmangel oder Pannen einfach stehen, um sich zu Fuß in Sicherheit zu bringen, die meisten jedoch setzen alles dran, ihre Fahrzeuge zu retten. Ein Unteroffizier – er stammt aus Braunsberg – muß auf meinen Antrag wegen Feigheit vor dem Feind degradiert werden. Er hatte den ihm anvertrauten Wagen samt Fahrer seinem Schicksal überlassen, als der Motor ausfiel; in dem PKW befanden sich die Geheimakten der Kompanie.*

*Nach kurzer Mittagsrast gelangen wir endlich, unbehelligt vom Feind, in den befohlenen Ort, Troizkoje am Mius; die Infanterie hat hier schon die neue Stellung bezogen. Es ist zwar alles überfüllt, aber jeder ist froh, wenigstens ein Dach über dem Kopf zu haben. Nun halten wir etwa die gleiche Linie, von wo wenige Wochen zuvor der Angriff auf Rostow seinen Ausgang nahm.*

Der niederschmetternde Eindruck unseres ersten großen Rückzuges, das Bewußtsein, unnötig vormarschiert zu sein, und die sinnlosen, erheblichen Blutopfer, das alles wurde bald durch die Mühe der Neuorganisation unserer hart mitgenommenen Abteilung verwischt. Jedermann begann zu begreifen, daß die so lauthals verkündete Niederwerfung der Russen ein grotesker Trugschluß war. Die Truppe selbst hatte nur in den ersten Wochen an die Siegesmeldungen geglaubt. Ein höhnischer Artikel »Wo bleiben die roten Bomber?«, womit die rot angestrichenen russischen Flugzeuge gemeint waren, rief überall helle Empörung hervor, da wir unablässig von feindlichen Flugzeugen angegriffen wurden und oft tagelang keine einzige deutsche Maschine am Himmel zu sehen war.

Hier endet mein Tagebuch über den Vormarsch in der Ukraine im Jahre 1941. Die teilweise verwischte Schrift habe ich nach dem Krieg nur mühsam entziffern können.

Die Moral der Truppe hatte durch den Rückzug auf den Fluß Mius gelitten. Manche begannen an der »Genialität« des »Führers« zu zweifeln. Generalfeldmarschall von Brauchitsch, unter dem wir den mehr als zweitausend Kilometer langen Vormarsch gemacht hatten, galt als der wirkliche Feldherr. Den »Führerbefehl«, mit dem Hitler das Oberkommando über das Heer übernahm, hatte ich vor meinen Leuten verlesen müssen; meine innere Ablehnung des Erlasses konnte ich natürlich nur vor ganz Zuverlässigen wie etwa unserem Kommandeur Rittmeister Coelle äußern. »Hitler macht einen grotesken Fehler nach dem anderen. Und die oberste militärische Führung tut nichts dagegen!« So war damals unsere Ansicht.

Die eigentliche Propaganda der Nazis erreichte uns in Rußland kaum. Daran war sicher auch die Division beteiligt. Ihr Kommandeur, General Eberhardt, wollte keine ideologische Beeinflussung der Truppe dulden, wie er auch stets auf anständige Behandlung der Bevölkerung durch seine Soldaten achtete. Zwar empfingen die Funktrupps unserer Abteilung den täglichen Wehrmachtbericht, aber es war streng verboten, irgendwelche Nachrichten weiterzugeben. Auch offizielle Meldungen blieben dem Kommandeur vorbehalten. Bekanntgemacht wurden die Wehrmachtberichte nur, wenn unsere Division darin erwähnt wurde, was sehr selten geschah. In solchen Fällen hatten wir jedoch ein Gefühl der Genugtuung für alles, was wir in den harten Kämpfen geleistet hatten.

Nachdem unser Vormarsch in einen Stellungskrieg entlang des Mius übergegangen war und die Front, wenigstens bei uns, durch den Ausbau der Unterstände gefestigt schien, konnten wir endlich auch an Urlaub denken. Ich hatte eine kinderreiche Familie und war schon lange von zu Hause fern. Die Strapazen machten sich bei meiner Größe von ein Meter neunzig besonders bemerkbar. Überdies war ich fünfzehn Jahre älter als die meisten anderen. Nachdem ich vom ersten Tag an in vorderster Front gestanden hatte, meldete ich mich also, mit Einverständnis unseres Kommandeurs, zur Verwendung in einem Stab.

Als feststand, daß meine Kompanie einen neuen Chef erhalten würde, veranstalteten die Feldwebel und Unteroffiziere unter Leitung des rührenden Werner Groß ein »friedensmäßiges« Abschiedsessen. Zu meiner Kompanie gehörte ein Mann, der früher Hotelkoch gewesen war. Er bereitete ein regelrechtes Menü, bei dem als Hauptattraktion ein kunstvoll ausgestopfter Fasan neben dessen gebratenem Inhalt »angerichtet« war. Woher die Zutaten für die mehrgängige Speisenfolge herbeigezaubert wurden, blieb ein Geheimnis. Aus den armseligen Dörfern in der Nähe unserer neuen Stellung konnten sie jedenfalls nicht kommen. Mich rührte diese Geste sehr, war sie doch eine Anerkennung für meine Führung der Kompanie.

Es war ein schwerer Abschied. Von den Offizieren meiner Kompanie sind später alle bis auf einen gefallen. Nur Feldwebel Fietkau, mit dem ich als Adjutant in den Feldzügen von 1939 bis 1941 eng zusammengearbeitet hatte, und Rittmeister Coelle, der bald Major wurde, habe ich nach dem Krieg wiedergesehen.

Die erste Begegnung mit Coelle, damals Leutnant a. D., ist mir unvergeßlich. Am ersten Tag des Einmarschs in Polen, als unsere Radfahrabteilung sich seinem Gut Widlitz näherte, kam er uns in einem vorausgefahrenen Panzerspähwagen entgegen. Er trug seine alte preußische Uniform. Unser Kommandeur, Major von Kuenheim, nahm seine knappe Meldung entgegen und führte dann ein längeres Privatgespräch mit ihm. Er erkannte sogleich, daß dieser Offizier des alten Heeres hervorragend in unsere Abteilung passen würde. Leutnant Coelle war ungefähr im gleichen Alter wie unsere Reserveoffiziere, und er war Landwirt wie mehrere von uns. Außerdem hatten wir gemeinsame Bekannte. Daß er fließend Polnisch und auch etwas Russisch sprach, war für unsere Aufklärungsabteilung von größter Bedeutung, da wir oft weit vor der Front operieren und ständig Kontakt mit der Bevölkerung halten mußten. Kuenheim beantragte Coelles Verbleib in unserer Abteilung, was ein großer Gewinn war, da er ungewöhnliche militärische Fähigkeiten mit der Grundeinstellung verband, Menschenverluste, wenn irgend möglich, zu vermeiden. In wenig mehr als zwei Jahren stieg er vom Leutnant z. b. V. zum Kommandeur der nach den Verlusten neu aufgestellten und motorisierten Aufklärungsabteilung auf. Bis Ende Dezember 1941 stand ich mit Coelle gemeinsam im Feld. Ihm verdanke ich in erster Linie, daß ich unverwundet aus dem Krieg zu meiner Familie zurückgekehrt bin.

Nach drei Monaten Urlaub wurde ich am 1. April 1942 zum Stab der 2. Armee im Mittelabschnitt der russischen Front, nahe Smolensk, versetzt. Dort fand ein dreimonatiger Kursus zur Schulung von Reserveoffizieren für Ic-Stellungen statt. Ic war die Zentrale für alle Feindnachrichten. Vor allem ging es um das Abhören gegnerischer Funkmeldungen, auf deren Basis dann genaue Karten mit Markierungen der feindlichen Verbände angelegt wurden. Ferner oblag dem Ic die Vernehmung der Gefangenen und Überläufer sowie ihre Betreuung bis zu den großen Gefangenensammelstellen. Wir waren etwa zehn Mann, zumeist Oberleutnants und Hauptleute. Hier traf ich den mir bis dahin nur flüchtig bekannten, etwa gleichaltrigen Gustav Albrecht Fürst zu Wittgenstein-Berleburg, genannt »Bubi«, mit dem ich mich bald anfreundete und häufig zusammen war.

Es war eine ruhige Zeit, weitab von allem Kriegsgeschehen. Neben dem täglichen Unterricht blieb Zeit genug, um ab und an in einem nahe gelegenen Bach Krebse zu fangen. Während dieser Zeit erhielt ich einmal eine Einladung von einem Luftwaffengeneral, dessen Name mir entfallen ist. Ich wurde in einem »Fieseler Storch«, dem damals modernsten deutschen Kleinflugzeug, abgeholt und zurückgebracht. Schon über diesen Aufwand mitten im Krieg war ich erstaunt, erst recht über den sonstigen Luxus. Es gab ein Abendessen mit mehreren Gängen, Wein und Sekt flossen in Strömen. Man war ungewöhnlich zuvorkommend und kameradschaftlich, aber ich hatte den Eindruck, daß mein Name dabei eine Rolle spielte. Von dem guten Leben der Flieger, die ihre Quartiere ja stets weit hinter der Front aufschlugen, hatten wir zwar oft gehört, aber das hier übertraf meine Vorstellungen bei weitem.

Die erneute Begegnung mit Henning von Tresckow war für mich ein entscheidendes Erlebnis. Ich hatte ihn zu Beginn des Krieges als I a bei unserer Division in Polen kennengelernt und mich mit ihm angefreundet. Er besaß ganz ungewöhnliche menschliche Eigenschaften und war hochgebildet. Seine militärischen Fähigkeiten sicherten ihm einen steilen Aufstieg; im

Frühjahr 1942 war er Erster Generalstabsoffizier (I a) bei der Heeresgruppe Mitte. Wir hatten unsere freundschaftliche Verbindung aufrechterhalten, und jetzt lud er mich nach Smolensk ein. Ich war sehr erfreut über die Abwechslung und erhielt auch sofort über ein Wochenende Urlaub. Der umfangreiche Stab der Heeresgruppe Mitte war in verstreut liegenden Baracken in einem Kiefernwald unweit der Stadt untergebracht. Gäste wohnten in Schlafwagenabteilen, man hatte dort Wasser und Licht. Obwohl ständig mit russischen Fliegerangriffen gerechnet wurde, blieb ich während meines Aufenthaltes davon verschont. Tresckow kümmerte sich rührend um mich. Wir gingen viel spazieren. Einmal waren wir zusammen in Smolensk und besichtigten die Kathedrale, einen mächtigen Bau, der jedoch durch ein »Gottlosen-Museum« im Innern arg entstellt war. Alle Altarbilder und christlichen Symbole waren verhängt.

Einmal aß ich im größeren Kreis mit den Mitarbeitern von Tresckow, von denen mir aber nur der damalige Oberleutnant von Schlabrendorff in Erinnerung ist. Von den Plänen, Hitler zu beseitigen, hatte ich damals keine Ahnung. Ich war zwar mit Tresckow darüber einig, daß die Lage aussichtslos und der Krieg verloren sei, er vermied jedoch irgendwelche Andeutungen über seine geheimen Pläne. Vermutlich schien ich ihm aus verschiedenen Gründen nicht geeignet, in den Kreis der Verschwörer eingeweiht zu werden. Er hätte mich ohne weiteres zu seinem Stab versetzen lassen können. Im März 1943 erfolgte das mißglückte Attentat auf Hitler mittels einer von Tresckow und Schlabrendorff in Hitlers Flugzeug hineingeschmuggelten Bombe, deren Zünder jedoch versagte. Ich habe Tresckow nicht wiedergesehen, er nahm sich nach dem Attentat vom 20. Juli 1944 das Leben.

1979 las ich in der Herzog August Bibliothek in Wolfenbüttel das Gedicht »Höhlenbilder« von Hilde Domin. Ich mußte dabei an Tresckow und mich in Smolensk denken, so als ob er nachträglich zu mir redete:

Du sprachst vom Schiffe verbrennen
– da waren meine schon Asche –
du träumtest von Anker lichten
– da war ich auf hoher See –
von Heimat im neuen Land
– da war ich schon begraben
in der fremden Erde
und ein Baum mit seltsamem Namen
ein Baum wie alle Bäume
wuchs aus mir
wie aus allen Toten
gleichgültig wo.

Ende Juni war der Kursus abgeschlossen, und ich wurde für eine Ic-Stellung bei einem Korps, dem gemeinhin drei Divisionen unterstanden, für geeignet befunden. Das war eine Auszeichnung, die nur noch einem anderen aus der Gruppe zuteil wurde. Ich ahnte nicht, daß diese Aufgabe mich in die Hölle meines Lebens bringen würde – nach Stalingrad.

# Stalingrad

Ende August 1942 erhielt ich den Befehl, mich am 1. September in Berlin bei der dortigen GZ (der Personalabteilung im Generalstab des Heeres, zuständig für Generalstabsoffiziere) einzufinden, da ich als Ic zu einem Korps im Osten versetzt sei. Vorgeschlagen hatte mich ein entfernter Vetter, Oberstleutnant i. G. von Gersdorff. Ich erfuhr, daß es sich um das XIV. Panzerkorps handelte, das vor Stalingrad lag und der 6. Armee unter Generaloberst Paulus unterstand.

Zunächst fuhr ich im Sonderzug zum OKH nach Winniza, einer kleinen, hübschen Stadt in der Westukraine, die unzerstört geblieben war. Dort meldete ich mich bei Oberst i. G. von Ziehlberg, einem guten Bekannten von Onkel Heini aus Tolksdorf. Hier traf ich auch Major von Ilberg, der 1925 Sekretär meines Schwiegervaters in Muskau gewesen war und der sich intensiv um mich kümmerte. Nach drei Tagen ging es im Flugzeug zur Heeresgruppe B unter Generaloberst von Weichs nach Starobielsk. Zwei Tage später flog ich zum Stab der 6. Armee nach Golubinskaja. Vom Flugzeug aus sah man über die unendlichen Steppen im großen Don-Bogen. An zahlreichen Stellen hoben sich die jetzt versteppten Ackerflächen der Kosaken ab, die von den Bolschewiken brutal verfolgt und zu einem großen Teil verschleppt worden waren. Nur wenige Donkosakendörfer waren erhalten geblieben. Ich lernte später einige dieser sympathischen Menschen kennen, die verständlicherweise glühenden Haß gegen Stalin hegten.

Beim Stab der 6. Armee hielt sich zu dieser Zeit auch Hans Fritzsche auf, Ministerialdirektor im Propagandaministerium, ein unsympathischer Mann, der auf den Fall Stalingrads wartete, nachdem bereits der Film über die Einnahme der Stadt mit Flaggenhissung und ähnlichem fertiggedreht war. Acht Tage später fuhr er nach Berlin zurück, da ihm die Eroberung zu lange dauerte.

Am 10. 9. traf ich beim XIV. Panzerkorps ein, nachdem ich

den letzten Teil der Strecke im Kraftwagen zurückgelegt hatte, und meldete mich beim Kommandierenden General, General der Pz. Tr. v. Wietersheim sowie beim Chef, Oberst i. G. Thunert, und dem I a Major i. G. Schmoll. Der Gefechtsstand des Korps befand sich etwa 15 Kilometer von Stalingrad in einer kleinen baumlosen Schlucht mitten in der Steppe.

General v. Wietersheim eilte der Ruf eines außerordentlichen Strategen voraus, der von sich und seinen Mitarbeitern viel verlangte. In den Lagebesprechungen wollte er ganz genaue Einzelheiten wissen, so daß ich mich viel sorgfältiger vorbereiten mußte als bisher. Mich behandelte er freundlich, wenn auch etwas kurz angebunden. Manche fürchteten seinen Sarkasmus. Er war ein scharfer Gegner des Nationalsozialismus. Den von Hitler befohlenen Vormarsch auf Stalingrad hielt er für unvertretbar. Er wurde daher bald abberufen und in Pension geschickt. Sein Nachfolger wurde General Hube, bisher Kommandeur der uns unterstellten 16. Panzerdivision.

Eines hatten Wietersheim und Hube gemein: Sie waren schneidig und forderten das auch von ihren Untergebenen. Hube, der »Neue«, war klein und untersetzt, menschlich aufgeschlossen und ein amüsanter Unterhalter, dabei leicht zu beeinflussen. An Übersicht und Klugheit konnte er sich nicht mit seinem Vorgänger messen. Hube glaubte noch an den »Endsieg«, hatte aber auch Verständnis für die Meinung anderer, die wie Thunert und ich bei Gesprächen im engsten Kreis aus ihrer Gesinnung kein Hehl machten; später wurde Hube unter dem Einfluß Thunerts zunehmend kritischer. Während ich zu Thunert ein freundschaftliches Verhältnis entwickelte, blieb mir der I a Schmoll undurchsichtig. Schmoll hielt sich mit seinem Urteil stets vorsichtig zurück.

Hube war ein alter Haudegen. Er hatte den ganzen Ersten Weltkrieg mitgemacht und dabei seinen rechten Arm verloren. Die Idee, mit seinem gut ausgerüsteten Panzerkorps als der entscheidenden Truppe der 6. Armee Stalingrad zu erobern, machte ihm Freude. Bedenken, die besonders Oberst Thunert vortrug, schob er mit den Worten beiseite: »Der Führer wird es schon machen.«

Bald konnte ich zu Hube, wie die meisten des engeren Stabes, ein gutes persönliches Verhältnis herstellen. Er machte gelegentlich Späße über mich, den langen Ic, steckte mir zusätzlich Traubenzucker zu und nahm mich manchmal bei Frontfahrten in seinem Panzerspähwagen mit. So war ich auch einmal in Rynock, einem kleinen Ort unmittelbar nördlich von Stalingrad, den wir nur kurze Zeit besetzen konnten. Hoch über der uns zu Füßen liegenden Stadt, direkt an der Wolga, hatte man einen unendlich weiten Blick über den riesigen, kilometerbreiten Strom und auf das flache, schon fast am Horizont verschwindende östliche Ufer. Dahinter lag das unfaßbar große Rußland, das wir nie bezwingen würden – ein sinnloser Feldzug! Die Stelle besaß erhebliche strategische Bedeutung, denn hier lag die Spitze der gewaltigen Ausbuchtung unserer Linien, die – wie General v. Wietersheim vorausgesagt hatte – größte Gefahr bedeutete. Die Front wurde dadurch um ein Mehrfaches verlängert und mußte entsprechend dünner besetzt werden.

Während der Monate September/Oktober griffen die Russen in Abständen von 14 Tagen die Nordfront unseres Korps an. Am frühen Morgen des 18. September wurde unser Stab von mehreren russischen Panzern überrascht und mußte sich Hals über Kopf in eine andere Schlucht, etwa 8 Kilometer nordwestlich von Stalingrad zurückziehen. Ich hatte nur noch Zeit, die Uniform über meinen Pyjama zu ziehen und mit meinem kleinen Stab in einem Omnibus quer durch die Steppe zu retirieren. Die russischen Panzer waren auf einige hundert Meter herangekommen und deutlich zu sehen. Zum Glück hatten sie fast die ganze Munition verschossen und nicht genügend Sprit, um uns zu folgen.

Die Russen versuchten zunächst mit massierten Panzer- und Infanteriekräften von Norden her nach Stalingrad durchzustoßen, um unsere an die Wolga vorgeschobenen Kräfte abzuschneiden. Sie wollten die für sie äußerst unbequeme Blockierung der Wolga und des dort abzweigenden Achtuba-Arms sprengen. Trotz wiederholter, zum Teil erheblicher russischer Einbrüche konnte in harten Kämpfen dieser Plan zunächst vereitelt werden. Während der drei Hauptkampftage, am 18. September, 4. und 24. Oktober, verlor der Gegner jedesmal weit über hundert Panzer. Am letzten Tag wurden erstmals amerikanische Kampfwagen vom Typ »General Lee« und »General Sherman« abgeschossen. Ich verhörte einige russische Fahrer, die unverwundet in Gefangenschaft geraten waren. Sie lobten die US-Panzer als sehr bequem und leicht zu lenken. Sie seien viel schneller und wendiger, allerdings wesentlich dünner gepanzert. Sofort kam der Befehl, die beiden neuen Typen möglichst unbeschädigt aus der Front zu ziehen, um sie nach Berlin zur Untersuchung durch das Heereswaffenamt zu verladen. Die Ausführung des Befehls oblag mir. Da beide Panzer im Schußbereich lagen, konnten sie nur nachts mit großer Mühe geborgen werden.

Ende Oktober zeichnete sich eine merkliche Entlastung unseres Panzerkorps ab, das war verdächtig. Der Gegner zog eine Division nach der anderen ab – einmal waren es sechs in drei Tagen! Durch Erdbeobachtung und Luftaufklärung konnten wir feststellen, daß starke Feindkräfte entlang der Linien unseres Korps nach Westen zogen und vor den mit uns verbündeten rumänischen und italienischen Truppen massiert wurden. Anhand der aufgefangenen Funksprüche, deren Geheimcode wir immer wieder entschlüsselten, wußten wir genau, welche russischen Truppen wo lagen. Täglich meldeten wir die Beobachtungen der Armee, und der Ic, Oberstleutnant Niemeyer, gab sie nach oben weiter. Wir waren fassungslos, daß keine Konsequenzen aus dieser Lage gezogen wurden. Die Armee teilte die Besorgnis. Man sah die Einkesselung kommen und war völlig machtlos.

In dieser Zeit kam eines Tages Oberst Jäger, früherer Kommandeur des IR 9, zu mir. Bei einem einsamen Spaziergang fragte er mich, ob ich bereit sei festzustellen, wer von den uns unterstellten Divisionskommandeuren bei einer Beseitigung Hitlers mitmachen würde. Er bezog sich dabei auf Oberstleutnant von Gersdorff. Ich erklärte mich zu einer Sondierung bereit. Durch die bald danach eingetretene Einkesselung der 6. Armee wurde diese heikle Angelegenheit gegenstandslos. Jäger ist nach dem 20. Juli hingerichtet worden.

Als ich Ende September das erste Mal bei der Armee in Golubinskaja war, wollte mich General Paulus sehen. Ich ging in sein Zelt, er war allein. Da er unsere Familie kannte, begrüßte er mich geradezu herzlich. Wir tranken Cognac, den er noch aus Frankreich mit sich führte, und sprachen längere Zeit über gemeinsame Bekannte. Paulus beeindruckte mich nicht nur durch seine äußere Erscheinung, sondern auch durch seine ruhige und überlegte Art. Es war das einzige Mal, daß ich mich mit ihm unterhalten habe.

Nachdem es Ende August infolge unzulänglicher eigener Kräfte nicht gelungen war, Stalingrad von Norden her zu nehmen, hatten deutsche Kampfverbände bis zum 1. Oktober Teile der Stadt besetzt. Damit war auch die schon erwähnte Anhöhe, von der aus die Schiffahrt auf der Wolga zu kontrollieren war, in unserer Hand. Die Russen verteidigten sich nur in einigen der großen Fabriken unmittelbar am Wolgaufer. Anstatt sich mit diesem entscheidenden Erfolg, der Beherrschung des Flusses, zu begnügen, wurde unter rücksichtslosem Einsatz dort liegender und neu herangebrachter Truppen versucht, den äußerst hartnäckig kämpfenden Gegner aus seinen festungsartig ausgebauten Stellungen hinauszuwerfen. Trotz weiteren Einsatzes von Spezialtruppen, wie Pionieren mit Flammenwerfern, konnten nur geringe Fortschritte erzielt werden. Als Rynock wieder verlorenging, erhielt unser Panzerkorps den Befehl, das Dorf am 10. November erneut zu nehmen. Trotz ernster Bedenken unsererseits wurde der Angriff befohlen. Er endete mit einem kläglichen Mißerfolg und dem Verlust von 22 Panzern. Wir hatten 600 Tote und Verwundete zu beklagen, ohne daß ein Fußbreit Boden gewonnen wurde. Die Blutopfer standen in keinerlei Verhältnis mehr zu den Erfolgen.

Eine kurze Zeit der Ruhe wurde dazu genutzt, unsere Stellungen zu verbessern. Auch der Stab legte in einem malerischen, mit jungen Eichen bestandenen Tal neue »Bunker« an. Einmal, um sich vor den Fliegerangriffen zu tarnen, zum anderen, weil mit einer monatelangen Belagerung gerechnet wurde. Auch wollte man sich besser gegen die starke Kälte schützen. »Bunker« waren etwa 2 Meter in die Erde gegrabene, mehr oder weniger große Löcher, die mit Balken und Erde abgedeckt waren.

Infolge der dauernden Kämpfe, der Beschießungen durch Artillerie und der ständigen Stuka-Angriffe war Stalingrad, das mehr als 500 000 Einwohner gezählt hatte, nur noch ein Trümmerhaufen. Die Bevölkerung hatten wir weitgehend evakuiert, oder sie war geflohen. Wochenlang wälzten sich ununterbrochen Züge von Zivilisten mit ihren wenigen Habseligkeiten nach Westen. Ein Teil wurde zunächst in das Gebiet westlich des Don hereingelassen. Bald waren jedoch die Dörfer überfüllt. So schob man späterhin die Leute ostwärts des Don nach Süden ab. Oft schon tagelang unterwegs, mit Kindern an der Hand und hochbeladenen Karren, boten sie ein Bild des Jammers. Wegen der Spionagegefahr und der ständigen Kämpfe war es jedoch unmöglich, die Zivilbevölkerung in diesem Gebiet zu belassen. Dennoch hausten auch im Januar 1943 noch Tausende von Einwohnern in den Kellern Stalingrads unter den erbärmlichsten Verhältnissen.

Anfang November stellten unsere Flieger starke russische Verbände gegenüber den uns benachbarten rumänischen Einheiten fest. Unser Korps erhielt laufend Nachrichten über die dortige Lage. Es war ein unheimlicher Gedanke, diese Massierung des Gegners halb im Rücken zu wissen, noch dazu bei den Rumänen, deren Kampfkraft, ihrer schlechten Bewaffnung wegen, nicht allzuhoch eingeschätzt wurde. Der erwartete Abzug deutscher Truppen von unserer Front zur Verstärkung der Rumänen trat nicht ein. Wiederholt erkundigte ich mich bei Oberst Thunert, warum nicht Gegenmaßnahmen ergriffen würden. Ihm war die Tatenlosigkeit der obersten Führung ebenso unverständlich. Bei dieser angespannten Situation rief ich fast täglich unser linkes Nachbarkorps an, ob der erwartete Einbruch schon stattgefunden habe. Er erfolgte am 19. November.

Um den Russen in die Flanke zu stoßen und sich gleichzeitig eine Durchbruchmöglichkeit in Richtung Westen offenzuhalten, beschloß die Armee, den Don zu überschreiten. Am

22. November erhielt General Hube einen entsprechenden Befehl. Ich brach etwas später als General Hube auf, aber noch bei Dunkelheit. Erst unterwegs entschloß ich mich, wie die anderen über Peskowatka anstatt über Kalatsch zu fahren. Ich wußte nicht, daß ich auf der anderen Strecke geradewegs in die Russen hineingeraten wäre.

Als wir mittags Golubinskaja erreichten, war die Armee bereits in eiligstem Aufbruch. Der Stab wollte weiter nach Osten umsiedeln, weil der bisherige Standort jetzt zu nahe an der Front lag. Wegen Platzmangels konnten nicht alle Sachen mitgenommen werden, so daß der größte Teil der Kartenstelle vernichtet werden mußte, eine Aufgabe, die unserem Stab übertragen wurde.

Vom Gegner war nur bekannt, daß starke Panzerkräfte und Kavallerie bei den fluchtartig zurückweichenden Rumänen mindestens 50 Kilometer tief nach Süden eingebrochen waren. Der Auftrag für unser Korps lautete, ein Vordringen des Feindes nach Osten über den Don zu verhindern und die drei Brücken nach Westen auf alle Fälle zu sichern.

Bereits am Nachmittag stellte es sich heraus, daß eine Verbindung mit Kalatsch nicht mehr herzustellen war, da russische Panzer die große Straße dorthin schon besetzt hatten und uns nur noch das Kradschützen-Bataillon mit Panzerspähwagen der 16. Panzerdivision, die eilig vorgeworfen wurde, zur Verfügung stand. Den Brückenkopf bei Kalatsch konnte Oberst Mikosch mit schwachen Kräften der Trosse vorerst noch halten; mit ihm hatten wir zunächst noch Fernsprechverbindung. Abends wurde jedoch auf diesem Wege mitgeteilt, daß die deutsche Verteidigungsstellung durchbrochen sei und sowjetische Panzer, von Westen kommend, die Brücke bei Kalatsch beherrschten. Damit standen uns nur noch die beiden weiter donaufwärts gelegenen Brücken zur Verfügung. Gleichzeitig hatten die Truppen des Gegners Kalatsch erreicht. Hierdurch war der Ring um die bei Stalingrad kämpfende 6. Armee und Teile der 4. Armee geschlossen. Der Stalingrad-Kessel zwischen Don und Wolga war zu.

Ich verbrachte mit meiner kleinen Ic-Abteilung von zehn

Mann eine scheußlich kalte und unruhige Nacht irgendwo auf dem Fußboden einer kleinen Bauernkate. Bereits in der Morgendämmerung war nahes Panzer- und MG-Feuer zu hören. Die Russen hatten unsere schwachen Teile weiter nach Osten auf den Don zurückgedrängt. Unser während der Nacht über den Don herübergekommenes Panzerregiment konnte gerade noch rechtzeitig eingesetzt werden, um Golubinskaja, wo neben dem Korpsstab noch ein Flugplatz mit zahlreichen Flugzeugen lag, zu halten. Der vermehrte Druck des Feindes zwang uns jedoch, bereits am Vormittag den Ort zu räumen und auf der sogenannten Don-Höhenstraße westlich des Don nach Norden zurückzugehen. Hier bot sich das grausige Schauspiel des Rückzuges. Lange Reihen von Kraftfahrzeugen bewegten sich teils vorwärts, teils hielten sie an Stellen, wo die Straße verstopft war oder das feindliche Feuer ein Weiterfahren verhinderte. Starker Gegenverkehr zu den vorn kämpfenden Verbänden erhöhte noch die Verwirrung. Ausgefallene Wagen wurden in die Böschung geworfen oder verbrannt. Neben dem Wege liefen zahlreiche Kolonnen zurückweichender Rumänen ohne Waffen, teilweise Pferde mit sich treibend. Liegengelassene Ausrüstungsgegenstände übersäten die Straßen, und man sah findige Leute allenthalben beim Beutemachen. Im Hintergrund stiegen große schwarze Rauchwolken über dem Flugplatz Golubinskaja auf, wo fast sämtliche Flugzeuge der Aufklärungsstaffel vernichtet werden mußten, weil sie nicht startbereit waren.

Am 25. früh wurde die Lage durch weitere Angriffe sehr kritisch. Als ich zu General Hube hineinkam, war nur der Chef, Oberst Thunert, zugegen, und ich hörte Worte wie »letzter Ausweg« und »Kugel durch den Kopf«. Es stand zu befürchten, daß die Russen, von Norden nach Süden am Ostufer des Don vorstoßend, die Brücke besetzen und uns dadurch den Rückzug versperren würden. Schnell wurden Selbstfahrlafetten und 8,8 cm Flak an die beiden Brücken zurückgeworfen, um dieses zu verhindern. Schlimmstenfalls sollte der Korpsstab versuchen, unter Zurücklassung sämtlicher Fahrzeuge und des meisten Gepäcks den Don auf dem sehr brüchigen Eis zu überqueren.

Da keine Verbindung mit den Divisionen vorhanden war, wurde ich gegen Mittag zur 16. Panzerdivision zur Befehlsübermittlung und Feststellung der dortigen Lage geschickt. Plötzlich Halt! »Der Weg ist nicht passierbar, da er unter russischem Feuer liegt, wenn er nicht gar schon vom Feind besetzt ist. Einzelfahrzeuge können vielleicht noch durchkommen.« Ich fuhr mit meinem braven Fahrer Burchardt in meinem Kübel auf der völlig menschenleeren Straße weiter, so schnell die vielfachen Granattrichter es gestatteten, vorbei an zerschossenen Menschen, Pferden, Fahrzeugen. Schon hatten uns die Russen aufs Korn genommen. Rechts und links Granateinschläge, die MG-Kugeln pfiffen über uns hinweg. Instinktiv versucht man in solchen Augenblicken, sich möglichst klein zu machen, ohne daran zu denken, daß das Blech der Türen und Sitze überhaupt keinen Schutz bietet. Hinter einem deutschen Panzer, der dicht an der Straße stand, versteckten wir uns. Ich erhielt von dem Kommandanten, einem Offizier, die Auskunft, daß der Divisionsstab etwa 1/2 bis 1 Kilometer entfernt an einem der Abhänge zum Don liege. Wir schlugen uns durch.

Der Divisionskommandeur, General Angern, der mit seinem Stab bereits 30 Stunden in der eisigen Kälte draußen zugebracht hatte, erläuterte mir auf einer Karte genau die Stellungen der einzelnen Regimenter und Bataillone sowie seine Absichten. Damit war mein Auftrag beendet. Aussagen von Einwohnern ließen darauf schließen, daß ein für Pferdegespanne befahrbarer Weg, der unmittelbar im Tal entlang donauaufwärts zurückführte, höchstwahrscheinlich feindfrei war. Da ich wenig Lust hatte, das Schicksal durch eine Fahrt zwischen den Fronten noch einmal herauszufordern, entschied ich mich für diesen Feldweg und erreichte ohne irgendwelche Schwierigkeiten wieder den Korpsstab. Der General freute sich sichtlich über meine Entdeckung. Der »Dohna-Weg«, wie er ihn taufte, wurde tatsächlich am nächsten Tag in größerem Umfange für den Rückzug der 16. Panzerdivision benutzt.

Am 25. November abends erhielten wir den Befehl, alle

nicht unbedingt erforderlichen Ausrüstungsgegenstände, Akten und Fahrzeuge zu vernichten, da die Armee sich entschlossen habe, mit dem rechten Flügel am Don entlang in Richtung auf Rostow durchzustoßen. Erleichtert atmete ich über diesen Entschluß auf, der nach meiner Beurteilung der Lage der einzig richtige war. Mir wurde die Aufgabe übertragen, sämtliche nicht mehr benötigten Akten zu beseitigen und die vorgeschriebenen »Vernichtungsverhandlungen« darüber aufzusetzen. Ich behielt lediglich das Kriegstagebuch mit den Karten sowie die von uns angefertigte Kartothek über alle vor unserer Front aufgetretenen russischen Verbände und die wichtigsten Gefangenenaussagen zurück, da diese Unterlagen noch äußerst wertvoll werden konnten. Sodann ging es an die Vernichtung der privaten Schriftstücke. Da ich damit rechnen mußte, auch mein persönliches Gepäck zurücklassen zu müssen, verbrannte ich alles irgendwie Entbehrliche. Traurig war es, ein kleines Bild nach dem anderen, Photos von meiner Frau und den Kindern, am späten Abend in den Flammen aufgehen zu sehen – es mahnte mich an Vergänglichkeit und Tod.

Nach einer wiederum recht unfreundlichen Nacht war ich bereits im Morgengrauen auf den Beinen, um nunmehr die Akten von Major Schmoll zu beseitigen. Es wurde ein tiefes Loch im Dorf ausgewählt, damit die Flammen bei dem starken Wind nicht auf Häuser übergriffen. Hier mußten nicht nur das Kriegstagebuch mit sämtlichen Anlagen und alle Geheimdokumente dran glauben, sondern es wurden auch die meisten Papiervorräte angezündet – für einen sparsamen Mann wie mich eine unerfreuliche Tätigkeit.

Währenddessen war schon der größte Teil des Korpsstabes ostwärts über den Don nach Peskowatka abgerückt. Im Laufe des Tages sollte das ganze Westufer des Flusses geräumt werden. Die zahllosen Rumänen, die unser Dorf bevölkerten, hatten sich schon in der Nacht aus dem Staube gemacht. In Peskowatka herrschte ein derartiges Durcheinander, daß ich unseren Stab nicht wiederfinden konnte. Durch den übereilten Rückzug stauten sich Fahrzeuge aller Art in diesem Ort. Zum ersten Mal traten auch in größerem Umfange deutsche

Versprengte auf, die bei dem Rückzug von ihrer Truppe abgekommen waren. Schließlich hörte ich, der Korpsstab sei bereits in ein etwa 10 Kilometer entferntes Dorf unterwegs. Eiligst fuhren wir hinterher und erreichten ihn am Nachmittag, gerade als er dort eintraf. Auch dieses Dorf war von Truppen überbelegt und jeder noch so kleine Stall voll von Soldaten. Die zahlreichen Rumänen mußten zumeist draußen biwakieren; nach allem was sich ereignet hatte, nahmen unsere Soldaten keinerlei Rücksicht, so verhungert und bemitleidenswert die Rumänen nach zehntägiger regelloser Flucht auch aussahen.

Der Befehl des »Führers« wurde wiederholt, Stalingrad sei in jedem Fall zu halten. Es war eine fatale Erkenntnis, nach den letzten, anstrengenden Tagen des Kampfes zum ersten Mal klar sehen zu müssen, daß die Russen uns eingekesselt hatten und wir allein auf Nachschub durch die Luft angewiesen waren.

Zugleich wurde befohlen, daß die Verpflegungssätze ab sofort auf die Hälfte herabzusetzen seien. Zusammen mit unserem I a überlegte ich, wie wohl etwa 300 000 Mann mit der notwendigen Verpflegung und Munition sowie Betriebsstoff versorgt werden könnten, und kam zu dem Ergebnis, daß dies unter günstigen Voraussetzungen nur für kurze Zeit durchführbar wäre. In dieser Lage unterhielt ich mich mit Oberleutnant Lehmkuhl unter vier Augen, wie man sich bei einem Zusammenbruch am besten retten könnte. Mir schwebte vor, daß wir uns gemeinsam zu den etwa 50 Kilometer entfernten deutschen Teilen außerhalb des Kessels durchschlagen sollten. Dann aber gelangten wir zu der Überzeugung, Hitler könne niemals auf die 6. Armee verzichten und würde uns befreien – so dachten viele!

Nach Schließung des Kessels zeigte sich Paulus nur noch seinen engsten Mitarbeitern. Man erzählte sich, daß er zunächst den Entschluß gefaßt habe, mit der ganzen Armee aus dem Kessel auszubrechen. Es war vorgesehen, mit der linken Flanke am Don entlang nach Südwesten durchzustoßen; deswegen hatten wir zunächst die drei Brückenköpfe über den

Don gehalten. Paulus war um entsprechende Genehmigung eingekommen; als das von Hitler schroff abgelehnt wurde, wollte er gegen den Befehl handeln. Generalleutnant Schmidt war jedoch entschieden dagegen. Auch ein Teil der Korps- und Divisionsgenerale riet ab. Es lagen zwar keine genauen Nachrichten über die deutschen Ersatzkräfte vor, aber niemand konnte sich vorstellen, daß Hitler die 6. Armee aufgeben würde. Als Paulus klar wurde, daß alles verloren war und er den falschen Entschluß gefaßt hatte, zog er sich ganz zurück und überließ die ohnehin unwichtig gewordene Führung der Armee dem Chef des Generalstabes, General Arthur Schmidt. Diese Gerüchte enthielten nur einen Teil der Wahrheit, wie sich später herausstellte.

Die Versorgungslage war unmittelbar nach Schließung des Kessels noch recht erträglich, Benzin war ausreichend, Munition knapp vorhanden. Vielleicht wäre man, wenn auch unter erheblichen Verlusten, herausgekommen, da den Russen in den ersten Tagen an der Zangenspitze nur Panzer und im wesentlichen Kavallerie zur Verfügung standen. Die deutsche Front war noch ziemlich nahe. So jedenfalls schätzten wir die Lage damals ein. Es wäre ein Wagnis gewesen, aber besser, als den von General von Seydlitz, Oberst Thunert und anderen schon damals vorausgesehenen Untergang der ganzen Armee abzuwarten.

Unter den höheren Offizieren bei den Stäben breitete sich ein unbändiger Haß auf Hitler aus, der der 6. Armee verboten hatte, sich nach Westen durchzuschlagen. Trotz großsprecherischer Zusagen, besonders von Göring, lasse er den Kessel im Stich. Man müsse daher gegebenenfalls mit den Russen zusammengehen. Diese Gedanken wurden später geschickt vom »Nationalkomitee Freies Deutschland« aufgenommen.

Unser Stab richtete sich notdürftig in einigen Gebäuden ein. Meine Abteilung bezog ein einigermaßen bewohnbares Haus, in dem bisher eine Bäckereikolonne untergebracht war. Zu unserer Freude überließen uns die Bäcker etwa 15 Pfund Mehl, die späterhin noch gute Dienste leisten sollten. Da wir mit einem Aufenthalt von mehreren Tagen rechneten, nahmen wir nach Möglichkeit unsere normale Arbeit wieder auf. Erleichtert wurde dies dadurch, daß langsam wieder eine feste Front entstand und wir ein ungefähres Bild der vor uns liegenden Feindverbände durch Gefangenenaussagen ermitteln konnten. In der ersten Zeit hatten wir nur Kavallerie und Panzerkräfte vor uns, während im wesentlichen Artillerie und Infanterie fehlten, die der Feind infolge des unerwartet schnellen Vormarsches nicht rechtzeitig heranbringen konnte. Wiederholt erhielten wir Aussagen von sowjetischen Gefangenen, wonach die Rumänen bei der Schließung des Kessels nach russischem Trommelfeuer ihre Stellungen unter Zurücklassung sämtlicher schwerer Waffen geräumt hatten. Daher trafen die Russen beim Angriff auf keinen Widerstand. Viele Verbände des Feindes konnten völlig ungehindert, ohne geschossen zu haben, bis gegen unsere Front vorstoßen. Bei diesem Vormarsch waren den Russen nicht nur erhebliche Mengen von Waffen und Munition, sondern auch rumänische Verpflegungs- und Bekleidungslager kampflos in die Hände gefallen. In einem Fall, so erzählte ein gefangengenommener russischer Offizier, sei ein russisches Bataillon nach dem tagelangen Vormarsch in völlig ausgehungertem Zustand über ein solches Verpflegungslager hergefallen. Infolge des maßlosen Genusses von Lebensmitteln seien 150 Mann gestorben. Schließlich eroberten die Russen auch unser Armeeverpflegungslager in Kalatsch, mit bedeutenden Alkoholbeständen, die für Weihnachten dort lagerten. Tagelang sollen nicht nur die russischen Soldaten, sondern auch die Zivilbevölkerung völlig betrunken gewesen sein.

Anfangs hatte bei der Armee der Plan bestanden, die sogenannte »Festung Stalingrad« so weit auszudehnen, daß noch ein Brückenkopf über den Don erhalten blieb. Diese Ausdehnung des Kessels hätte unsere Kräfte jedoch überfordert. So mußte man die eigenen Linien weiter nach Osten zurücknehmen, also weiter weg von der Front und damit von der Heimat – eine psychologische Belastung für uns alle. Anfänglich rechnete man mit einer Einschließung von wenigen Tagen, weil sich eine neue deutsche Front mit einem Brückenkopf am

Don gebildet hatte. Die Stimmung bei uns war noch zuver-
sichtlich, so daß die Leute witzelten, am Nikolaustag werde der
Sack geöffnet. Leider stellte es sich heraus, daß die einge-
flogenen Soldaten für die neu aufgebaute Front nicht entfernt
ausreichten. Ein Vorstoß aus dem Kessel heraus war wenig
aussichtsreich geworden.

Durch die geschickten taktischen Maßnahmen der Russen
und durch ihre starke Kräfteüberlegenheit brach der Plan zu
unserer Befreiung zusammen. Damit war die Lage aussichtslos geworden. Diese Erkenntnis beschränkte sich jedoch auf
einen engen Kreis, zumeist Generalstabsoffiziere in den höheren Stäben, die Fronttruppe glaubte nach wie vor fest an die
Befreiung.

Inzwischen hatten wir uns in Nowo-Alexejewskij einigermaßen eingerichtet. Die Abteilung I c bewohnte einen guten
Bunker mit Fenstern, holzverschalten Seitenwänden und
Holzfußboden. Ungeziefer, besonders Läuse, die in der ersten
Zeit aufgetreten waren, konnten wir wieder vertreiben. Insbesondere hielt ich darauf, daß meine Leute sich gründlich
wuschen und ihre Kleidung durch Frauen aus dem Dorf gerei-
nigt wurde. Mäuse gab es zuhauf, die nachts gelegentlich
auch übers Gesicht liefen. Durch eine in der Nähe liegende
Werkstatt der Luftwaffe erhielten wir sogar elektrisches Licht.
Der einzige Nachteil war, daß wir etwa 500 Meter von dem
übrigen Stab entfernt waren.

Es gab sehr viel zu tun. Die Front war stabilisiert, unsere
Truppen hatten sich mit der Zeit leidliche Stellungen ausgebaut. Sie bestanden hauptsächlich aus Löchern, die gegen
Splitter abgedeckt waren und in der Regel auch einen Ofen
hatten. Das notwendige Holz wurde durch Abreißen von
Holzhäusern beschafft, die in der Nähe der Front lagen. Als
diese Vorräte ausgingen, transportierte man Brennmaterial
zum Teil auch per Bahn aus Stalingrad heran. Die meisten der
Bunker in vorderster Linie konnten allerdings nur während
der Dunkelheit verlassen werden. Da die Tage jedoch verhältnismäßig kurz waren – die Sonne ging nach deutscher Zeit
etwa um 6 Uhr auf und um 13 Uhr unter –, ließ sich dies aus-

*Der Autor am 2. Januar 1943 im Kessel von Stalingrad. Die Aufnahme, eine der wenigen aus Stalingrad erhaltenen Fotografien, zeigt Alexander Dohna mit russischer Pelzmütze mit seinem Ic Stab. Von links: Obergefreiter Koch, Obergefreiter Richter, Oberleutnant von Bismarck, Rittmeister Fürst Dohna, Sonderführer Stoemme, Sonderführer Dr. Heintz. Wohl keiner von ihnen außer dem Autor hat den Kessel überlebt.*

halten, zumal die vorn eingesetzten Truppenteile noch abgelöst wurden.

Ein ziemlich lückenloses Bild über die Stärke der Gegner ließ sich durch Gefangene und vereinzelte Überläufer ermitteln. Die Russen litten in der ersten Zeit unter Munitionsmangel und hatten Verpflegungsschwierigkeiten. Ihre Verluste füllten sie durch zumeist schlecht ausgebildeten Ersatz bald wieder auf. Es kam sogar vor, daß diese Ersatztruppen ihre erste Schießausbildung an der Front erhielten. Bei manchen Angriffen folgten sogenannte Sperrbataillone den vorgehenden Angriffswellen und schossen, wenn nötig, jeden Soldaten von hinten nieder, der nicht vorwärts gehen wollte oder gar umzukehren versuchte.

In unserem Dorf war ein Durchgangslager für Kriegsgefangene eingerichtet, in dem fast täglich die wichtigen Gefangenen von den Dolmetschern meines Stabes verhört wurden. Es oblag mir, für Verpflegung und Betreuung der russischen Verwundeten zu sorgen, zumal das deutsche Wachpersonal, selbst mit Nahrungssorgen beschäftigt, außerordentlich gleichgültig war. Nach verschiedenen energischen Versuchen gelang es jedoch, für einige Zeit so viel Pferdefleisch zu beschaffen, daß zweimal am Tag warmes Essen an die Gefangenen ausgegeben werden konnte. Die russischen Verwundeten wurden durch ein in der Nähe liegendes deutsches Lazarett mitversorgt. Im übrigen schoben wir die Gefangenen möglichst schnell zum Armee-Gefangenenlager weiter.

Durch die dauernden Kämpfe, vor allem auch durch das ständig zunehmende russische Artilleriefeuer erlitten wir erhebliche, auf Dauer nicht tragbare Verluste. Anfangs wurde versucht, durch mehrmalige Auskämmung der Trosse und Stäbe diese Lücken zu füllen. Diese Leute waren jedoch für die Front nur ein geringwertiger Ersatz, obwohl sie in sogenannten Festungsbataillonen noch kurzfristig für den Fronteinsatz ausgebildet wurden. Truppen in Reserve gab es längst nicht mehr. Man hatte sie zwangsläufig mit vorn einsetzen müssen.

Auch die Verpflegung verschlechterte sich zusehends, vor allem wurde Brot sehr knapp, so daß täglich nur 200 Gramm ausgegeben werden konnten. Der Nachschub aus der Luft sollte pro Tag 500 Tonnen betragen. Als Minimum wären 300 Tonnen notwendig gewesen. Tatsächlich kamen jedoch im Durchschnitt nicht mehr als 100 bis 150 Tonnen herein. Die Widerstandskraft der Truppe sank dadurch erheblich, zumal die Kälte ständig zunahm und die Leute großenteils nicht mit richtiger Winterbekleidung versehen waren. Den Stäben und den noch verbleibenden geringen Troßteilen erging es natürlich besser, weil sie wenigstens in warmen Unterkünften lagen. Trotz alledem war die Stimmung an der Front noch nicht merklich schlechter geworden. Die einzige Erklärung für diese geradezu erstaunliche Haltung war der unerschütterliche Glaube des Soldaten an seine Führung, über den Zugführer und Kompaniechef hinauf bis zum obersten Befehlshaber Adolf Hitler.

Aus dieser Haltung heraus gelang es trotz Hunger, Kälte

und knapper Munition, Ende Dezember noch einmal schwere russische Angriffe an unserer Westfront abzuschlagen. Dabei wurden an einem Tage im Kampfraum zweier Divisionen, die unserem Korps unterstanden, 70 Panzer – fast alles schwere und schwerste russische Typen – abgeschossen. Allein in einem kleinen Ort konnten 28 Panzer zumeist im Nahkampf vernichtet werden. In einzelnen Fällen gelangen dem Gegner auch Durchbrüche mit stärkeren Panzerkräften. Da jedoch keine oder nur sehr wenig Infanterie folgte, konnten diese Teile hinter der Front eingekreist und vernichtet werden.

Wir feierten ein eindrucksvolles, aber wehmütiges Weihnachtsfest. Der Korpsstab hatte aus seinen letzten Reserven pro Mann drei Tafeln Schokolade und 50 Zigaretten zur Verfügung gestellt. Außerdem war es gelungen, aus einer kleinen Schlucht in der Nähe von Stalingrad so viele Kiefernzweige zu besorgen, daß auch die Abteilung I c sich ein Bäumchen anfertigen konnte. Sonderführer Heintz zog aus einem großen Licht zehn kleine Weihnachtskerzen, und unser Maler, Sonderführer Stoemme, fertigte aus Zigarettenpapier einige Sterne und Lametta an. Auf weiß gedecktem Tisch wurden in unserem Bunker die Gaben aufgebaut. Ich hielt eine kleine, ernste Ansprache, worauf wir bei Kerzenschein mehrere Weihnachtslieder sangen. Anschließend saßen wir bei Kaffee noch eine Weile zusammen, und jeder erzählte von zu Hause. Abends fand ein Essen für die Offiziere des Stabes beim Kommandierenden General statt – alles unter den einfachsten Verhältnissen, aber doch besonders zu Herzen gehend.

Die immer schwieriger werdende Lage brachte es mit sich, daß man sich unwillkürlich noch fester einander anschloß. Täglich ging ich nach meinem Vortrag beim Kommandierenden General beziehungsweise beim Chef des Stabes zur Personalabteilung, Major von Canstein, dem II a, der zusammen mit dem II b, Hauptmann Goldmann, einen kleinen, gemütlichen Bunker bewohnte. Dort war man dann ganz unter sich. Außerdem suchte ich abends öfters den Leiter des Ortslazaretts, Stabsarzt Schuster, auf – einen besonders netten Süddeutschen. Er gehörte neben Thunert zu den wenigen, mit denen ich offen über unsere Lage sprechen konnte.

Am ersten Weihnachtsfeiertag begleitete ich General Hube zur Armee. Unter dem Eindruck der mißlungenen Befreiung sagte ich zu dem I c, Oberstleutnant Niemeyer, nunmehr sei der letzte Augenblick für einen Ausbruch gekommen. Es würden zwar große Verluste entstehen, aber genügend Verbände insbesondere der Panzer- und motorisierten Division könnten sich durchschlagen. Über diese Anregung kam es zu einer erregten Aussprache, in der Niemeyer und der zufällig anwesende stellvertretende I c des IV. Korps, Oberleutnant Güttich, mir Pessimismus und Wankelmut vorwarfen. An ein tragisches Ende sei überhaupt nicht zu denken, zumal neue, starke deutsche Kräfte zu unserer Entlastung im Anmarsch seien.

Ende Dezember gab der Korpsstab noch einmal Leute zur Front ab. Dabei mußte ich mich auch von meinem getreuen ersten Schreiber Richter trennen. Zur Sylvesterfeier gab es den letzten Rest Alkohol. Jede Abteilung feierte für sich. Kurz vor Mitternacht schickte der rührende Thunert uns noch eine Flasche Sekt herüber. Am Neujahrsmorgen hatten wir Gottesdienst, ein katholischer Geistlicher sprach in einem großen, völlig überfüllten Bunker höchst eindrucksvoll.

Hitler hatte Ende Dezember General Hube die Schwerter zum Ritterkreuz verliehen. Am 27. Dezember kam der Befehl, daß sich Hube zwecks Entgegennahme dieser hohen Auszeichnung sofort im Führerhauptquartier zu melden habe. Als er am 3. Januar 1943 zurückkehrte, brachte er die Nachricht mit, daß nunmehr auf Grund der ihm persönlich gemachten Zusicherung des Führers für ausreichenden Nachschub gesorgt werden würde. Ich war tief enttäuscht, wie leicht ein so tapferer und aufrechter Soldat durch nichtssagendes Gerede getäuscht werden konnte. Da wir in der Nähe des Flugplatzes Pitomnik lagen, konnten wir nachts fast jedes ankommende Flugzeug hören: Trotz aller Zusagen änderte sich nichts. Es wurde daher notwendig, die Verpflegungssätze nochmals herabzusetzen, so daß es nunmehr an manchen Tagen nur noch eine dünne Scheibe Brot mit etwas Butter, Käse oder Wurst sowie einmal warmes Essen gab, das aus Fleisch von krepierten Pferden bestand.

Unter diesen Umständen wurde es unmöglich, die russischen Gefangenen zu ernähren. Es blieben nur noch Knochenabfälle von den deutschen Feldküchen übrig, die täglich eingesammelt wurden. Schließlich gab es auch da nichts mehr. Dazu kam, daß die Zahl der Gefangenen sich ständig vermehrte, da sogenannte russische Hilfswillige, die seit Monaten bei der Truppe beschäftigt gewesen waren, wegen der schwierigen Verpflegungslage einfach laufengelassen wurden. Da sie sich planlos im Kessel umhertrieben, wurden sie aufgegriffen und den Gefangenenlagern zugeführt. Ausbruchsversuche häuften sich und konnten nur mit Gewalt unterdrückt werden. Häufig gelang es den Gefangenen dennoch, zu fliehen und nachts durch die Linien zu entkommen. Ich wies darauf hin, daß die Verpflegungslage völlig unhaltbar sei und daß man die Gefangenen eben laufenlassen müsse. Stillschweigend ließ ich sie dann einfach frei. Zu diesem Zeitpunkt war ohnehin nichts mehr über unsere Lage zu verheimlichen. Der in den verschiedenen Dörfern noch vorhandenen Zivilbevölkerung ging es erheblich besser, weil sie Vorräte vergraben hatte, von denen sie nunmehr leben konnte. Das Verstecken von Lebensmitteln war in Rußland allgemein üblich, da der Landbevölkerung auch in Friedenszeiten oft alles weggenommen wurde. Die Einwohner waren uns im allgemeinen durchaus freundlich gesinnt. Auch waren zahlreiche Zivilisten aus anderen Gegenden mit uns in den Kessel hineingeflüchtet – es handelte sich meist um Kosaken, die wegen ihrer Deutschfreundlichkeit die Bolschewisten fürchteten. Die Kosaken haben uns in jeder Beziehung treue und zuverlässige Dienste geleistet, so daß ich sie wiederholt einsetzte, insbesondere zur Überprüfung verdächtiger Personen sowohl unter den russischen Gefangenen als auch unter der Zivilbevölkerung. Als ich ihnen schließlich die Schwierigkeit unserer Lage eröffnete und ihnen anheimstellte, unterzutauchen, erboten sich zwei Kosaken, mehrere deutsche Offiziere, darunter mich, durch die russischen Linien zu bringen. Sie nahmen an, daß wir unsere Untergebenen in der Not verlassen würden.

Etwa vom 5. Januar an ging die Zahl der Flüge immer mehr

zurück. Die Folge war eine nochmalige Herabsetzung der Lebensmittelrationen, was sich insbesondere bei den an der Hauptkampflinie eingesetzten Verbänden immer verheerender bemerkbar machte. Die eisige Kälte und die Unmöglichkeit, die Bunker und Unterstände zu heizen, bewirkten einen schnell fortschreitenden körperlichen Verfall der Truppe. Dazu kam, daß die Russen vom 10. Januar an mit allen Mitteln insbesondere die West- und Südfront des Kessels angriffen. Wenn aber die Soldaten erst aus ihren Stellungen herausgedrängt waren und ohne Wetterschutz und Deckung auf dem hartgefrorenen Schnee lagen, bestand bei ihrem körperlichen und seelischen Zustand nicht mehr viel Hoffnung.

Die Russen hatten uns kurz vor Weihnachten durch zwei Offiziere mit einer weißen Fahne in unserem Frontabschnitt zur Übergabe aufgefordert. Zwei Tage vorher war ein Befehl Hitlers herausgekommen, daß auf alle Parlamentäre sofort Feuer zu eröffnen sei. Ich erklärte Oberst Thunert, daß diese Anordnung gegen die Genfer Konvention verstoße und ich nicht in der Lage sei, den Befehl weiterzugeben. Antwort: »Machen Sie, was Sie wollen!« Ich kannte ihn gut genug, um zu wissen, was das hieß! Die Parlamentäre kamen durch – soviel ich weiß, nur an dieser Stelle der Front. Sie hatten einen versiegelten Brief an Generaloberst Paulus bei sich. Die Armee lehnte es jedoch ab, das Schreiben zu öffnen, und die Parlamentäre kehrten unverrichteter Dinge mit dem Brief zurück. Am nächsten Tage warfen die Russen Flugblätter mit der Aufforderung zur Übergabe ab: Sie forderten die bedingungslose Kapitulation sämtlicher bei Stalingrad eingeschlossenen Verbände.

Die Westseite des Kessels befand sich seit dem 12. Januar in ständigem Zurückweichen. Auch unser Stab mußte zurückverlegt werden. Während der sehr kalten Nacht vom 12. zum 13. setzten wir uns unbemerkt nach einem Ort ab, der 10 Kilometer westlich von Stalingrad liegt. Hier fanden wir in einem Tal eine Reihe wohlausgebauter, aber verlassener Unterstände vor. Auf diesem Rückzug kamen wir an unserem bisherigen

Flugplatz Pitomnik vorbei, der jetzt ebenfalls mitsamt den dort stehenden Maschinen aufgegeben werden mußte. Neben dem Bahnhof Gumrak wurde ein neuer Behelfsflugplatz eingerichtet, der aber schon am 15. Januar unter Beschuß der russischen Artillerie geriet.

Am 9. Januar hatte uns unser bisheriger Chef des Stabes, Oberst Thunert, verlassen; sein Nachfolger, Oberstleutnant i. G. Müller, war wenige Tage zuvor mit dem Flugzeug eingetroffen. Zwischen Thunert und Müller spielte sich eine in ihrer Art einzigartige Auseinandersetzung ab: Beide wollten aus Pflichttreue und Kameradschaftlichkeit auf dem verlorenen Posten bleiben. General Hube, der diesen Streit nicht selbst entscheiden wollte, legte die Frage Generaloberst Paulus vor. Oberstleutnant Müller blieb, Oberst Thunert nahm, mit Tränen in den Augen, von jedem einzelnen seines Stabes Abschied. Ich gab ihm einen Brief an meine Frau mit, in dem ich auch einige Mitteilungen über den wahren Grund des Zusammenbruchs machte. Bei der Ankunft von Oberst Thunert im OKH wurde ihm dieses Schreiben zwecks Zensur abgenommen. Ich brachte Oberst Thunert zum Flugplatz und nahm von ihm, wie ich überzeugt war, Abschied fürs Leben; daß ich jemals wieder in die Heimat zurückkehren würde, konnte ich mir nicht vorstellen.

Das, was alle Weitsichtigen schon längst vorausgesehen hatten, trat ein. Nachdem die uns unterstellten Divisionen mit letzter Kraft unter persönlichem Einsatz aller Offiziere und insbesondere des Kommandeurs der 29. I. D. (mot.) dem russischen Ansturm standgehalten hatten, brach die Front schließlich zusammen. Die meisten Soldaten waren so entkräftet, daß sie einfach liegenblieben und erfroren oder gefangengenommen wurden. Wenige schleppten sich noch mit ihrer letzten Kraft ohne Waffen, die sie zu tragen nicht mehr imstande waren, in den immer enger werdenden Kessel hinein. In aller Eile wurde aus den letzten Reserven eine neue Front bei Gontschara, etwa 15 Kilometer nordwestlich von Stalingrad, aufgebaut, die vorher schon festgelegt, aber nur zum geringsten Teil mit Unterständen versehen war.

Am 15. Januar befahl mir General Hube, ihn auf einer Fahrt zur Front zu begleiten. Es war der erschütterndste Eindruck, den ich in meinem Leben gehabt habe. Schon auf dem kurzen Anfahrtsweg bis zur vordersten Linie strömte uns ein unaufhörlicher Zug von zurückgehenden Soldaten entgegen. Ohne Waffen, oft ohne Schuhe, die Füße in Lumpen gehüllt, mit eisverkrusteten, ausgemergelten Gesichtern, vielfach verwundet, schleppten sie sich in den Kessel. Am Rande der Straße lagen Tote und Sterbende. Ich sah Leute, die auf ihren Knien weiterrutschten, weil ihre Füße abgefroren waren. Keine Ärzte, keine Sanitäter, keine Medikamente mehr. Die drei dem Korps unterstellten Divisionen verfügten noch über ein Geschütz und fünf Panzer. Während General Hube mit einigen Offizieren sprach, hatte ich den Auftrag, einen nach hinten fahrenden Panzer anzuhalten und mich nach seinem Auftrag zu erkundigen. Gerade als ich neben dem Panzer stand, warf eines von den ständig in der Luft kreisenden Flugzeugen aus wenigen hundert Metern Höhe – aus Munitionsmangel wurde nicht mehr auf sie geschossen – eine Bombe gezielt auf den Panzer. Zum Glück fiel sie auf die andere Seite des Panzers, so daß ich unverletzt blieb. An der Front selbst, die erst in der Nacht bis zu diesem Punkt zurückverlegt worden war, befanden sich vollständig entkräftete deutsche Verbände, die Lücken klafften weit. Die Russen waren zum Glück noch nicht nachgestoßen.

Am 16. Januar nachmittags erhielt ich plötzlich den Befehl, mich fertigzumachen, um als Kurier der 6. Armee zum OKH nach Lötzen mit wichtiger Kurierpost zu fliegen. Das XIV. Panzerkorps hatte dazu einen Offizier zu stellen, und General Hube wählte mich aus dem Stabe aus, vermutlich wegen meiner vielen Kinder. Natürlich überkam mich ein unbändiges Glücksgefühl bei der Aussicht, meine Frau und die Kinder wiederzusehen. Ich hatte aber auch ein schlechtes Gewissen, meine Kameraden in dieser trostlosen Lage zurückzulassen.

Bereits am Mittag hatte ich den mir unterstehenden Soldaten empfohlen, im Hinblick auf die bevorstehende Gefangenschaft möglichst viel Wäsche und warme Kleider übereinander anzuziehen, um auf diese Weise Sachen zum Wechseln bei sich zu haben. Auch ich hatte mich entsprechend angezogen. Es war dies verhältnismäßig einfach, weil jeder so abgemagert war, daß er beliebig viel unter der Uniform tragen konnte. Meine sämtlichen übrigen Sachen, einschließlich Waffen, überließ ich meiner Abteilung. Nach einem Abschied, den ich nicht zu beschreiben wage, und nach Abmeldung bei General Hube, der mich ebenso wie die meisten anderen beauftragte, die Angehörigen zu benachrichtigen, bestieg ich den Kraftwagen und fuhr zum nahe gelegenen Armeestab.

Dort wurde ich zunächst zum Adjutanten der Armee, Oberst Adam, gebracht, der mir mitteilte, daß mein Kurierauftrag ungewiß sei, weil inzwischen Leutnant Kemna verwundet sei, der die Post befördern könnte. Oberleutnant Mattik brachte mich für die Nacht bei der Abt. I c unter, zusammen mit Leutnant Kemna. Wir bekamen sogar etwas zu essen; es sollte zwar für den ganzen kommenden Tag reichen, aber ich aß alles auf einmal auf. Während der Nacht erlitt Leutnant Kemna einen Ohnmachtsanfall. Der herbeigerufene Arzt stellte fest, daß er infolge seines Blutverlustes unmöglich in der Lage sei, den Kurierauftrag auszuführen. Also würden wir beide fliegen – falls überhaupt noch Flugzeuge auf dem unter feindlichem Beschuß liegenden Behelfsflugplatz landeten und nicht lediglich Lebensmittel aus der Luft abgeworfen wurden. Am nächsten Morgen, dem 17. Januar, übergab mir Oberst Adam ein Paket Kurierpost sowie, unter dem Siegel der Verschwiegenheit, einige Wertsachen und die Orden von Generaloberst Paulus sowie seine eigenen Auszeichnungen zur Weitergabe an General Burgdorff, den stellvertretenden Chef des Heeres-Personalamtes. Gleichzeitig erklärte er mir, daß ich bei jeder passenden Gelegenheit den wahren Grund für die Vernichtung der rund 300 000 Soldaten im Kessel angeben solle: Schuld trage einzig und allein Hitler selbst. Es werde die Zeit kommen, wo man dieses öffentlich bekanntgebe. Die wenigen Überlebenden von Stalingrad hätten die heilige Pflicht, auf diese Tatsache hinzuweisen. Wenn man der 6. Armee vorwerfe, die ihr unterstellten Verbände schlecht geführt zu haben oder feige gewesen zu sein, müßten Zeugen dieser Katastrophe den wahren Sachverhalt bekunden.

Am Flugplatz erklärte mir der Kommandant nach Einsichtnahme in meinen vom Chef des Generalstabes der Armee, General Schmidt, persönlich unterschriebenen Ausweis, daß ich mir einen Platz im Flugzeug mit Gewalt verschaffen müsse. Ein Angriff russischer Flieger mit Bomben setzte ein, so daß ich mich schleunigst in einen Bunker zurückzog, zusammen mit Mannschaften eines Flakgeschützes. Ein Leutnant, der wußte, daß ich gerade von der Armee kam, fragte mich allen Ernstes, ob tatsächlich der Entsatz des Kessels bis auf 20 Kilometer an uns herangekommen sei. Man könne anscheinend schon das Artilleriefeuer hören. Obgleich ich wußte, daß dies russischer Geschützdonner war und die nächste Stelle der deutschen Front weit entfernt lag, gab ich eine zuversichtliche Antwort – zum letzten Mal.

Kaum hatten sich die Flugzeuge zurückgezogen, konnte man ungestört hinaus, denn erfahrungsgemäß war ein zweiter Bombenhagel unmittelbar danach nicht zu befürchten. In diesem günstigen Augenblick erschienen zwei deutsche Messerschmitts am Himmel, die glücklich landeten. Bei laufenden Motoren warfen sie die Lebensmittelsäcke heraus, ohne darauf zu achten, in wessen Hand sie gelangten. Es entstand eine wilde Schlägerei um die Brotlaibe, soweit die ausgemergelten Männer noch Kraft dazu hatten. Andere versuchten in die beiden Flugzeuge zu klettern. Bei dem schrecklichen Durcheinander verlor ich Leutnant Kemna aus den Augen. Da ich als Stabsangehöriger verhältnismäßig besser ernährt und vor allem nicht so unter Frost zu leiden gehabt hatte, war ich kräftig genug, mir mit meiner angeschnallten Aktenmappe gewaltsam Zugang zum Flugzeug zu verschaffen. Den etwa einstündigen Flug verbrachte ich halb liegend im Rumpf, zusammengepfercht mit anderen. In Stalino angelangt, wurde ich wie ein dem Inferno Entkommener mit großer Kameradschaft aufgenommen. Man überließ mir zehn Tafeln Schokolade, eine Rarität, gab mir aber den dringenden Rat, trotz des Hungers nur wenig zu essen. Ich bat, man möge versuchen, meiner Frau über meine Rettung aus dem Kessel Nachricht zu geben.

Ich schlief lange und tief, so daß ich am folgenden Tag in der Lage war, zum Oberkommando der Wehrmacht und dann zum Führerhauptquartier Wolfsschanze in Ostpreußen zu fliegen. Dort wurde zunächst streng überprüft, ob ich eine Erlaubnis des Chefs des Generalstabes der 6. Armee, General Schmidt, besäße; das war der Fall. Ein Major i. G., der gleichzeitig mit mir ausgeflogen worden war, hatte diesen Ausweis nicht; er wurde, wie ich später hörte, wegen Fahnenflucht erschossen. Die mitgebrachte Privatpost wurde mir sofort von einem Offizier der militärischen Spionageabwehr abgefordert. Am nächsten Tag gab mir Oberstleutnant i. G. v. Zitzewitz unauffällig den Brief an meine Frau zurück, den Oberst Thunert einige Tage vorher befördert hatte. Offensichtlich hatte ihn jemand vor der Zensierung an sich genommen, um mir unangenehme Folgen wegen meiner Äußerungen über Hitler zu ersparen. Dieser Vorgang war für mich ganz undurchschaubar; jedenfalls fühlte ich mich von allen Seiten belauert und enthielt mich daher jeder politischen Äußerung. Die Geheimpapiere und die Orden von Generaloberst Paulus sowie die Wertsachen übergab ich auftragsgemäß.

Es wurde erwogen, daß ich Hitler persönlich über Stalingrad berichten sollte. Diesen Plan verwarf man gleich wieder, wohl weil man den wegen Stalingrad aufgebrachten »Führer« nicht noch wütender machen wollte. – Soviel ich weiß, sind nach dem 17. Januar nur noch zwei Flugzeuge im Kessel gelandet. Mit einem von ihnen wurde ein oder zwei Tage später auf persönlichen Wunsch Hitlers General Hube ausgeflogen.

Nach einer militärärztlichen Untersuchung, bei der die Hungerödeme festgestellt wurden, schickte man mich für ein Jahr auf Urlaub nach Hause. In Schlobitten empfing mich eine überglückliche Familie. Die Rettung aus Stalingrad war ein Wunder, für das wir Gott tief dankbar sind.

15 Jahre später erschien bei uns Manfred Gusovius, der als Oberleutnant und Ordonnanzoffizier mit mir zusammen im Stab Hube gewesen war. Er war in russische Gefangenschaft

*Am 18. Januar 1943 flog Alexander Dohna mit diesem Ausweis als einer
der letzten aus dem Kessel von Stalingrad aus, um Geheimpapiere
und die Orden von Generaloberst Paulus ins Führerhauptquartier zu
bringen. Ein gleichzeitig ausgeflogener Major im Generalstab, der nicht
im Besitz eines solchen Ausweises war, wurde bei Ankunft sofort als
Deserteur abgeführt und später erschossen.*

geraten und gehörte zu den wenigen Überlebenden. Bei den
Verhören waren er und andere Offiziere des Stabes gefragt
worden, wo der Ic des Korps, Fürst Dohna, geblieben sei.
Gusovius, der wegen seines frechen und lustigen Mundwerks
im Stab sehr beliebt war, antwortete darauf: »Der Vogel ist ausgeflogen.«

# Kriegszeit in Italien (1944)

Im Januar 1944 erreichte mich in Schlobitten überraschend die Nachricht, ich sei als I c einem Korps in Italien zugeteilt. Ich kann nicht sagen, daß ich begeistert über diese Neueinberufung war. Meine Frau und mich bedrückte die Frage, was mit Schlobitten geschehen würde. In dieser schweren Zeit wäre ich gern bei meiner Familie geblieben. Zwar wußte ich seit Stalingrad Genaueres über die Attentatspläne gegen Hitler, aber die Hoffnung, daß sich mit seiner Beseitigung alles zum Besseren wenden würde, war bei mir gering.

In Berlin erfuhr ich, daß ich nach Oberitalien zum LXXV. Armeekorps versetzt sei. Nach mehrtägiger und wegen ständiger Fliegerangriffe umständlicher und anstrengender Bahnfahrt kam ich mittags in Mailand an, wo ich von einem Offizier des Stabes, der selber gerade erst nach Italien versetzt worden war, mit dem Wagen nach Abetone abgeholt wurde. Da man den Korpsstab neu aufgestellt hatte, konnte mein Begleiter mir wenig über meine neuen Kameraden sagen. Ich erfuhr, der Kommandierende General heiße Dostler und sei ein Bayer, der Chef des Stabes ein aktiver Generalstabsoffizier namens Kraehe.

Abetone war ein kleiner Winterkurort mit einem ärmlichen Dorfteil und einer Reihe von einfachen Häusern und Villen, in denen der Stab bescheiden, gemessen an Rußland jedoch geradezu luxuriös untergebracht war – nach Stalingrad waren fließendes Wasser und elektrisches Licht kaum mehr vorstellbar. Der Ort, auf einem der Vorhügel der Apenninen gelegen, bietet außer einem schönen Blick in die Po-Ebene nicht allzuviel; zudem regnete es nahezu ständig. Dem Korps unterstanden drei Divisionen, die wie ein dünner Schleier die ganze Küste von Livorno bis Nizza zu sichern hatten. Die Truppe bestand aus meist ungeübten Reservisten oder wieder ausgeheilten Verwundeten, Moral und Kampfkraft ließen zu wünschen übrig. Intensive Ausbildung sollte diesem Manko abhelfen. Die eigentliche Front lag weit im Süden Italiens und berührte uns nicht direkt.

Das Korps diente hauptsächlich zur Einschüchterung der kriegsmüden Italiener; aber es sollte auch kleinere Landungen feindlicher Kräfte im Rücken der deutschen Front verhindern. Da die Abteilung I c auf so gut wie keinen Unterlagen aufbauen konnte, waren zumindest wir einigermaßen beschäftigt. Zunächst mußten wir eine Karte anfertigen, auf der die ausfindig gemachten amerikanischen Truppenteile, die uns auf Korsika und Sardinien gewissermaßen gegenüberlagen, eingezeichnet wurden. Dabei stützte man sich auf Funksprüche und Aussagen der allerdings nur ganz vereinzelt abgeschossenen feindlichen Flugzeugbesatzungen. Das machte tägliche Ergänzungen nötig.

Die Verbindung zu den I c's der drei Divisionen des Korps wurde vor allem telephonisch abgewickelt, um das Mithören von Funksprüchen zu verhindern. Die Offiziere und Sonderführer meiner kleinen Abteilung überbrachten als Kuriere mitunter als »geheim« eingestufte Meldungen. Sonderführer von Koslowski mußte einmal einen Brief von Generalfeldmarschall Kesselring dem Bischof von Lucca aushändigen, der den Schutz der berühmten Kunstwerke dieser Stadt übernommen hatte. Nicht zuletzt hatten wir für die »Betreuung« der Truppe zu sorgen, womit auch Unterhaltung gemeint war. Dabei kam mir das Glück zu Hilfe. Bei einer Fahrt nach Parma entdeckte ich in einem Café den mir aus der Vorkriegszeit bekannten Berliner Schauspieler und Komiker Werner Finck, der hier, ziemlich unglücklich, Truppendienst tat. Mit der Zustimmung von General Dostler holte ich ihn in die unserem Korps unmittelbar unterstehende Propagandakompanie, und schon bald war Werner Finck die Attraktion der Truppe. Eine angenehme Abwechslung boten an den freien Wochenenden Ausflüge in das nahe gelegene Parma sowie nach Pisa oder an den Gardasee.

General Dostler war mittelgroß, von gedrungener Gestalt, mit schütterem blonden, leicht rötlichem Haar und gleichfarbigem Schnurrbart. Er trug eine goldgefaßte Brille und sprach bayerischen Dialekt mit knarrender Stimme. Seine Haltung zu den Offizieren seines Stabes war kühl und distanziert. Dem Nationalsozialismus im allgemeinen, der Person Hitlers im besonderen stand er positiv gegenüber. Kritik, wie sie im letzten Kriegsjahr häufiger geübt wurde, durfte vor ihm nicht geäußert werden. Seinen Hang zu den Nazis führte man nicht zuletzt auf »Kreuzschmerzen« zurück, da er noch nicht das Ritterkreuz erhalten hatte. Um den zusammengewürfelten Stab kümmerte er sich kaum, was ihm übel vermerkt wurde. Häufig war er tage- und nächtelang abwesend, angeblich um seine Zähne in der Gegend von Genua in Ordnung bringen zu lassen; es hieß aber allgemein, daß er dort eine Freundin habe.

So hatten wir hauptsächlich mit Oberst i. G. Kraehe zu tun, der zwar etwas sympathischer schien, aber ehrgeizig darauf erpicht war, noch General zu werden. Äußerlich ähnelte er dem Vogel, dessen Namen er trug: schwarze Haare und Hakennase. Mit ihm, der einige Jahre jünger war als ich, traf ich täglich zusammen, aber es kam zu keinem vertrauten Verhältnis. Bei einem der seltenen gemeinsamen Abende des Korpsstabes – Dostler war wieder einmal abwesend – kam die Rede auf die Siegesaussichten. Ich machte sehr vorsichtig einige kritische Bemerkungen über Hitler und den voraussehbaren Ausgang des Krieges. Am nächsten Morgen mußte ich mich dienstlich – also mit umgeschnallter Pistole, Mütze und Handschuhen – bei Kraehe melden, der mir heftige Vorwürfe machte und drohte, mich bei jeder weiteren abträglichen Äußerung zu melden. Was das bedeute, wisse ich ja wohl. Ich wußte es.

Ein Lichtblick in menschlicher Hinsicht war meine kleine I c-Abteilung, mit der ich ausgezeichnet zusammenarbeitete. Es waren dies Leutnant Werkshage, der besonders angenehme Sonderführer von Koslowski und Oberfeldwebel Vogel sowie vor allem Hauptmann Arthur Veith, ein Wiener mit viel Humor, der fließend italienisch sprach, was für uns dienstlich wichtig war. Allerdings schienen sie alle von den dunklen Wolken des verlorenen Krieges nichts zu merken; ein vortastendes Gespräch mit Leutnant Werkshage, daß man wohl nur nach einer Ausschaltung Hitlers zu einem halbwegs leidlichen Ende kommen werde, ließ mich rechtzeitig erkennen, daß ich auf völliges Unverständnis stieß.

Die Monate in Italien fanden ein jähes Ende. Anlaß war eine Begebenheit, die ich bald nach dem Kriege in Notizen festzuhalten suchte. Auf diese Notizen stütze ich mich im folgenden, zumal der offizielle Tätigkeitsbericht des I c, in dem ich die Vorgänge und meine Haltung dazu ausführlich aufzeichnete, verlorengegangen ist.

Am 23. März 1944 landeten fünfzehn amerikanische Soldaten in Bonassola an der italienischen Küste nahe La Spezia. Es handelte sich um einen Ingenieuroffizier, den Führer des Trupps, einen Pionieroffizier, drei Unteroffiziere und zehn Mann. Sie waren nachts aus einem US-Schnellboot von einem auf Korsika gelegenen, amerikanischen Stützpunkt abgesetzt worden mit dem Befehl, einen Tunnel an der Bahnlinie Genua-Rom zu sprengen. Es gelang ihnen jedoch nicht, ihren Auftrag noch in der Nacht auszuführen. Damit war das Unternehmen gescheitert, denn jetzt waren wir alarmiert. Da sich die Amerikaner als reguläre Soldaten betrachteten, gaben sie sich italienischen Zivilisten zu erkennen, die sie zu einem deutschen Kommando brachten, das aus einem Unteroffizier und zwei Mann bestand; friedlicher hat sich nie ein uniformierter Kommandotrupp gefangen gegeben.

Die Vernehmung erfolgte durch verschiedene Einheiten. Oberst Albers, der Regimentskommandeur der Einheit, bei der die Gefangenen sich zuletzt befanden, erhielt von mir den Bescheid, die Amerikaner seien dem rückwärtigen Gefangenenlager zuzuleiten. Gleichzeitig meldete ich das Vorkommnis General Dostler sowie General von Vietinghoff, dem Oberbefehlshaber der Armee, dem das Korps unterstand. General Dostler erklärte, die Gefangenen seien Saboteure und müßten nach einem Geheimbefehl als solche ohne Urteil sofort erschossen werden. Ich war über diesen Befehl, der mir durch den Stabschef Oberst Kraehe zugeleitet wurde, so empört, daß ich mich weigerte, die Erschießung zu verfügen. Es kam zu einer heftigen Aussprache mit Oberst Kraehe, denn

General Dostler war wieder einmal wegen Zahnschmerzen an die Küste gefahren. Ich wies darauf hin, daß es sich um reguläre Soldaten handele, die sämtlich in Kampfanzüge gekleidet seien; die beiden Offiziere trügen vorschriftsmäßig ihre Rangabzeichen. Auch der Regimentskommandeur Oberst Albers teilte meine Auffassung. Stoßtruppunternehmen seien auch auf deutscher Seite üblich, und man riskiere durch solche gegen die Genfer Konvention verstoßende Liquidierung der Gefangenen nur, daß es deutschen Soldaten ähnlich ergehe.

Oberst Kraehe wollte nicht ohne General Dostler entscheiden, die Gefangenen blieben zunächst bei der Truppe. In der Zwischenzeit suchte ich in mehreren Telephongesprächen mich der Unterstützung des Divisionskommandeurs zu versichern, in dessen Abschnitt sich die Amerikaner ergeben hatten – leider vergeblich. Nach zwei Tagen kehrte Dostler zurück und verfügte selbst die Erschießung. Mein Vertreter, Leutnant Werkshage, meldete den Vollzug an die Armee. Das Unternehmen kam, vollkommen entstellt, in den Wehrmachtsbericht mit folgendem Wortlaut: »Der am 23. 3. bei Bonassola gelandete amerikanische Sabotagetrupp in Stärke von 2 Offizieren und 13 Mann wurde bis auf den letzten Mann niedergemacht.« Bis zuletzt hatte ich gehofft, General von Vietinghoff würde eingreifen, aber nichts geschah.

Kurz danach teilte Oberst Kraehe mir mit, ich sei wegen Befehlsverweigerung aus dem Korpsstab entlassen, General Dostler habe meine sofortige Versetzung beantragt und außerdem einen Vermerk in meiner Personalakte gemacht, daß ich politisch unzuverlässig sei. Ich wurde nach Hause geschickt, wo mich die Kreisleitung Preußisch Holland zum Ausheben von Panzergräben nach Lyck kommandierte. Im Mai 1944 wurde ich dann aus der Wehrmacht entlassen mit der Mitteilung, daß ich aus der Liste der I c-Offiziere gestrichen sei; mit einer Wiedereinberufung hätte ich nicht mehr zu rechnen. Wäre dieses Ereignis nach dem 20. Juli geschehen, hätte mich das Kopf und Kragen kosten können. Auch hier hielten wohl einige Offiziere im OKH ihre schützende Hand über mich.

Zweiunddreißig Jahre später, 1976, wollte eine Filmgesellschaft, die Chronos-Film GmbH Berlin, wissen, ob ich der Dohna sei, der als I c beim LXXV. Armeekorps in Italien sich geweigert habe, die Erschießung der im März 1944 bei La Spezia gefangengenommenen amerikanischen Soldaten zu verfügen. Als ich das bestätigte, bat man mich, nach Berlin zu kommen; man plane einen Dokumentarfilm über General Dostler. Die Amerikaner hatten im Herbst 1945 während des Prozesses gegen Dostler einen Film gedreht und auch seine standrechtliche Erschießung aufgenommen. Dieser Film war nach dreißig Jahren freigegeben worden, und die Filmgesellschaft hatte ihn erworben. Er konnte vorerst zwar nicht veröffentlicht werden, weil die Witwe Dostlers Einspruch erhoben hatte. Aber Chronos gab mir die Möglichkeit, den Film zu sehen. Bei der Vollstreckung des Urteils ist Dostler aufrecht und ohne jedes Anzeichen von Furcht in den Tod gegangen.

Während der Lektüre der alten, längst vergilbten Unterlagen wandelte sich mein Bild der damaligen Vorgänge. Seinerzeit war mir nur die schon erwähnte Anweisung des Oberkommandos des Heeres über die Behandlung von Saboteuren bekannt gewesen; später erst las ich den von Hitler selbst unterzeichneten Befehl vom 18. Oktober 1942, der mir als »Chefsache« nicht zugänglich gewesen war. Es wurde mir deutlich, daß die Situation für General Dostler, dem der Befehl ja zugegangen war, eine andere gewesen war als für mich. Der unsoldatische und unmenschliche Erlaß stufte alliierte Soldaten bei Kommando-Unternehmen als Saboteure ein, wobei es keine Rolle spielte, ob sie uniformiert waren oder nicht. Laut Befehl mußten sie liquidiert werden. Eine Überstellung der Gefangenen an das Gefangenenlager, wie ich es verlangt hatte, wäre sinnlos gewesen, denn man hätte sie nur an den SD weitergeleitet und dann ebenfalls erschossen. Gegen diesen »Führer-Befehl« zu handeln, hätte für General Dostler bedeutet, daß er vor ein Kriegsgericht gestellt und vielleicht selbst verurteilt worden wäre. Den Gefangenen hätte das nichts genützt.

Daß General Dostler eine so schwerwiegende Entschei-

dung wie die Verfügung, fünfzehn amerikanische Soldaten zu erschießen, an mich weitergegeben hatte, statt dies
selbst zu tun, zeigt nur, wie wenig ihm – zumindest wenn es
um den Feind ging – Menschenleben bedeuteten. Der
Gedanke, sich selbst nicht zu belasten, wird ihm kaum gekommen sein. Ich glaube, daß General Dostler, aber auch Oberst
Kraehe ihre Entscheidung ohne viel Nachdenken getroffen
haben. Es war der schreckliche Kadavergehorsam, der sie
damals so handeln ließ. Er machte solche Entschlüsse leicht.

# Der Treck

Als ich Ende Januar 1943 aus Stalingrad zurückkehrte, war es mir endgültig zur Gewißheit gworden, daß wir nicht nur den Krieg, sondern auch unsere Heimat verlieren würden. Mir war völlig klar, daß wir Schlobitten verlassen mußten. Die Flucht aller bei uns arbeitenden Familien in einem großen Treck erschien auf Leiterwagen möglich, sofern nur das Nötigste mitgenommen würde. Ich beratschlagte mich mit meiner Frau und machte im Frühsommer 1943 die beiden landwirtschaftlichen Administratoren, Herrn Prinz in Prökelwitz und Dr. Boriß in Schlobitten, sowie Forstmeister Tielsch mit solchen Gedanken vertraut. Damals standen die deutschen Truppen noch weit in Rußland. Man benötigte viele Stunden des Nachdenkens, um sich überhaupt vorstellen zu können, daß man sein ganzes bisheriges Leben und alles, was man geschaffen hatte, hinter sich lassen sollte. Es gab auch einige, die solche Erwägungen als völlig sinnlos bezeichneten, weil die Deutschen den Krieg in jedem Fall gewinnen würden. Dazu gehörte der Forstverwalter Brettmann, der von dem zentral gelegenen Dorf Altstadt aus den Wald von Prökelwitz beaufsichtigte. Ich unterließ es denn auch, mit ihm über das Thema Treck zu sprechen. Zu seiner Ehre muß jedoch gesagt werden, daß er im allerletzten Augenblick, lange nachdem unser Treck abgerückt war, furchtlos für die Rettung der Bewohner von Altstadt eintrat. Er kam kurz vor Kriegsende zusammen mit seiner Frau ums Leben.

Ende April 1944 war ich wegen politischer Unzuverlässigkeit aus dem Wehrdienst entlassen worden. Aus dem nachfolgenden Strafeinsatz befreite mich bald der Kreisbauernführer von Preußisch Holland, Schumacher, der es für unsinnig hielt, mich »schippen« zu lassen; auf dem verwaisten Großbetrieb in Schlobitten würde ich viel dringender gebraucht.

Als ich Anfang Mai endlich nach Hause kam, hatte sich die Situation in Schlobitten sehr verändert. Nur Administrator

Prinz stand noch zur Verfügung, während Administrator Dr. Boriß und Forstmeister Tielsch inzwischen eingezogen waren. So zog ich noch den Oberinspektor von Schlobitten, Herrn Braun, und Förster Becker aus Prökelwitz, der an Stelle von Herrn Brettmann die Forst dort verwaltete, ins Vertrauen. Im Juli schickten wir zunächst unsere einjährige Tochter Johanna und den sechsjährigen Sohn Ludwig mit einer Kinderschwester, dann im August die größeren Kinder Fritz und Assi mit der Hauslehrerin nach Muskau zu meiner Schwiegermutter Sophie Arnim. Es erwies sich jedoch in diesen Zeiten der beginnenden Auflösung als unausweichlich, daß meine Frau zu den Kindern fuhr. Sie erkrankte dort infolge der Anstrengungen und Aufregungen und konnte nicht mehr zurückkommen. Für mich war es einerseits beruhigend, meine Frau bei unseren Kindern zu wissen, andererseits fehlte sie mir sehr. Im Oktober wich sie mit den Kindern weiter westlich nach Bendeleben in Thüringen aus. Auf diesem Gut lebten die Schwiegereltern meines Schwagers Hermann Arnim.

Im Mai 1944 hatte ich mich zunächst um die Verwaltung des Waldes gekümmert. Die wenigen noch nicht eingezogenen Förster und Waldarbeiter inspizierte ich fast ausschließlich zu Pferde; für weitere Fahrten, etwa nach Prökelwitz, benutzte ich das Motorrad. Das Auto hatten wir längst abgeben müssen. Nach der Ernte nahmen die Vorbereitungen der Flucht viel Zeit in Anspruch. Die Bewirtschaftung der Land- und Forstwirtschaft trat dann in den Hintergrund. In den Wald ging ich nur noch, um Wild für die Küche zu schießen.

Im Spätherbst weihten wir noch einzelne vertrauenswürdige Arbeiter wie Hofmann Schulz aus Schönfeld in den Fluchtplan ein. Mit seinem gesunden Menschenverstand hatte er bereits von sich aus Vorbereitungen getroffen. Nun, nachdem die Russen schon an der Grenze standen und man gelegentlich Flüchtlinge sah, war es einfacher, auch anderen den Treck plausibel zu machen. Immerhin blieb es für alle ein Risiko, über den Treck zu reden, da die Partei jede Fluchtvorbereitung verbot und mit Gefängnisstrafe drohte.

Im Sommer 1944 hatte ich mir durch die Wehrmacht

genaues Kartenmaterial im Maßstab 1 : 300.000 beschafft und darauf die Treckroute eingezeichnet. Sie führte über den wesentlich weiteren Weg durch Pommern an der Küste entlang und bei Stettin über die Oder. Ich wollte die großen Waldgebiete, welche bald hinter Dirschau begannen und bis Frankfurt/Oder reichten, umgehen, da sie mir wegen zu erwartender russischer Fallschirmtruppen zu unsicher erschienen. Berlin sollte ebenfalls in großem Bogen ausgespart werden, weil ich voraussah, daß die Straßen dort besonders voll sein würden. Die Umgehung der großen Waldgebiete und die Wahl der längeren nördlichen Route erwiesen sich später als richtig. Die Russen erreichten auf direktem Weg Berlin viel früher als das pommerische Küstengebiet.

Da ich befürchtete, daß nicht nur ich als Besitzer von Schlobitten, sondern auch die leitenden Angestellten Herr Prinz und Herr Braun besonders gefährdet waren, hatten wir schon im Oktober vier der besten Ackerpferde und zwei gummibereifte Ackerwagen mit Wäsche, Kleidung und Pelzen zu Herrn von Arnoldi nach Sobbowitz jenseits der Weichsel bringen lassen. Falls wir unvorhergesehen nicht mehr hätten rechtzeitig abrücken können, wollten wir versuchen, uns jeder für sich auf seinem Reitpferd zu retten und nötigenfalls Nogat und Weichsel schwimmend zu durchqueren. Dann hätten wir hinter den großen Flüssen genügend Zeit gehabt, um von Sobbowitz aus weiterzukommen. Außerdem testete ich, wie lange man brauchen würde, um abseits der großen Straßen etwa 45 Kilometer zurückzulegen. An einem regnerischen Novembertag ritt ich auf meinem braunen Wallach »Ollo« fast nur galoppierend die Strecke von Schlobitten nach Prökelwitz in einer Stunde und zwanzig Minuten – so hatte ich einen gewissen Erfahrungswert. »Ollo« ließ ich gleich unter der Obhut von Herrn Prinz in Prökelwitz.

Am 27. und 30. August 1944 wurde Königsberg von britischen Bomberverbänden fast vollständig zerstört. Auch alte Freunde von uns, Oberstudienrat Professor Heincke und seine Frau, verloren ihre gesamte Habe. Während sie zu ihrer verheirateten Tochter nach Dresden reiste, kam er auf meine

Einladung hin nach Schlobitten und blieb mit kurzen Unterbrechungen bis zu den letzten Tagen bei mir. Er war als Idealist bereits 1932 der NSDAP beigetreten. Als ich ihn 1935 auf der Internationalen Briefmarkenausstellung in Königsberg kennenlernte – er war Vorsitzender des dortigen Philatelistenvereins –, hatte er sich jedoch zu einem entschiedenen Gegner Hitlers gewandelt. Jetzt in Schlobitten holte er auf meinen Wunsch sein verhaßtes Parteiabzeichen wieder hervor und trug es ostentativ, wenn er mich begleitete. Auf diese Weise hat er mir große Hilfe erwiesen und mich vor mancher Unannehmlichkeit bewahrt.

Im September 1944 wurde der mir gut bekannte Forstmeister Henrici in der Forst Alt-Christburg von russischen Fallschirmspringern erschossen. Bei seiner Beisetzung legte ich Uniform an, um zu zeigen, daß ich noch der Wehrmacht angehörte. Es kostete einige Überwindung, mit erhobenem Arm grüßen zu müssen, wie es Uniformträgern nach dem 20. Juli von Hitler befohlen worden war. Obwohl der Verstorbene alles andere als ein Nationalsozialist gewesen war, nahmen viele Leute in braunen und schwarzen Uniformen an der Trauerfeier teil; nach dem Attentat maßten sie sich noch mehr die erste Rolle an. Dem Block von Wehrmachtsangehörigen standen sie fast feindselig gegenüber. Es war das letzte Mal in meinem Leben, daß ich Uniform getragen habe.

Marion Gräfin Dönhoff, die während des Krieges das Dönhoffsche Familiengut Quittainen leitete, und ich trafen uns ab und zu an der gemeinsamen Grenze unserer Güter und unterhielten uns, weit abgelegen von jeder menschlichen Behausung und daher sicher vor fremden Ohren. Unsere telephonischen Verabredungen tarnten wir geschickt. Auf Marions Anregung kaufte ich für den Winter 1944/45 keinen Kunstdünger mehr; die beträchtlichen Ausgaben für Dünger hielten wir für überflüssig, weil wir doch nicht mehr ernten würden. Auf diese Weise hatte ich etwas mehr Bargeld für den Treck zur Verfügung.

Im Oktober 1944 fuhr ich nach Marienburg mit der Absicht, den über 70jährigen Leiter der Burg, Oberbaurat Schmid, zu fragen, wie er den Abtransport des wertvollen Inventars und des Archivs vorbereitet habe. Er hielt mich für nicht voll zurechnungsfähig. Niemals würden die Russen bis Marienburg kommen! Mein gutes Zureden stieß auf taube Ohren. Niedergeschlagen stand ich danach an der Gitterbrücke über die Nogat, wenige Schritte vom Ausgangstor der Burg entfernt, und fragte mich, ob es wohl gelingen würde, in wenigen Wochen mit unserem Treck hier hinüberzufahren, und warum fast niemand das Ende heraufziehen sah.

Mitte November 1944, bei ständigem Zurückweichen der Front, wurde ein Nachschubstab der Luftwaffe unter Leitung des Generalintendanten Dr. Eckert mit einer Anzahl von Verpflegungsoffizieren, Zahlmeistern und Schreibern im Schloß einquartiert. Mit diesem aufgeblasenen und auf seine Generalsabzeichen pochenden Herrn war kein vernünftiges Verhältnis herzustellen, zumal er ständig unter Alkoholeinwirkung stand. Es gelang mir jedoch, das Vertrauen des sympathischen Oberstleutnant Hillenbach aus seinem Stab zu gewinnen, von dem ich täglich den neuesten Stand der militärischen Lage erfuhr. Das war für die Fluchtvorbereitungen und später für den Aufbruch des Trecks von größter Bedeutung.

Die Weihnachtszeit verlief noch einigermaßen ruhig, so daß ich es wagen konnte, mit der ältesten Tochter Ima zu meiner Frau und den anderen vier Kindern über Sylvester nach Bendeleben in Thüringen zu reisen. Ima hatte vom Arbeitsdienst in Ostpreußen einen Kurzurlaub, so waren wir alle noch einmal vor dem sich abzeichnenden Zusammenbruch beieinander.

Die letzten Monate und Wochen in Schlobitten haben sich mir in ihrer merkwürdigen, makabren Stimmung unauslöschlich eingeprägt. Ich kam mir manchmal sehr allein vor. So gut wie niemand konnte und wollte daran glauben, daß wir in Kürze unser ganzes bisheriges Leben aufgeben und alles um uns herum für immer verlassen müßten. Auch ich brauchte Zeit, mich langsam daran zu gewöhnen. Es war doppelt schwierig, weil wir alle unserer geordneten Arbeit nachgingen und alles wie eh und je funktionierte. Dabei fühlte ich die ganze Sinnlosigkeit: Ich ritt durch unsere Wälder – keiner würde in absehbarer Zeit mehr das Holz nach dem Hiebsplan schlagen, keiner die selbst aufgezogenen Bäumchen in die Kulturen pflanzen. Ich stand in den Ställen – niemand würde unsere Rinder, unsere Schafe und Schweine, unsere Pferde weiterzüchten. Die Felder würden nicht abgeerntet werden. Ich sah unser schönes, altes Schloß, in dem die Vorfahren weit mehr als dreihundert Jahre gelebt hatten – bald würde es ein Trümmerhaufen sein!

Anfang Dezember begann für uns eine risikoreiche Zeit, indem alle zur Fluchtvorbereitung notwendigen Hilfskräfte eingeweiht werden mußten. Während des Krieges war es nicht mehr möglich gewesen, alle alten, eisenbereiften Ackerwagen durch moderne, gummibereifte Fuhrwerke zu ersetzen. So mußten erstere »lang gemacht« werden, nur so eigneten sie sich für den Treck: Der Abstand zwischen Vorder- und Hinterrädern wurde durch einen Langbaum vergrößert, die massiven Seitenbretter wurden durch wesentlich leichtere Leitern mit Sprossen ersetzt. Zwischen die Leitersprossen wurde als wärmende Unterlage Stroh gefüllt. Das war ein auffallender, im Winter völlig unüblicher Vorgang. Es bestand jedoch nur so die Möglichkeit, viele Menschen zu transportieren.

Mitte Januar 1945, als man zuweilen schon Kanonendonner hörte, setzte in Schlobitten ein langsam stärker werdender Strom von Flüchtlingen aus dem Nord- und Ostteil der Provinz ein: Fremde, Bekannte und Verwandte, denen man mit Rat und Tat beizustehen suchte. Ernstotto Graf Solms-Laubach, der als Kunsthistoriker – sogenannter »Kunstoffizier« – für den nördlichen Teil der Ostfront eingesetzt war, erschien mit seinem Mitarbeiter Dr. Weihrauch und einem kleinen Stab mit dem Auftrag, die wichtigsten Kunstgegenstände aus Schlobitten zu retten. Er hatte mit seinen Mitarbeitern 1943 das Bernsteinzimmer aus dem Schloß Zarskoje Selo (heute Puschkin) ausgebaut, um es vor der Zerstörung durch den Krieg zu retten. Leider kamen Graf Solms und seine Leute nur mit einem Lastwagen nach Schlobitten, und hier brach dann auch dieser zusammen. Versuche, beim Luftwaffenstab Hilfe zu erhalten, wurden vom Generalintendanten schroff abgelehnt. Als ich durch Oberstleutnant Hillenbach erfuhr, daß zwischen uns und den Russen keine deutsche Front mehr bestand, rief ich meine Mutter in Wundlaken sowie alle erreichbaren Verwandten und Bekannten an, sie möchten sofort aufbrechen.

Um den Treck überhaupt beweglich zu machen galt es, wenigstens einen Teil der zum Volkssturm bestimmten, aber noch nicht eingezogenen Männer freizubekommen. Deswegen suchte ich am 20. Januar den dafür zuständigen Ortsgruppenleiter Gehrmann in Luxethen auf. Es kam zu einer überaus heftigen Auseinandersetzung, in der er nur Herrn Braun und einen Hofmann, nicht aber mich zur Führung des Trecks freigab, angeblich weil ich mit meinen Kriegserfahrungen für den Volkssturm unersetzlich sei. Ich beschloß, unter keinen Umständen der Einberufung zum Volkssturm zu folgen, die Verantwortung für meine Leute und auch mein eigenes Leben schienen mir wichtiger. Ortsgruppenleiter Gehrmann soll sich dann als einer der ersten im Dienstwagen nach dem Westen abgesetzt haben! Inzwischen hatte der Kreisleiter aus Pr. Holland angerufen, man wisse, daß Treckvorbereitungen getroffen würden, wenn das nicht sofort aufhöre, werde man mich am folgenden Tag ins Gefängnis stecken. Zum Glück für mich wurde 24 Stunden später das Treckverbot aufgehoben. Dank unserer Vorbereitungen konnte ein großer Teil des Schlobitter Trecks, im Gegensatz zu anderen, auch einigermaßen schnell abrücken.

Die beiden letzten Tage in Schlobitten waren besonders für mich kompliziert und gefährlich. Wegen der Drohungen der Partei konnte ich keinen Telefonanruf mehr annehmen und mußte mich vor Fremden versteckt halten. Professor Heincke, den alten Haushofmeister Hoffmann, das ganze Schloßpersonal sowie alle Frauen und Kinder unserer nächsten Umgebung bat ich persönlich dringend, sofort per Bahn abzureisen – alle folgten widerspruchslos. Mit der letzten Post sandte ich noch für meine Frau und meine Kinder je ein kleines, aber wertvolles Andenken an Schlobitten, ein Stück Bernstein, einen alten Ring, ein Petschaft oder dergleichen. Das Päckchen ist wie fast alles andere verlorengegangen. Bezeichnend für die Situation war es, daß sowohl unsere langjährige Kastellanin Fräulein Zander als auch die ebenso pflichtgetreue Köchin Fräulein Trentowski mir völlig unnötig noch sämtliche Schlüssel der ihnen unterstehenden Kammern, Keller, Schränke und Kästen fein säuberlich ablieferten, ohne im geringsten daran zu denken, daß 24 Stunden später alles geplündert und zerschlagen sein würde. Die gerade zu Besuch weilende Frau des jüngsten Bruders von Dr. Boriß erschien in höchster Aufregung bei mir und schrie mich an, wenn den Männern das Herz in die Hose falle und sie fliehen wollten, dann müßten wenigstens die Frauen den Mut haben, dem »Führer« die Treue zu halten. Ich entgegnete ihr, sie könne tun, was sie wolle, die anderen würden das, was ich für richtig hielte, ausführen. Wieder konnte ich überrascht feststellen, welche Autorität ich besaß; niemand ließ sich von ihr beschwatzen, so daß sie allein nach Elbing fuhr und dort von den Russen überrollt wurde. Ein junges Lehrmädchen auf dem Rentamt, Tochter eines Bauern, schickte ich nach Herrndorf; sie solle ihren Eltern in meinem Auftrag raten, möglichst bald zu fliehen. Nach wenigen Stunden kam sie heulend zurück, ihr Vater habe es befohlen. Wie sie dazu käme, während der Dienstzeit ihre Arbeit zu verlassen!

Die allgemeine Lage spitzte sich immer mehr zu. Ich konnte noch ein Telegramm an meine Frau aufgeben: »Habe alles verlassen. Trecke westwärts mit allen Leuten!« Als es nur noch Stunden bis zur Einberufung zum Volkssturm dauern konnte, brach ich mit dem treuen Franzosenkutscher Jean Lebastard, einem gut deutsch sprechenden Kriegsgefangenen, auf unserem kleinen Jagdwagen mit Gummirädern und zwei Pferden am 20. Januar 1945 gegen 10 Uhr abends von Schlobitten auf. Ich sagte, ich führe nach Prökelwitz, um dort den Treck in Gang zu setzen. In Wirklichkeit begab ich mich zunächst zu Herrn Braun aufs Vorwerk Schlobitten. Dort besprachen wir noch einmal genau die Reiseroute des Trecks. Sehr wichtig war es, vor Elbing auf die Autobahn zu gelangen, um nicht in die vermutlich überfüllte Stadt zu geraten, was leider nicht von allen Fahrern befolgt wurde, die dann hoffnungslos steckenblieben. Treffpunkt blieb Sobbowitz bei Herrn von Arnoldi, jenseits der Weichsel. Der Aufbruch sollte am nächsten Tag erfolgen – eine schwierige Aufgabe bei sechs verschiedenen Ortschaften, die zu Schlobitten gehörten: Schlobitten Dorf und Vorwerk, Muttersegen, Schönfeld, Guhren, Davids und Stoepen. Nachdem ich noch zwei Stunden auf Herrn Brauns Bett geschlafen hatte, fuhr ich um 3.00 Uhr früh los nach Prökelwitz, um 6.00 Uhr war ich dort. Es war eine unvergeßliche Fahrt – sternklarer Himmel, klirrender Frost, die Landschaft dünn mit Schnee überpudert. Im Gewehrkasten lagen mein Drilling und meine beiden Zwillingsflinten, die der Zar kurz vor dem Ersten Weltkrieg dem Grafen Pahlen geschenkt hatte. Sie mochten schon einiges erlebt haben, denn ein Schaft war, als ich sie 1924 kaufte, abgebrochen. Offen neben mir lag meine geladene Fernrohrbüchse, für den Fall, daß uns russische Fallschirmspringer begegnen sollten. Es war totenstill, kein Licht brannte in den Dörfern. Noch ahnte hier niemand, daß sich diese Ruhe wenige Stunden später in einen Hexenkessel verwandeln würde.

Bei meinen Aufzeichnungen über den Treck selbst habe ich mich teilweise an eine Niederschrift von Frau Prinz, der Frau des Administrators der Prökelwitzer Landwirtschaft, gehalten, die sie unmittelbar nach dem Treck anhand von Notizen verfaßt hat. Auch ich habe mir kurze Aufzeichnungen gemacht, dennoch ist es für mich nicht einfach, nach vier Jahrzehnten die Schilderung des Trecks niederzuschreiben. Vieles ist verblaßt, zumal die ungeheure Flut der Eindrücke eine nachträgliche Ordnung erschwert. Andererseits weckte die intensive Beschäftigung mit dem Treck Erinnerungen, die seit vielen Jahren verschüttet waren.

Herr Prinz hatte in Prökelwitz in gewohnt umsichtiger Weise schon alles auf die große Fahrt vorbereitet. Der Haupttreck sollte am nächsten Morgen noch in der Dunkelheit aufbrechen. Neben Prökelwitz waren dies die Güter Adamshof, Vatersegen, Königsee und Cöllmen-Glanden. Um nicht

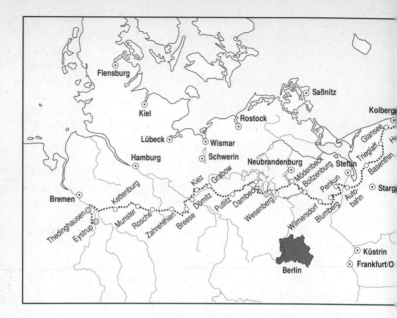

zu sehr zu massieren, war vorgesehen, daß Oberinspektor Matz mit den Vorwerken Storchnest und Pachollen einige Stunden später folgen sollte. Herr Matz ließ sich leider durch die großen Schwierigkeiten der verstopften Straßen und wohl auch durch Einflüsterungen der Partei – es sei alles halb so schlimm – beeinflussen. Er verlor zuviel Zeit, kam nicht mehr rechtzeitig nach Sobbowitz und wurde schließlich mit seinen Leuten in Hinterpommern von den Russen überrollt. Mit Ausnahme von zwei Wagen, die ich wiederfand, habe ich keinen einzigen von all diesen Menschen je wiedergesehen.

In Prökelwitz erreichte uns die erwartete Einberufung aller Männer zum Volkssturm am Abend vor dem Abrücken. Trotz Warnungen selbst von Herrn Prinz, am nächsten Tag würde ich an einem Baum hängen, redete ich den Männern aus, dem

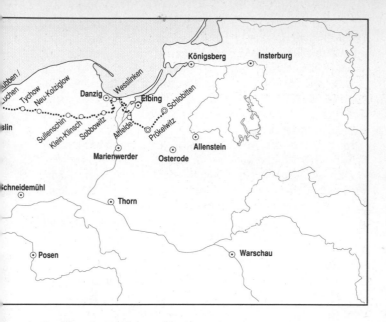

*Der Weg des Trecks vom 22. Januar bis 20. März 1945*

Einberufungsbefehl zu folgen. Ich kannte die »Hoheitsträger«
zu genau und wußte, daß sie schon vor uns ihre eigene Haut in
Sicherheit bringen würden.

Auch hier konnte niemand es fassen, daß unser bisheriges
Leben zu Ende war. Ich hatte einige meiner besten Jagdtrophäen aus Schlobitten mitgebracht und wollte die drei stärksten Rehkronen, die mein Vater erlegt hatte, aus dem Prökelwitzer Schloß mitnehmen und in der Wohnung der Familie
Prinz einwickeln. Als ich zwei Gardinen vom Fenster herunterriß, war Frau Prinz völlig fassungslos über diesen Vandalismus. Dann erst fiel ihr ein, daß sie ihr Heim nie wieder betreten würde. Mir wurde die undankbare Aufgabe zuteil, die
Hunde zu erschießen. Herr Prinz wollte das begreiflicherweise
nicht selbst tun, und sie mitzunehmen war sinnlos. Schwer

lastete auf uns – zumal auf den zuständigen Pferdewärtern, Oberschweizern, Schaf- und Schweinemeistern – das Schicksal unserer Tierbestände. Es wurde angeordnet, alle angebundenen Kühe loszubinden, die Boxen der Fohlen, Schweine und Schafe zu öffnen und die Stalltüren aufzumachen. So konnten die Tiere wenigstens ins Freie; der Erfrierungstod war besser, als angekettet und eingeschlossen zu verhungern oder zu verdursten.

Im Schmerz des Abschieds hatte ich einen Moment der Schwäche. Mich überkam der Gedanke – in Anbetracht meiner schweizerischen Staatsangehörigkeit – zu bleiben und die Schweizer Fahne auf dem Schloß aufzuziehen. Gottlob siegte mein realistisches Denken.

Wie schon in Schlobitten mit Herrn Braun besprach ich mit Herrn Prinz, daß der Treck möglichst schnell die Brücken über Nogat und Weichsel vor der Sprengung überqueren müsse. Die Wagen sollten unbedingt eng hintereinander fahren, damit sich nicht fremde Fuhrwerke dazwischenschieben konnten und dadurch die Übersicht verlorenging. Das jeweilige Tagesziel wurde allen Fahrern bekanntgegeben, so waren eventuell abgekommene Wagen in der Lage, den Treck wiederzufinden.

Am 21. Januar 1945 um 14.00 Uhr kam endlich die Treckerlaubnis, am 22. Januar um 5.00 Uhr früh rückten wir bei etwa 10 Grad Kälte ab. Während ich Herrn Prinz mein Reitpferd Ollo überließ, setzte ich mich in den Jagdwagen, mit dem Franzosen Jean als Kutscher, und eilte in Christburg dem Treck voraus, zum einen, um die bereits abgerückten Schlobitter Leute unterwegs zu suchen und zur Eile anzutreiben, zum anderen, um in dem großen Dorf Altfelde ein Schreiben zu beschaffen, das mich ermächtigte, die beiden Trecks nach dem Westen zu führen. Im Gegensatz zu den vielen schwerfälligen Wagen hätten wir mit meinen beiden schnellen Pferden vor dem leichten Jagdwagen notfalls auch auf Nebenwegen die beiden großen Flüsse passieren können.

Nach langem Suchen fand ich in Altfelde den stellvertretenden Ortsgruppenleiter, einen unsicher wirkenden, älteren

Großbauern namens Wiens, bei dem ich zwar etwas zu essen bekam, der sich jedoch nicht für befugt hielt, mein Anliegen zu erfüllen. Seine nette Tochter, sie mochte Anfang zwanzig sein, hatte hingegen volles Verständnis für mich. Da sie dem Vater nicht nur den Haushalt führte, sondern gleichzeitig seine Sekretärin war, konnte ich ihr, während der Vater auf dem Hof war, zwei entsprechende Bescheinigungen in die Schreibmaschine diktieren. Wir verabredeten, daß sie diese in einem geeigneten Moment dem Vater zur Unterschrift vorlegen würde. Gegen 6 Uhr früh, nachdem ich zwei Flaschen Schnaps geopfert hatte, unterschrieb er, nicht mehr ganz seiner Sinne mächtig. Seine Tochter setzte heimlich das Wichtigste, den Ortsgruppenleiterstempel mit dem Hakenkreuz, dazu.

Ich startete ohne Rücksicht auf meine Müdigkeit sofort, um keine Zeit zu verlieren; Jean und die Pferde hatten sich ausruhen können. Mir war bekannt, daß in Marienburg die Brücke schon gesprengt war. Zum Glück war es bitter kalt, so suchten wir bei aufgehender Sonne einen Weg über die aneinandergefrorenen Schollen der Nogat nordwestlich von Altfelde. Alle Spuren waren verweht, kein Mensch war weit und breit zu sehen, wie durch ein Wunder kamen wir herüber. Durch eine telefonische Rückfrage stellte ich unterwegs fest, daß die Dirschaubrücke über die Weichsel ebenfalls schon zerstört war. Weitere telefonische Gespräche ergaben, daß an der Mündung des Stromes die Fähre noch in Betrieb sei.

Unterwegs, weichselabwärts, traf ich einen Wagon aus Guhren mit der Hofmannsfrau Milpetz und einem Polen als Kutscher, die ich anwies, hinter unserem Kutschwagen herzufahren. Bei einem Bauern in Rotebude telefonierte ich erneut die verschiedenen Brückenwachen an; in der folgenden Nacht sollte eine neue Pontonfähre südlich von Rotebude eingerichtet werden, so daß Treckfuhrwerke damit rechnen konnten, dort übergesetzt zu werden. Die Pferde des Guhrener Gespanns waren so müde, daß ich Frau Milpetz mit der Weisung zurückließ, diesen Tag auszuruhen, um dann hier über die Weichsel zu setzen und direkt nach Sobbowitz zu Herrn von Arnoldi zu fahren. Ich selbst fand es besser, so schnell wie möglich zu unseren Trecks zu eilen. So fuhren wir fast durchweg im Trab flußabwärts bis zur Weichselmündung nach Schievenforst und gelangten rechtzeitig zur Fähre. Der Strom war voller Eisschollen. Die Brückenwachen erzählten, daß Gauleiter Koch – in Zivil – wenige Stunden zuvor mit mehreren Kraftwagen in Richtung Westen durchgekommen sei. Ob das nicht eines der vielen Gerüchte war, konnte ich nicht nachprüfen. Es zeigte aber die Wut der im Stich gelassenen Bevölkerung. Auf dem linken Weichselufer übernachteten wir am 22./23. Januar bei einem netten Bauern. Am nächsten Morgen brachen wir früh auf; fast ohne Pause ging es flußaufwärts zu unserem Treffpunkt Sobbowitz. Leider begannen sich die Anstrengungen der großen Tour bei 20 Grad Kälte für Mensch und Tier bemerkbar zu machen. Die brave Scheckstute »Kosmea« hielt ohne weiteres alle Strapazen aus, während der Schimmel »Luchs«, das Reitpferd von Dr. Boriß, den ich statt des lahmen Schecken »Korridor« hatte anspannen lassen, fast nur noch im Schritt vorwärts zu bewegen war. Der starke Frost zwang meinen guten Fahrer Jean und mich immer wieder, zur Erwärmung neben dem Wagen herzugehen oder auch zu laufen, während die Pferde trabten. Beim Kutschieren wechselten wir uns ab, da uns die Hände trotz der Pelzhandschuhe vor Kälte schmerzten.

Mein mitgeführtes Kartenmaterial begann wichtig zu werden, weil ich die Gegend nicht mehr im einzelnen kannte. Nach einem Umweg von etwa 120 Kilometern gelangten wir ziemlich erschöpft am Nachmittag in Sobbowitz an. Ich habe erst später erfahren, daß sowjetische Panzer bereits am 23. Januar zum Schlobitter Bahnhof vorstießen, einen Tag nachdem wir abgerückt waren.

In Sobbowitz traf ich Herrn Prinz mit dem Prökelwitzer Treck. Es fehlte Oberinspektor Matz, der die beiden Vorwerke Pachollen und Storchnest führte, sowie aus Cöllmen Hofmann Koslowski mit seinen Leuten. Vom Schlobitter Treck war zunächst keine Spur zu sehen. Der 24. wurde aufgrund der bisherigen Erfahrungen damit verbracht, Erleichterungen für Mensch und Tier zu schaffen, das heißt überflüssiges Gepäck

abzuladen. Deswegen hatte ich mit Herrn Prinz, einem Hofmann und einem Arbeiter eine Kommission gebildet, die die
Wagen kontrollierte und unnötige Dinge wie Sofas, Brennholz
und anderen unnützen Kram herunterholte. Da die mitgenommenen Bindetücher – Transportbänder des Mähbin-
ders, die wir zur Überdachung der Wagen benutzten – als Ver-
decke für sämtliche Wagen nicht ausreichten, ging ich in das
Sobbowitzer Sägewerk und kaufte dort dünne Schalbretter. So
konnten Satteldächer auf alle Fuhrwerke genagelt werden, so
daß wir vor Schnee und Regen geschützt waren. Eine wichtige
Rolle spielte das »Scharfmachen« der Pferde; je nach Witterung mußten sie – vor allem in den ersten Wochen – wegen
Schnee und Glatteis ständig Stolleneisen tragen, die immer
wieder geschärft wurden. War jedoch aufgeweichte Erde
beziehungsweise ein vorübergehendes Nachlassen der Frost-
periode in Sicht, mußten die Tiere mit stollenlosen Hufeisen
beschlagen werden. Die wenigen Reit- und Kutschpferde hatten abnehmbare Schraubstollen, das war viel einfacher. Jedenfalls waren unsere Schmiede – nach meiner Erinnerung hatten
wir zwei dieser unersetzbaren Handwerker – ununterbrochen
beschäftigt.

Erst am 25. erschien Oberinspektor Braun mit zehn Wagen
des Schlobitter Trecks – todmüde. Auch er hatte noch die
Brücken über Nogat und Weichsel im allerletzten Moment
passieren können. Herr Braun brachte im wesentlichen einige
Familien aus dem Dorf und die Bewohner des Vorwerks
Schlobitten mit nach Sobbowitz. Außerdem waren das
gewandte Fräulein von Grone, die Inspektorin aus Stoepen,
und Frau Milpetz aus Guhren mit je einem vollbesetzten
Wagen glücklich nachgekommen. Die Leute von den anderen
Vorwerken konnten nicht rechtzeitig losfahren, oder sie hat-
ten auf den überfüllten Straßen den Anschluß verloren.

Herr von Arnoldi hat uns mit Rat und Tat in jeder Weise
geholfen. Unsere Leute waren sehr gut untergebracht worden.
Das Ehepaar Prinz, Herr Braun, Fräulein von Grone, einige
andere und ich wohnten im Gutshaus, wo die Familie Arnoldi
eng zusammengerückt war und die meisten Zimmer uns über-

lassen hatte. Unsere Arbeiterfamilien wurden in den Insthäusern einquartiert. Wir hatten von Herrn von Arnoldi Gutscheine zur Beköstigung erhalten, und alle wurden satt. Die Pferde waren bald wieder in gutem Zustand, die Hufe – soweit nötig – frisch beschlagen, die Geschirre nachgesehen, die Räder geschmiert.

Herr von Arnoldi bat mich, seine Frau nebst seinen drei Töchtern mitzunehmen, denen er einen eigenen Wagen und Pferde sowie Gepäck und Lebensmittel mitgab. Frau Prinz kümmerte sich während des Trecks um sie, so wußte ich sie in guter Obhut. Trotz meines Zuredens wollte Herr von Arnoldi seinen Hof nicht verlassen: Die Russen seien noch weit weg, und die Weichsel liege dazwischen! Wenig später, nach der Besetzung durch die Russen, wurde er erschossen aufgefunden.

Auf unserem großen Treck bestand nur deswegen eine solche Disziplin, weil die seit langer Zeit bestehende Ordnung, das Verhältnis von Vorgesetzten zu Untergebenen, alles in allem unangetastet erhalten geblieben war. Die Administratoren, Herr Prinz für Prökelwitz, Herr Braun in Vertretung von Dr. Boriß für Schlobitten, leiteten »ihren« Treck nach meinen Richtlinien. Die Hofleute – Arbeiter, die bisher die Aufsicht über die einzelnen Vorwerke hatten – mußten jetzt für ihre Leute und deren Familien sorgen, ebenso für ihre Pferde. Ich legte Wert auf die genaue Einhaltung der von mir gegebenen Anweisungen – vor allem für die Unterbringung und Versorgung am jeweils nächsten Tag. Dieses fest eingefahrene Gefüge hielt die vielen Menschen zusammen, dank des Vertrauens aller zu mir.

Den gefährlichsten Teil der Flucht hoffte ich durch die Überquerung der großen Flüsse Nogat und Weichsel überwunden zu haben. Aber vor uns lag die lange, lange Fahrt, bei der es galt, unbeirrt nach Westen zu ziehen und keinesfalls auf die zu hören, die die Wende durch »Hitlers Wunderwaffen« abwarten und längere Zeit ausruhen wollten. Mir war auch ohne Zeitungen und Rundfunk klar, daß es nur noch wenige Wochen dauern konnte, bis auch Westpreußen und Pommern von den Russen besetzt sein würden.

Ich entschloß mich, Herrn Prinz mit dem Prökelwitzer Treck, der am längsten in Sobbowitz gelegen hatte, als ersten auf der genau festgelegten Marschroute loszuschicken. Ich selbst wollte mit den Schlobittern 24 Stunden später folgen, und Herr Braun sollte nach weiteren 24 Stunden die etwa noch ankommenden Schlobitter – es fehlten Schönfeld, Stoepen, Guhren und Davids, aus Prökelwitz Pachollen und Storchnest – nachführen. Um 6 Uhr früh brach Herr Prinz mit den Prökelwitzern auf.

Wir selbst rückten am 27. bei erheblicher Kälte mit 12 Schlobitter Wagen ab. Bei dem Durcheinander verlor ich unseren kleinen Rauhhaardackel »Lumpi«, der bisher stets an meiner Seite geblieben war. Er konnte mich in dem Wirrwarr von Menschen und Fuhrwerken nicht wiederfinden. Im Vergleich zu all dem menschlichen Elend, das wir um uns sahen, war es ein kleiner Verlust – nur ein Hund, aber er fehlte mir sehr.

Es lag Schnee, so daß die Pferde wenigstens nicht auf dem Eis ausrutschten. Nach sehr langem Marsch (55 Kilometer) erreichten wir Klein-Klinsch, ein kleineres Gut, das Frau von Dewitz gehörte. Das Quartier war entsprechend eng. Alles befand sich auch dort schon im Aufbruch. Die Gutsleute sollten mit der Besitzerin einen Tag nach uns abrücken. Überdies wollten zahlreiche Soldaten – schon halb in der Auflösung – dort unterkommen. Es war ein heilloses Durcheinander. Die Kälte setzte uns arg zu, und die ersten wurden krank. Ganz schlecht stand es um die alte Frau Hanke aus Muttersegen, die Mutter des besonders tüchtigen Schäfers. Da sie nicht mehr gehen konnte, trugen wir sie ins Gutshaus und betteten sie im warmen Wohnzimmer in einen Lehnstuhl in der Nähe des Kamins. Am nächsten Morgen sah ich nach ihr; sie saß mit friedlichem Gesichtsausdruck in dem Sessel – tot. Als ich mich später von Frau von Dewitz verabschiedete, klagte sie, wie schlimm es für sie sei, daß Flüchtlinge in ihrem Wohnzimmer eine Tote zurückgelassen hätten, die sie nun noch eilig beerdigen müsse. Ich schwieg. Nachträglich kommt mir das gefühllos, ja eiskalt vor, aber damals dachte ich nur an meine 320 Leute, die ich vor dem jederzeit möglichen Überrollen durch russische Panzer bewahren wollte.

An diesem Tag (28.) wollten wir wieder eine möglichst weite Strecke von etwa 50 Kilometern hinter uns bringen, um Herrn Prinz mit dem Prökelwitzer Treck einzuholen. Alle Orte fanden wir vom Flüchtlingsstrom restlos überfüllt, so daß viel Zeit verlorenging und wir schließlich bei Einbruch der Nacht im verschneiten Wald bei der Oberförsterei Sullenschin nächtigen mußten. Ich sehe noch die lange Reihe der ausgespannten Pferde unter den Nadelbäumen im Windschatten stehen. Decken, um die Tiere vor dem Schneefall zu schützen, hatten wir nicht. Die Leute verkrochen sich in das Stroh ihrer Wagen. Man aß etwas Brot und trank halbgefrorenes Wasser mit Eisstücken darin.

Ich tat fast kein Auge zu. Dies, so wurde mir klar, durfte sich nicht wiederholen, von nun an würden wir nachts trecken. Dann wären morgens die Quartiere leer, weil alle anderen Flüchtlinge sich auf den Straßen befanden. Ich besprach meinen Plan mit Herrn Braun und später auch mit Herrn Prinz, und trotz aller Unbequemlichkeiten haben wir es bis über die Oder hinaus so gehalten. Die Nacht bewahrte uns zudem vor Fliegerangriffen und – was ich erst später erfuhr – vor den »Greifkommandos«, die tagsüber alle deutschen Männer von den Wagen herunterholten – zum Volkssturm.

Als wir die Pferde wieder anspannten, lag handhoch Schnee auf ihren Rücken – vielleicht eine wärmende Schicht. Nach dieser schrecklichen Nacht war Poberow unser nächstes Ziel. Ich eilte voraus (29.), um, wie verabredet, den Prökelwitzer Treck dort zu treffen. Auf der Post in Alt-Kolziglow traf ich Herrn Prinz und fuhr dann weiter, um dem von mir schon telefonisch benachrichtigten Besitzer des Gutes in Poberow, Herrn von Puttkamer, unser Kommen anzukündigen. Er war der Bruder von Frau Klar, die mit dem mir befreundeten Kunsthistoriker Professor Klar in Berlin verheiratet war. Diese Verbindung bewirkte eine besonders freundliche Aufnahme und Unterbringung.

Herr Prinz, der mir auf »Ollo« nachgeritten war, war unter ein rücksichtslos vorbeirasendes Militärauto geraten und hatte sich eine Rippenquetschung zugezogen, während »Ollo« eine tiefe Fleischwunde davontrug. Wir beschlossen, zwei Tage zu bleiben, um auch Herrn Prinz Ruhe zu gönnen. Er erholte sich unter der Pflege seiner Frau und der rührenden Puttkamers rasch, so daß wir ihn in einem der Wagen mitnehmen konnten. Der verletzte »Ollo« wurde einige Tage an der Hand mitgeführt, dann konnte ich ihn wieder reiten.

Ich benutzte den folgenden Tag, um festzustellen, wie wir am günstigsten nach Tychow zu Graf Kleist kämen. Die Wege mußten besonders sorgfältig ausgesucht werden, weil wir nur noch nachts fuhren. Auf dem Rückweg zum Treck verirrte ich mich mit meinem Gefährt und kehrte bei Dunkelheit in einen Gutshof ein, um hier die Nacht zu verbringen und meine beiden Kutschpferde nicht zu sehr anzustrengen. Die Haustür war, wie üblich in diesen Zeiten, unverschlossen, damit jeder hereinkonnte, solange Platz war. Im Wohnzimmer, das brechend voll war, saß am Kamin eine ältere Dame mit ihren drei Töchtern, davon eine hochschwanger, eine andere mit zwei kleinen Söhnen. Die ältere Dame klagte mir ihr Leid, daß ihr Schwiegersohn, durch das Verlassen der Heimat und die Flucht total verstört, nicht mehr in der Lage sei, Entschlüsse zu fassen. Er saß apathisch in einer dunklen Ecke und schien zu schlafen. Sie erzählten, auf dem Nebengut sei ein Herr von Lettow-Vorbeck wegen nicht genehmigten Aufbruchs zur Flucht von der SS erschossen und an einem Baum zur Abschreckung aufgehängt worden. Der Besitzer des Gutes, Herr von Bülow, habe den Toten dort vor zwei Tagen gefunden und wage nun nicht, ohne Einverständnis der Partei abzurücken. Auch die aus Ostpreußen kommenden Damen trauten sich nicht weiterzutrecken, obschon sie bereits drei Tage auf dem Bülowschen Gut seien. Wie sich herausstellte, handelte es sich um die Familie Haedge-Medicus aus Logdau mit ihrer Rendantin Fräulein Peters und dem Schwiegersohn Sasse aus Sablau. Ich unterhielt mich bis tief in die Nacht mit der Mutter und den hübschen, jungen Töchtern; da unser Treck durch die Verluste aus Schlobitten und Prökelwitz viel kleiner geworden war, bot ich ihnen an, sich unserem Treck anzuhängen. So geschah es dann auch. Der Sablau/Logdauer Treck umfaßte etwa 120 Personen, 63 Pferde, 15 Wagen und einen Trecker. Natürlich gab es einige Eifersüchteleien zwischen unseren Leuten und denen aus Masuren. Die »Fürstlichen« sahen etwas herab auf die »polnischen« Arbeiter, die sich in »wasserpolakisch« unterhielten. Ich versuchte das auszugleichen, indem ich den dazukommenden Treck nach Möglichkeit getrennt unterbrachte. Mir war es eine angenehme Abwechslung, endlich einmal wieder mit netten jungen Damen über alles andere, nur nicht über den Treck zu reden und mit der jüngsten einen ablenkenden Flirt anzufangen.

In Tychow überbrachte man uns die Nachricht, daß wir wegen Truppentransporten der Wehrmacht etwa eine Woche nicht weiterziehen könnten. Da ich wußte, daß in diesen Zeiten Befehle nur geringe Gültigkeit hatten, beschloß ich – eingedenk meines Vorsatzes »so schnell wie möglich gen Westen« –, am dritten Tag spät abends abzurücken. Dieses Mal hatte ich mich jedoch geirrt. Wir trafen nach etwa 7 Kilometern auf eine Straßensperre, die von Soldaten besetzt war, und mußten umkehren. Dies war das einzige Mal auf der ganzen Fahrt, daß wir aufgehalten wurden. Nun, es war Glück im Unglück, denn wir waren auf dem großen Besitz des Grafen Kleist und den Nebengütern glänzend untergebracht. Das Organisieren von Verpflegung und Futter war inzwischen einigermaßen koordiniert. Die Männer schlachteten – meist Schweine, in seltenen Fällen Rinder oder Schafe – und verteilten das Fleisch unter Aufsicht der Hofleute. Die jüngeren Frauen beschafften Gemüse, vor allem Kartoffeln oder Wruken (Kohlrüben), die sie aus den oft hoch mit Schnee und hartgefrorener Erde bedeckten Mieten auf den Feldern holten; die älteren Frauen hüteten die Kinder. Die Pferdepfleger und Kutscher – einige davon französische Kriegsgefangene – »besorgten« Hafer und Heu für die Pferde.

In Tychow kam man dazu, die Wagenräder zu schmieren und wiederum kleine Reparaturen, etwa an den Geschirren, auszuführen. Mir oblag es auch, Mut zuzusprechen beziehungsweise zur Flucht anzuspornen, obwohl ich dieses Wort nicht gern benutzte, weil ich »Panikmache« vermeiden wollte. Schier unausrottbar war bei manchem die fixe Idee, die »Wunderwaffen« des Führers würden alles wenden. Je weiter wir nach Westen kamen, desto mehr neigten manche dazu, nicht weiterzutrecken, um auf alle Fälle rechtzeitig zur Frühjahrsbestellung zurückkehren zu können. Der einzige, der mich voll unterstützte, blieb stets Herr Prinz. Die Gutsbesitzer, bei denen wir unterkamen, standen meist im Feld, oder sie waren so sehr mit den eigenen Treckvorbereitungen beschäftigt, daß kaum eingehende Gespräche über die Lage zustande kamen.

Es ist sehr schwer, die Stimmung zu beschreiben, in der man sich befand. Ähnlich wie im Krieg habe ich keinen Augenblick Angst gehabt. Das Gefühl kam überhaupt nicht auf, da es viel zu viele praktische Probleme gab. Nur um unsere älteste Tochter Ima, die im Arbeitsdienst in Ostpreußen eingesetzt war, machte ich mir große Sorgen.

Familie Haedge hatte einen Trecker ohne Anhänger, auf dem ich mitunter mit der Mutter Haedge vorausfuhr, um Straßen und Übernachtungsmöglichkeiten auszumachen; nachdem wir die Oder überquert hatten und wieder »geordnete« Verhältnisse begannen, konnte ich auf diese Weise Lebensmittelkarten besorgen und Extraerlaubnis zum Schlachten beschaffen.

Zur Zeit der Völkerwanderung kann es nicht sehr viel primitiver gewesen sein. Man aß und trank aus ein und derselben Schüssel, die ebenso wie der Löffel von mehreren gemeinsam benutzt wurde. Auch mein kleiner Dolch, der die Gabel ersetzte, machte die Runde. Wir rückten gewöhnlich zwischen Mitternacht und 2 Uhr morgens ab, um gegen Mittag die neuen Quartiere zu beziehen. Dort wurde so bald als möglich gegessen. Dann bereitete man für den nächsten Tag irgendwelche Mahlzeiten vor, wusch sich, so gut es ging, machte Toilette, oft sehr flüchtig und ohne sich zu rasieren. Bei einbrechender Dunkelheit schlief man bis gegen 23 Uhr, dann schnell ein paar belegte Brote und der berüchtigte, aber heiße »Negerschweiß«, der keine einzige Kaffeebohne enthielt. Da man häufig mit vielen anderen in einem Raum schlief, oft mit wildfremden Leuten, kam man auf manche Tricks, um in einer Ecke oder nahe am Ofen, falls er geheizt war, oder unter einem Tisch zu liegen, damit man von denen, die hinaus wollten, möglichst nicht getreten wurde. Auf den großen Gütern, wo mehr Platz war, gelang es manchmal sogar, in einem Bett zu schlafen.

Das Verhalten der Bevölkerung war sehr unterschiedlich. Die »Standesgenossen« auf den Gütern halfen uns ausnahmslos, wo sie irgend konnten, anfänglich oft unter größten Entbehrungen, weil sie selbst kurz vor dem Aufbruch standen. In den Bauerndörfern empfing man uns unterschiedlich; persönlich verhandelte ich meist mit dem Bürgermeister oder Ortsgruppenleiter der Partei beziehungsweise ihren Stellvertretern. Sie hatten bis zur Elbe im allgemeinen keine generelle Flucht der Bevölkerung vorbereitet und überließen das jedem einzelnen, das heißt es geschah in der Regel nichts.

Fast immer mußte man die Trecks in zwei bis drei verschiedenen Orten unterbringen, wobei ich darauf achtete, daß Schlobitten und Prökelwitz zusammen oder zumindest nahe beieinander waren. Natürlich brachten sowohl mein Name als auch die Größe des gut organisierten Trecks oft eine wesentliche Erleichterung, vor allem auch später bei den Verhandlungen mit den Behörden jenseits der Elbe. Ich trug meinen alten mit Schaffell gefütterten Militärpelz – selbstverständlich ohne Schulterstücke – und eine russische Militärpelzmütze, so daß man mich für einen Offizier der Wehrmacht hielt. Auch das machte einen gewissen Eindruck.

Vor allem in der ersten Zeit des Treckens hatten wir viele jammervolle Bilder auf den verschneiten und vereisten Straßen gesehen: Einzelne Flüchtende zu Fuß mit Handkarren oder kleine Bauernwagen mit ein oder zwei Pferden bespannt; dazwischen Militärautos, meist rücksichtslos fahrend, vollbesetzt mit Soldaten, zuweilen auch Zivilisten darunter, und schließlich Trupps von ausgemergelten russischen Kriegsgefangenen, bewacht von Angehörigen der Wehrmacht, die sich müde und kaum noch auf den Beinen haltend in dem großen

Strom nach Westen fortschleppten. Zum Bild gehörten auch Tote und Pferdekadaver an den Straßen, die man aber – bereits abgestumpft – kaum bemerkte. Zuweilen grollte im Hintergrund Kanonendonner.

Am 7. Februar endlich wurde die vom Militär verhängte Trecksperre aufgehoben, und wir brachen noch in der Nacht von Tychow auf. In der folgenden Nacht mußten wir in dem Dorf Schübben und in der Mühle in Zuchen unterziehen, da sich in dieser Gegend leider kein Gut befand. Zu der großen Mühle gehörte ein schloßartiges, verfallenes Haus. Die Besitzerin war erst sehr unfreundlich, wollte uns nicht bei sich einquartieren und die Haustüre wieder schließen. Als aber irgend jemand »Fürst Dohna« sagte, kam sie auf die Straße gelaufen und nahm uns unter überschwenglichen Entschuldigungen auf. Herr Prinz und ich schliefen sogar in einem eigenen Raum. Der Schlaf war kurz. Frost und Regen brachten Glatteis. Wir zogen schon um 2 Uhr nachts weiter, da der Weg zu Herrn von der Marwitz nach Hohenfelde sowie nach Timmenhagen weit war (ca. 35 Kilometer). An beiden Orten wurden wir gastlich aufgenommen, und es gab für alle warmes Essen. Ich schlief im Bett des Sohnes. Aus dem benachbarten Ziegnitz rief Herr von Bonin an, ob ich Tante Lenor Dohna aus Schlodien, geb. Gräfin Eulenburg – die Witwe des Vorbesitzers von Schlodien –, die mit ihrer 21jährigen Tochter Fee dorthin geflüchtet war, mitnehmen könne. Selbstverständlich sagte ich sofort zu.

In ihrer Hilfsbereitschaft und Tatkraft kümmerte sich Tante Lenor zusammen mit Frau Prinz und anderen besonders um die hinfälligen Alten und Kranken – letztere wurden immer zahlreicher – sowie um die Frauen mit kleinen Kindern. Soweit ich mich erinnere, starben neun Kinder, fast alle unter einem Jahr. Da der Boden steinhart gefroren war, wurden die kleinen Leichen in ein Tuch gewickelt und in den Straßengraben gelegt. Tante Lenor war für uns alle von großer Wichtigkeit, weil sie Hilfe und Trost zu spenden vermochte. Sie fuhr in dem sechssitzigen, offenen »Martinique«-Wagen aus Schlobitten, den zeitweise ihre Tochter Fee kutschierte.

Wieder drängte ich auf Eile, weil ich südlich von Stettin auf der Autobahn die Oder überqueren wollte und vor der Brücke große Stauungen befürchtete. Auch begann es zu regnen und zu tauen.

Erneut mußten wir in Bauerndörfern, Glansee und Gützlaffshagen, unterkommen. Danach war der Aufenthalt bei Herrn von Thadden in Trieglaff besonders willkommen. Herr von Thadden – acht Jahre älter als ich – begrüßte mich gleich mit du als einen über die Familie Thüngen-Solms mit ihm verwandten Vetter. Er hatte sich durch seine kompromißlose christliche Haltung bei der Bekennenden Kirche ausgezeichnet. Nur weil sein großer landwirtschaftlicher Betrieb bestellt werden mußte, war er dem Gefängnis entgangen. Er wurde jedoch von einem SS-Kommando bewacht, das auf seinem Hof einquartiert wurde und den Gutsherrn auf Schritt und Tritt umlauerte. Da Trieglaff bald darauf von den Russen besetzt wurde, war ich einer der wenigen, der später auf Thaddens Wunsch eine Bescheinigung über die ihm auferlegte Freiheitsbeschränkung ausstellen konnte. Nach dem Krieg war er erster Präsident des »Evangelischen Kirchentags«. Natürlich wurden wir in Trieglaff besonders gastfreundlich aufgenommen. Viele unserer Leute wohnten mit mir im schloßartigen Herrenhaus. Der Hausherr veranstaltete für uns eine evangelische Andacht im Saal seines Hauses.

An einem Abend fuhr ich mit dem Trecker von Frau Haedge, den vier Damen und anderen nach Greifenberg ins Kino, um einmal etwas anderes zu sehen. An den Film erinnere ich mich nicht, aber auch das dümmste Stück hätte uns in dieser Zeit angenehme Abwechslung geboten.

Nach einem Tag Ruhepause rückten wir um 3.00 Uhr früh ab. Frost hatte eingesetzt, und die Straßen waren spiegelglatt. Vor allem die eisenbereiften Wagen drohten von der Straße abzukommen, und so warteten wir, bis das Eis gegen morgen taute. Verspätet, erst am Nachmittag, kamen wir bei Frau von Flemming in Basenthin an. Die Unterbringung erwies sich als überaus eng, weil schon andere Flüchtlinge vor uns eingetroffen waren. Die Menschen mußten in Ställen unterkommen.

Glücklicherweise hatten wir schon in Trieglaff im Hinblick auf den Oderübergang zusätzlichen Proviant für Mensch und Tier auf Vorrat mitgenommen, wovon wir jetzt zehren konnten.

Am folgenden Tag sollte schon um 12.00 Uhr mittags aufgebrochen werden, damit wir die Autobahnbrücke über die Oder wegen möglicher Tieffliegerangriffe bei Dunkelheit überqueren konnten. Wir bereiteten uns gut vor für die wohl schwierigsten 24 Stunden, die uns jetzt bevorstanden. Die Straßen waren sehr voll, und es gab immer wieder Stops. Außer den Flüchtlingen strömte sehr viel Militär in Richtung Oderbrücke. An einer stark abschüssigen Stelle mußten wir wegen der furchtbaren Glätte jeden Wagen einzeln herabführen, damit er nicht seitlich von der Fahrbahn rutschte – schwierig und zeitraubend! Ein schreckliches Durcheinander entstand auf der Autobahn. Mal fuhren wir laut Anweisung des Militärs, das uns überholen wollte, auf der rechten Fahrbahn, dann auf der unbefestigten Mitte, dann wieder auf der linken Seite. Ich lief hierhin und dorthin. Beim Schlobitter Treck erfuhr ich, daß der Hofmann Grünhagen aus Schlobitten von einem vorbeirasenden Militärwagen durch eine herausragende Stange am Kopf schwer verletzt worden war. Herr Braun hatte sehr umsichtig gehandelt und ihn von seinen Angehörigen ins nächste Krankenhaus bringen lassen. Er starb schon auf dem Transport, erst 52 Jahre alt. Grünhagen hatte ich in seiner ruhigen Art besonders geschätzt – ein Bruder von ihm war in Davids in der gleichen Stellung. Die Familie gehörte zu jenen, die sich seit mehr als hundert Jahren in unseren Diensten als Landarbeiter nachweisen ließen. Wo Grünhagen begraben wurde, habe ich niemals erfahren.

Inzwischen war es dunkel geworden, und es setzte abscheuliches Glatteis ein, was das Anfahren zusätzlich erschwerte. Die Pferde rutschten aus und stürzten, die Wagen schleuderten. Kaum waren dann die Fahrzeuge in Bewegung, mußte schon wieder angehalten werden. Erneutes Anziehen der auf dem Eis nicht Fuß fassenden Pferde – es war nicht mitanzusehen! So ging es die ganze Nacht, schließlich stockte alles. Im ersten Morgengrauen nahm ich die drei energischen jungen Damen, Frau Sasse, ihre Schwester Ina Haedge und Fräulein Peters zu Fuß mit nach vorn und versuchte, zusammen mit einem dafür abkommandierten Soldaten über zwei Stunden lang den Verkehr einigermaßen zu ordnen. Ich hatte mir aus einem gegabelten Holzstück eine »Scheinpistole« angefertigt, die, solange kein volles Tageslicht war, bei den Fuhrwerken, die nicht Platz machen wollten, ihre Wirkung tat. Es gehörte auch dazu, daß man kräftig mit Hand anlegte, die Wagenpferde an den Kopf faßte oder das Gefährt hinten anschob. Oft waren mehrere »Verkehrsregler« nötig, um gemeinsam auf diese Weise Bewegung in den festgefahrenen Knäuel zu bringen. Es waren viele Wolyniendeutsche darunter. Als endlich auch die Schlobitter die Brücke passiert hatten, sahen wir neben der Straße zum ersten Mal eine Essenausgabe der NSV (Nationalsozialistische Volkswohlfahrt).

Um, wie gewöhnlich, die Unterbringung vorzubereiten, ritt ich voraus zum nächsten kleineren Gut namens Penkun. Dabei muß ich eingeschlafen sein, jedenfalls fiel ich auf die gepflasterte Straße. Mein dicker Schafspelz und die russische Soldatenmütze schützten mich vor Schaden. »Ollo« war zu müde, um wegzulaufen, und blieb stehen. Wir machten bei Herrn von der Osten Halt. Es war alles überfüllt mit Flüchtlingen, aber wir mußten unbedingt zwei Ruhetage einlegen, weil die Pferde zu ermattet waren. Der verständnisvolle Herr von der Osten überließ uns seine Gemeinschaftsküche, so daß wir für alle gemeinsam kochen konnten. Auch bekamen wir Brot und Aufstrich.

Herr von der Osten empfahl uns, bei seinem Bruder in Blumberg die nächste Rast einzulegen. Es war ein kleineres Gut, so daß ein Teil in Radwitz untergebracht werden mußte. Aufgrund des Tauwetters war alles unglaublich schmutzig, aber wir hatten endlich wieder einmal Platz. Da die Pferde von der Gewalttour über die Oder – fast 24 Stunden vor die Wagen gespannt – noch immer erschöpft waren, mußten wir nochmals länger ausruhen. In den Privatquartieren funktionierten die Wasserleitungen nicht; so putzten wir unsere Zähne mit

Sekt aus dem Weinkeller, den sonst nur die Russen ausgetrunken hätten. In der Ferne hörte man wieder Kanonendonner.

Einer von drei Flüchtlingspfarrern, die hier in der Gegend waren, hielt auf meine Bitte für uns einen Gottesdienst. Es war angebracht, über die Vergänglichkeit des Lebens nachzudenken. Ich bin sicher, daß fast alle von uns darum beteten, bald wieder in unser Ostpreußen zurückkehren zu können. Meine Gedanken waren bei meiner fernen Familie, vor allem bei Ima, unserer ältesten Tochter, von der ich nicht wußte, ob sie Ostpreußen rechtzeitig verlassen hatte.

Am 18. Februar um 2.00 Uhr früh machten wir uns wieder auf und gelangten auf schlechten, aufgetauten Nebenwegen nach Wilmersdorf zu Herrn von Buch. Wenn wir mehrere Ruhetage einlegten, war es für mich kein Problem, vorher in den neuen Ort zu fahren oder zu reiten, um alles genau zu besprechen. Herr von Buch hatte alles tadellos organisiert. Der größte Teil der Leute bezog in der eigens für uns geheizten Kirche Quartier, die anderen kamen in dem geräumten Schafstall und im Gutshof unter. Alle erhielten ein vom Gut gekochtes warmes Essen. Ich schlief mit Herrn Prinz im benachbarten Arnim'schen Gut Suckow, in dem auch der Prökelwitzer Treck untergebracht war. Im Schloß mangelte es an Platz, weil man dort die japanische Botschaft einquartiert hatte.

Wir brachen wieder in der Nacht auf, und zwar nach Boitzenburg zum Vetter meiner Frau, Joachim Graf Arnim, den ich gebeten hatte, uns einige Tage zu beherbergen. Dieser größte Land- und Forstbetrieb, auf dem wir bei unserer langen Reise Station machten, bot am ehesten die Möglichkeit für ein etwas längeres Verweilen. Die Fahrt dorthin, durch den Boitzenburger Wald bei wunderschönem Vorfrühlingswetter ließ einen manches Ungemach der letzten Zeit vergessen und gab Mut für die Zukunft. Der Schlobitter Treck war voraus, ich folgte mit den Prökelwitzer Leuten.

Es versteht sich von selbst, daß ich mit unserem Treck sehr herzlich begrüßt und aufgenommen wurde, obwohl schon alles mit Wehrmacht und Flüchtlingen überbelegt war. Um unsere Leute unterzubringen, hatte der große Wehrmachts-stab einen Teil des Schlosses geräumt; weiterer Platz war durch Übereinanderstellen der Möbel in wenige Zimmer geschaffen worden. Die Räume durften unsere Leute mit frischen Strohschütten belegen, nachdem der große Dreck halbwegs beseitigt worden war, den Bessarabier hier hinterlassen hatten. Nach einigem Ärger mit dem Schlobitter Treck, der großzügig die besten Plätze für sich belegt hatte und nun zusammenrücken mußte, ging alles glatt. Die Verpflegung erfolgte durch die NSV. Owi Arnim, die äußerst hilfsbereite Hausfrau, kochte für die Kleinkinder und Säuglinge – leider starb wieder eines. Tante Lenor besorgte einen Sarg und bemühte sich um ein richtiges Begräbnis auf dem Friedhof durch einen Pfarrer.

Jetzt, unter »geregelteren Verhältnissen«, konnten wir nicht mehr nur auf eigene Faust unsere Fahrwege und Unterkunftsplätze aussuchen, es gab »Treckleitstellen«. Ich bestand darauf, in die Gegend von Verden an der Aller zu kommen. Dort war die Zucht des Hannoverschen Pferdes verbreitet, und ich glaubte, daß wir dort unsere ostpreußischen Zuchtstuten unterbringen könnten, was sich dann auch als richtig erwies. Leider durften wir auf Anweisung des Ortsgruppenleiters nicht länger in Boitzenburg bleiben; weil andere Trecks nachrückten, wurde beschleunigte Weiterfahrt nach Dannenberg angeordnet, wo wir die Elbe überschreiten sollten. Dankbar verabschiedete ich mich von den Gastgebern Joachim und Owi, die soviel für uns getan hatten. Niemand ahnte, daß wir uns zwei Monate später als mittellose Flüchtlinge in Thedinghausen bei Bremen wiedersehen sollten.

Der Aufbruch erfolgte am 21. Februar, wie üblich um 2.00 Uhr früh, nach Möllenbeck, einem größeren Gut mit besonders fruchtbarem Boden. Es war ein parteieigener Betrieb, die oberste Verwaltung saß angeblich auf dem Obersalzberg. Als sie »Fürst Dohna mit seinem großen Treck« hörten – hier wirkte mein Name nach dem Attentat vom 20. Juli 1944 besonders negativ –, wurden sie sehr unfreundlich. Sie öffneten nur den Dienstboteneingang des Gutshauses und wiesen uns in einige recht unsaubere Räume mit einer Küche ein; ansonsten kümmerten sie sich überhaupt nicht um uns, selbst Milch für die Kinder erhielten wir nicht. Gewisse Örtlichkeiten im Gutshaus wurden abgeschlossen, wir könnten zur Latrine auf dem Hof gehen! Einige unserer Leute mußten im Schweinestall im Kartoffeldämpfer Suppe aus den für die Schweine bestimmten Kartoffeln kochen. Schließlich bereiteten uns auf Befehl der SS polnische Zwangsarbeiter eine undefinierbare, schmutzig aussehende Brühe, von der ich mit Herrn Prinz zusammen aus einer Blechbüchse aß. Frau Prinz verzichtete schaudernd, aber wir beide hatten zu großen Hunger. Anschließend zog ich eine aus Schlobitten mitgenommene Flasche Südwein »Syracusa Stradella 1842« und ein Schnapsglas aus der Tasche, damit wir miteinander durch einen kräftigen Schluck die zweifelhafte Flüssigkeit neutralisierten. Solche Einlagen waren oft Anlaß zu befreiender Heiterkeit. Bei Herrn Braun, der ein starker Raucher war, gab es für mich gelegentlich eine Zigarette – ich rauchte allerdings kaum –, bei Haedges waren es Wurst- und Schinkenbrote sowie Geräuchertes, mit dem sie sich reichlich versorgt hatten. Abends wollte eine Tochter von Herrn von Arnoldi Decken von einem Wagen holen. Auf dem Rückweg irrte sie sich in der Tür des Hauses und gelangte in einen Raum, in dem die SS mit Damen üppig zu Abend dinierte. Das war ihnen so peinlich, daß sie sofort einen ganzen Wagen mit Schlaraffia-Matratzen anfahren und an uns verteilen ließen – plötzlich war alles da!

In der Nacht des 22. Februar kehrten wir diesem unerfreulichen Ort den Rücken. Ich hatte, weil keine Güter in der Nähe waren, in den Städtchen Mirow und Wesenberg mit den zuständigen Stellen alles vorbereitet. Unterwegs begegnete ich zwei Wagen mit Leuten aus Storchnest (Prökelwitz). Sie erzählten, daß sie nicht rechtzeitig aufgebrochen seien und uns daher in Sobbowitz nicht mehr erreicht hätten. Der Hofmann von Cöllmen war obendrein in Schlawe zum Volkssturm eingezogen worden, dadurch war der Treck ohne Führung und zersprengt; lediglich diese zwei Wagen stießen jetzt zu uns.

In Mirow verließ uns Fräulein Schmidt, die Prökelwitzer Forstrendantin und Tochter des Wildmeisters Schmidt, um zu Verwandten zu gehen, bei denen sie ganz zu bleiben hoffte. Auch Krankenschwester Else Langenbeck, eine Schwester von Frau Prinz, die von der Verwaltung in Prökelwitz zur Betreuung der Kranken angestellt worden war, trennte sich hier von uns. Es war traurig; wußte man doch nie, ob es ein Abschied fürs Leben war. Wir behielten Kontakt zu beiden.

Vom 23. bis 24. Februar blieben wir bei Landrat a. D. von Bredow und seiner Frau auf deren Gut Dambeck. Hier standen unsere überanstrengten Pferde besonders zweckmäßig in den Ställen mit Krippen und wurden gut versorgt. Es waren schon andere Flüchtlinge da, aber wir kamen doch bequem auf Sofas und Matratzen im Gutshaus sowie in anderen Wohngebäuden unter. Es gab eine dicke Erbsensuppe und für Familie Prinz, Herrn Braun und mich etwas ganz Besonderes – Gänsebraten. In solchen Notzeiten mit Hunger und Durst wird man sehr materiell, und die Gaumenfreuden spielen eine viel größere Rolle als sonst. Herr von Bredow wollte, wie auch schon andere vor ihm, Herrn Prinz nach dem Krieg als Verwalter seines Gutes anstellen, weil er von dem disziplinierten Treck sehr beeindruckt war. Man hielt es für ausgeschlossen, daß diese Gegend je von den Russen besetzt würde. Aber wir drängten weiter, vor allem über die Elbe.

Die kleine Stadt Putlitz erreichten wir am 24. bei strömendem Regen. Am Rande des Ortes lag Philippshof, das Gut des Herrn von Putlitz, wo der Schlobitter und der Prökelwitzer Treck einquartiert wurden. Hier hatten wir endlich einmal Zeit, Wäsche zu waschen. Das war übrigens auch ein Problem, das manchmal schwer zu lösen war. Bei längerem Aufenthalt wurde von einigen Frauen die Wäsche in großen Bottichen von Hand gewaschen und mußte dann oft noch feucht mitgenommen werden. In Putlitz trennte sich die erkrankte Tante Lenor mit ihrer Tochter Fee von uns. Beide hatten uns, praktisch und fürsorglich wie sie waren, außerordentlich geholfen.

Drei Tage später traf der Schlobitter Treck bei Herrn Stubbendorf in Zernikow ein. Die Prökelwitzer kamen in Stavenow bei Herrn Dr. Kees, Frau Haedge-Medicus mit ihren Leuten bei Gräfin von Wilamowitz in Gadow unter. Ich ritt am nächsten Tag zu den verschiedenen Trecks und fand alle zufrieden mit ihrer Unterbringung.

Am 1. März vormittags rückten die Trecks ab. Miserables Wetter mit Regen und Sturm begleitete uns. In den Dörfern Kietz und Unbesandten sowie auf dem Gut des Grafen Bernstorff in Wehningen fanden wir unsere letzten Quartiere vor der Elbe. Da der Fluß über die Ufer getreten war, mußten unsere niedrig gebauten Wagen zeitweise auf den Deichen fahren. Das hielt uns naturgemäß auf, aber die Tagesstrecke war nicht so weit.

Am folgenden Morgen – es wurde nun schon viel früher hell – fuhren wir los. Die Trecks passierten die Elbe bei Dömitz ohne allzu große Probleme, vor allem gab es keine Militärfahrzeuge und keine feindlichen Flieger. Der Sturm, dem man auf der Brücke widerstandslos ausgesetzt war, beschädigte zahlreiche Bedachungen an unseren Wagen, die wir mühsam wieder flicken mußten. In Dannenberg erhielten wir von der Treckstelle die Anweisung, nach Jameln zu fahren, dort sei Platz. Das Dorf war jedoch viel zu klein, und wir mußten nach Breese im Bruch zu Graf Grote ausweichen. Der Besitzer, mit dem ich auf dem »Fridericianum« in Davos gewesen war, stand im Feld. Seine Tochter, die von der Schule her mit Ima bekannt war, sagte mir, daß meine Tochter rechtzeitig mit der Bahn aus Ostpreußen herausgelangt sei und in einer Munitionsfabrik in der Nähe von Hannover arbeite. Ich war überglücklich.

Man war nun in einer Gegend, wo alles funktionierte. Herr Braun konnte telefonisch Verbindung mit seiner Frau in Berlin aufnehmen; ich war damit einverstanden, daß er, nachdem die Trecks die Elbe passiert hatten, zu ihr fuhr. Nur sollte er zur Auflösung des Trecks, also etwa 14 Tage später, wieder zurück sein. Zuverlässig wie er war, traf er pünktlich in Visselhövede ein.

Die letzten Tage des Trecks hat Frau Prinz besonders plastisch geschildert: »Unser Treck verkleinerte sich hier wieder. Familie Arnoldi nahm Abschied von uns, um in der Nähe von Lüneburg zu bleiben. Das gemeinsame Schicksal hatte uns sehr verbunden, und wir trennten uns traurigen Herzens am Morgen des 4. März. Unsere Fahrt ging weiter durch Heide und Birkenwälder, vorbei an schönen niedersächsischen Bauernhäusern. Mittags bezogen wir neue Quartiere in sechs Ortschaften, alle privat untergebracht, wir angeblich beim reichsten Bauern. Man empfing uns wenig freundlich, bot uns eine ganz kleine Stube mit einem alten Sofa an. Wir mußten selbst kochen, immer von einer alten Oma bewacht. Da sich keine zweite Schlafgelegenheit bot, schlief Hermann auf unserem Treckwagen. Hier zogen wir am nächsten Morgen gern fort. Die nächste Unterkunft fanden wir in einem Gasthaus in Rosche bei sehr freundlichen Leuten, die uns barmherzig Betten zur Verfügung stellten. Unsere Leute schliefen im warmen Gasthaussaal, gekocht wurde von der NSV. Wir hatten für den 6. März Anweisung, Quartier in Wredel zu beziehen, bekamen bei unserer Ankunft ein warmes Essen, behalten wollte man uns Zigeuner aber nicht. Man schickte uns zu einem 6 Kilometer entfernten Lager, das sich dann als ein Munitionslager herausstellte und uns nicht aufnehmen durfte. So mußten wir notgedrungen weitere 11 Kilometer bis Munsterlager trecken, das wir bei völliger Dunkelheit erreichten. Der 52 Kilometer lange Tagesmarsch hatte die Pferde so erschöpft, daß drei langsam nachgeführt werden mußten und trotz tierärztlicher Hilfe am nächsten Tag verendeten. Zu zwölft schliefen wir in einer Baracke – Betten übereinander –, und da das Stroh in den Strohsäcken schon sehr verbraucht war, gab mir der Fürst seine Gummimatratze, auf der ich sehr gut liegen konnte. An diesem Abend verlor ich meinen Humor, der mir die ganze Treckzeit über in so manchen Situationen geholfen hatte. Ich legte mich hin ohne Abendbrot, ruhte wenigstens, denn bei so vielen Menschen in einer Kammer, von denen der eine sägte, der andere schnarchte, war an richtigen Schlaf nicht zu denken. Am anderen Morgen entdeckte ich, daß der Fürst für das Bett zu lang war und seine Beine über das Lager raushingen.

Dieser Anblick half mir, alle Bitterkeit zu überwinden und alles mit Humor zu tragen. Aus diesem Schlafkabinett zauberten wir mittels Decken dann noch einen Waschraum und besorgten bei einem Soldatenkoch warmes Wasser. Auch ein fabelhaftes Mittagessen, Schweinekoteletts, die wir in Rosche eingekauft hatten, durften wir bereiten. Wegen der erschöpften Pferde mußten wir zwei Ruhetage einlegen. Die Soldaten kochten für uns, und für die Jugend gab es sogar Kino. In der zweiten Nacht beobachteten wir einen schweren Fliegerangriff auf Hamburg.

Über Soltau ging die Fahrt am 8. März nach Dorfmark-Westendorf weiter. Anfangs gab es Schwierigkeiten wegen der Unterkunft und der Verpflegung, als dann aber bekannt wurde, daß der Treck einem richtigen Fürsten gehörte, wurde alles möglich gemacht. Da gab's abends spät eine fabelhafte Suppe für alle, die Mütter mit Kleinkindern wurden aus dem Gasthaussaal in einen geheizten Raum eines Sägewerks umquartiert, Helferinnen kamen zur Betreuung, und wir selbst konnten in Betten schlafen.«

Vom 10. bis 19. März rastete der Schlobitter Treck in Kettenburg bei einem älteren Herrn von Kettenburg, der uns äußerst freundlich und gastfrei empfing. Hier war vom Krieg nichts zu spüren, es gab für mich nicht nur ein frisch bezogenes Bett, sondern auch Dusch- und Bademöglichkeit wie im Frieden. Vor allem konnte man erst einmal richtig ausschlafen. Es war das erste Mal, daß ich meine Sachen auspacken und endlich andere Kleider und Schuhe hervorholen konnte. Man sah richtig abgerissen aus. Jutta Grone berichtete mir später, sie habe bei Beginn der Flucht ein paar neue, nagelbeschlagene Militärstiefel ihres Bruders angezogen; am Ende der Flucht waren die Sohlen durchgelaufen – ähnlich erging es uns allen!

Auch hatte man jetzt wieder einen Blick für andere Dinge. Das Haus war recht häßlich mit vielen Plüschmöbeln, dunklen Tapeten und braun gestrichenen Türen; alles war übersät mit unendlich vielen Jagdtrophäen – das WC nicht ausgenommen. Dort hingen die Fehlabschüsse des Hausherrn mit einem Schildchen: »Dieses nennt man Kindermord, drum hängen wir auf dem Abort!« Herr von Kettenburg holte abends Wein hervor; wir saßen zusammen und versuchten, die schlimmen Zeiten zu vergessen.

Diese Ruhetage benutzte ich, um die Auflösung des Schlobitter und Prökelwitzer Trecks vorzubereiten. Die Großfamilien sollten zusammen oder wenigstens nah beieinander wohnen, die Pferde bei ihren Betreuern bleiben. Meine Aufgabe war es, die Genehmigung für die endgültige Unterbringung unserer Leute sowie der Pferde – vor allem unserer wertvollen Zuchtstuten – möglichst geschlossen in einem der Bezirke westlich der Weser zu erhalten und somit auch die Auflösung der beiden Trecks zu erwirken. Nun bildete jedoch die Weser die Grenze zwischen den aus dem Osten und den aus dem Westen kommenden Flüchtlingen. Wie ich feststellte, durften weder die Landräte noch die Kreisleiter der NSDAP in Verden und Hoya diese Anordnung überschreiten. Der Verdener Landrat lehnte überdies weitere Trecks wegen Überfüllung grundsätzlich ab. Der Landrat des Kreises Hoya war bereit, uns aufzunehmen, sofern der Regierungspräsident schriftlich einwilligte. Ich entschloß mich, diesen sofort in Lüneburg aufzusuchen. Da er sich den Parteistellen gegenüber nicht zuständig fühlte, gab er mir ein befürwortendes Schreiben an den Landesbauernführer in Hannover, Baxmann, mit, wohin ich sofort weiterreiste. Die Fahrt war mühevoll. Autos waren eingezogen, der Zugverkehr war stark eingeschränkt. Ich war mehrere Tage unterwegs, übernachtete in Bahnhofsbunkern oder bei hilfsbereiten Leuten. Beim Landesbauernführer, der mich höflich empfing, setzte ich mein Anliegen durch. Von ihm bekam ich die schriftliche Genehmigung, die Trecks in den Kreis Hoya zu führen und sie dort unter Aufsicht der zuständigen Parteistellen und Behörden aufzulösen.

Der Schlobitter und der Prökelwitzer Treck war meines Wissens der größte geschlossene Zug, der nach dem Westen gelangt ist. Zuletzt bestand er noch aus 330 Personen, 140 Pferden und 38 Wagen. Weit mehr als ein Drittel unserer Leute war schon vor der Weichsel von uns abgekommen, nur wenige von ihnen sind später in den Westen gelangt. Wir waren neun

Wochen getreckt und hatten mit zahlreichen Umwegen etwa 1500 Kilometer zurückgelegt. Erst lange Zeit nach dem Treck kam mir zum Bewußtsein, daß dieser lange Leidenszug den Verlust der Heimat und des seit mehr als 400 Jahren mit uns verwachsenen Besitzes bedeutet hatte. Am Ende stand dann die unwiderrufliche Auflösung und die Trennung von unseren Leuten mit ihren Familien. Das war für uns alle – nicht zuletzt für meine Frau, auch wenn sie auf dem Treck nicht dabei gewesen war – tief traurig. Aber daraus erwuchs ein ungewöhnlicher Zusammenhalt, aus dem sich sehr bald regelmäßige Zusammenkünfte ergaben, die in jedem zweiten Jahr bis heute stattfinden. Später stießen auch einige ehemalige französische Kriegsgefangene aus Schlobitten mit ihren Frauen zu uns.

Das auf meinem Trauring eingravierte Stoßgebet »Gott gebe Gnade« hat mich auf diesem gefahrvollen, seelisch und körperlich belastenden Zug durch Deutschland begleitet, und Gottes Gnade ist uns allen zuteil geworden.

# Schloß Schlobitten –
# Das Schicksal seines Inventars

Wenige Wochen nach dem Treck erfuhr ich, daß Schloß Schlobitten abgebrannt sei. Das Haus meiner Väter war das Herzstück meines Lebens und Wirkens gewesen; es blieb auch in meinem zweiten Leben nach dem Krieg im Mittelpunkt aller meiner Gedanken.

Während meines zwölfmonatigen Urlaubs nach der Katastrophe von Stalingrad hatte ich neben den Plänen zur Evakuierung unserer Leute vor allem die Rettung des wertvollsten Kunstinventars vorbereitet. Es fiel mir schwer, die von den Vorfahren geschaffene und von mir weitgehend wiederhergestellte Einrichtung der Königlichen Stuben aufzulösen und damit ein für allemal zu zerstören. Die Demontage begann in der Königlichen Vorstube, deren Wände flämische Verduren bedeckten, auf denen baumbestandene Landschaften zu sehen waren, in denen sich Tiere tummelten. Das Meublement mit gedrehten Holzbeinen und hohen, in tiefrotem Samt bezogenen Rückenlehnen stammte noch aus dem 17. Jahrhundert. Auf dem dazu passenden Tisch lag die gewirkte Elementendecke, mit Tulpen, Nelken, Maiglöckchen und anderen Streublumen auf dunkelblauem Grund; an den Seiten waren die vier Elemente Feuer, Wasser, Luft und Erde dargestellt. Die Königliche Mittelstube war der schönste Raum des Schlosses. Die unglaublich gut erhaltenen Berliner Wirkteppiche schimmerten in bunten Farben, vor allem in rot. Entlang den Wänden reihten sich weiß-gold bemalte Tabourets mit dunkelgrünem Seidenbezug, dazwischen Lacktische und große chinesische Lackkästen auf reichvergoldeten Untergestellen. Die englische Standuhr war in rotem Lack mit Chinoiserien in Gold bemalt. Es gab verschiedene Arten von Guéridons; die einen hatten die Gestalt von naturalistisch bemalten Putten, andere waren mit schwarzem Lack und chinesischen

*Der schönste Raum des Schlosses war die im ersten Jahrzehnt des 18. Jahrhunderts fertiggestellte Königliche Mittelstube, deren Berliner Gobelins den Besuch der durch eine Frauengestalt personifizierten Niederländisch-Ostindischen Kompanie beim Kaiser von China darstellten.*

Emblemen in Gold verziert, auf denen die großen Delfter Vasen besonders gut zur Geltung kamen. In der Mitte des Raumes lag ein prachtvoller indischer Teppich aus der Mitte des 17. Jahrhunderts, von einem Vorfahren in den Türkenkriegen bei der Belagerung von Ofen (Budapest) 1686 erbeutet.

Dann trat man in das Königliche Schlafzimmer, dessen Prunkstück ein riesiges, bis fast zum Plafond hinaufreichendes Himmelbett war. In diesem kunstvoll gestalteten Bett hatten alle preußischen Herrscher seit dem ersten Preußenkönig geschlafen, ebenso übernachteten hier Paul I. von Rußland, Marschall Bernadotte und viele andere. Das Bett war mit schwerem bordeauxrotem Seidendamast überzogen. Der Baldachin und die bis zum Boden reichenden Vorhänge bestanden aus demselben Material. Zusammen mit den in gleicher Seide tapezierten Wänden gab das dem Raum einen feierlichen, vornehmen Charakter. Er wurde noch erhöht durch die »verguldte Toilett«, eine aus mehr als zwanzig Teilen bestehende silbervergoldete Toilettengarnitur, 1710 in Berlin angefertigt, die auf den Steinplatten zweier großer französischer Barockkommoden stand. Besonders verliebt war ich in die äußerst elegant geschwungene Barockvitrine, hinter deren Glastüren seltene Delfter Fayencen und chinesische Porzellanfiguren zu sehen waren. Über dem Marmorkamin hing das Porträt Friedrich Wilhelms I. von Preußen als David – eine Replik des Gemäldes im Charlottenburger Schloß im Originalrahmen.

Zuletzt betrat man das »Chinesische Kabinett«. Die Kaminumrandung trug zahlreiche Konsolen, die mit Kanton-Emaille-Vasen und chinesischen Specksteinfiguren des 18. Jahrhunderts bestückt waren. An der Stirnwand des Raumes stand ein großer Lackschrank mit hohen Beinen, außen schwarz, innen rot lackiert, in dem weit über hundert chinesische Vasen, Kännchen und kleine Tassen aufgestellt waren. Zwischen den Fenstern hing eine von den »Dohnaschen Tanten« um 1720 gestickte Chinoiserie. Die vier Gemächer waren ausschließlich mit Stücken aus dem 17. und 18. Jahrhundert eingerichtet. Das wertvollste Stück, eine Tabaksdose Friedrichs des Großen aus Chrysopras, reich mit Brillanten besetzt, wurde nicht ausgestellt, sondern in einem eisernen Schrank aufbewahrt.

Mit der Überlegung, wie man Teile des Schloßinventars in Sicherheit bringen konnte, war die Frage verbunden, wo sich die besten Auslagerungsmöglichkeiten boten. Ich schrieb an Verwandte und Bekannte, vor allem an die Familie Solms nach Lich und Laubach sowie an meine Cousine Solms, die mit dem Fürsten Bentheim in Burgsteinfurt verheiratet war. Zum Glück zerschlug sich letzteres, da fast alle in Bentheim gelagerten Stücke unmittelbar nach Kriegsende entweder demoliert oder gestohlen und ins Ausland verschoben wurden. Das Schloß in Lich war überfüllt. Ich fragte auch bei meinem Vetter Lu Hessen in Wolfsgarten an. Dieser riet dringend ab: »Die letzte Bombenreihe ist 600 Meter von unserem Haus entfernt«, schrieb er mir im April 1944.

*In diesem barocken Himmelbett schliefen alle preußischen Könige in der Zeit von 1701 bis 1918. Als der Autor einmal hier nächtigte, entdeckte er einen englisch geschriebenen Zettel mit der Anweisung für den Zusammenbau des Bettes, wodurch die Familienüberlieferung bestätigt wurde, daß es sich um eine englische Arbeit handelte.*

Mein Vetter Jürg Solms-Laubach erklärte sich bereit, in seinem teilweise noch aus dem Mittelalter stammenden Schloß Kisten mit Schlobitter Kunstgegenständen unterzubringen, obwohl dort schon andere Schätze, etwa Teile des Inventars aus dem Goethe-Haus in Frankfurt, ausgelagert waren. Wegen des Risikos wollte ich nicht alles an einer Stelle lagern; Onkel Niko Dohna, im Ersten Weltkrieg Kommandant der »Möwe«, vermittelte mir einige Adressen in Bayern. Bis auf Hubertus Graf von Bentzel-Sternau aus Prien sagten alle ab. Dieser bot mir eine Unterstellmöglichkeit in der Kapelle des abgelegenen Schlosses Jägersburg bei Forchheim an. Das schien mir jedoch zu riskant. Zuletzt blieb noch Muskau, das Schloß meines Schwagers Hermi in der Oberlausitz, jenseits der Oder. Herr Max Fritz, der mit meiner Schlobitter Sekretärin Frau van der Ley verwandt war und ein Geschäft für Innendekorationen in Bernburg an der Saale führte, erklärte sich im Juni 1944 ebenfalls bereit, einige Schlobitter Inventarstücke in leerstehenden Geschäftsräumen unterzubringen. Das leuchtete mir ein, und am 18. Juli 1944 schickte ich einen Möbelwagen per Bahn nach Bernburg. Außer zahlreichen privaten Akten und Schlobitter Archivalien sowie seltenen Büchern – meist über Ostpreußen – enthielt die Sendung Gemälde, Grafik, Silber, Lackarbeiten, Glas und Möbel, darunter auch Mobiliar aus der Berliner Wohnung des Freiherrn vom Stein, einen Koffer mit Silber des 17. und 18. Jahrhunderts aus Schlodien sowie das Berliner Porzellanservice für 48 Personen, das König Friedrich Wilhelm II. nach Schlobitten geschenkt hatte. Insgesamt waren nach Bernburg 472 Gegenstände ausgelagert worden, wobei das große Porzellanservice als eine Nummer geführt wurde.

Schon 1942 hatte ich ein Schließfach bei der Deutschen Bank in Berlin gemietet. Dorthin kamen 15 der schönsten Miniaturen und das kleine Stammbuch meines Vaters. Dieses von ihm besonders geliebte Stück enthielt Unterschriften seiner Freunde; in der Heraldik bekannte Künstler hatten die Wappen darübergemalt. Bei der Eroberung von Berlin brachen die Russen die Bankfächer auf; seither sind auch diese Kleinodien verschollen.

*Eine der berühmten Tabatieren Friedrichs des Großen schenkte sein
Neffe, Friedrich Wilhelm II., dem Vorfahren des Autors bei einem Besuch
in Schlobitten, wo eine für den König gedichtete und komponierte Oper
aufgeführt wurde.*

Eine Auslagerung nach Berlin schien mir besonders sicher,
weil dort, wie ich glaubte, die Alliierten bei Kriegsende zusam-
mentreffen würden und der Schutz des Privateigentums
gewährleistet sei. Plünderungen und Brandschatzungen schienen mir in der Hauptstadt ausgeschlossen. Einige Sachen aus
Schlobitten befanden sich bereits zur Restaurierung dort, so
das wertvolle Bild »Maria mit Christuskind und zwei Heiligen« aus dem Umkreis des Vincenzo Catena bei dem Restau-
rator Uhlworm in Berlin-Wannsee und ein Wirkteppich aus
der Königlichen Vorstube bei Fräulein Rieß, der Textilrestau-
ratorin im Schloßmuseum.

Nach eingehender Beratung mit Professor Klar gingen die
Berliner Wirkteppiche, entschieden die schönsten und wert-
vollsten Textilien aus Schlobitten, im Sommer 1944 an das
Schloßmuseum in Berlin. Sie wurden zusammen mit anderen

Stücken aus dem Kunstgewerbemuseum in dem als besonders sicher geltenden Flakturm am Friedrichshain untergebracht. Beim Einmarsch der Russen ist der Flakturm aufgebrochen worden, und alles verbrannte. In den Kellern des Berliner Schlosses wurden 35 sogenannte »Iserlohner Schnupftabaksdosen« aus Messing und Kupfer gelagert, die ich zwischen 1925 und 1939 gesammelt hatte und auf denen die Schlachten Friedrichs des Großen dargestellt waren.

Nach Kriegsende fand Professor Klar als einziges Stück den zur Restaurierung gegebenen Wirkteppich – bis zur Unkenntlichkeit verschmutzt und erheblich beschädigt. Die Russen sollen ihn zusammengerollt als Stütze unter ein dreibeiniges Bettgestell gelegt und später als Fußbodenbelag verwendet haben. Wochenlang sind sie mit ihren Nagelstiefeln darübergetrampelt – zum Glück nur an einer Seite.

Im Januar 1946 entschloß ich mich, unter falschem Namen nach Berlin zu fahren, um diesen Gobelin abzuholen. Ich wollte alles Gerettete möglichst schnell nach dem Westen bringen. Um nicht aufzufallen, zog ich mir die abgerissensten Stücke meiner ohnehin ramponierten Garderobe an. Der Amtsvorsteher in Thedinghausen – Herr Scholvin – hatte mir einen Ausweis auf den Namen »Artur Danoh« ausgestellt. Das Wiedersehen mit dem so geliebten und nun so entstellten Berlin ist nicht in Worte zu fassen. Aus der einst von pulsierendem Leben durchfluteten Stadt war ein riesiges Skelett geworden, in dem Menschen vegetierten. Von meinen vielen Berliner Freunden lebten hier nur noch Professor Klar und seine Frau. Er war von den Russen als Leiter des ehemaligen Schloßmuseums angestellt worden und hatte damit begonnen, die von ihm in der Umgebung ausgelagerten Möbel des Museums, die meist in Schlössern untergebracht waren, ins Kurfürstliche Schloß Köpenick zu bringen und dort herrichten zu lassen. Ich hielt mich nur zwei Tage in Berlin auf; einmal geriet ich, ohne es zu wollen, in den russischen Sektor – plötzlich russischen Soldaten auf der Straße zu begegnen, war mir nicht ganz geheuer. Mit dem in einen Sack eingenähten Wirkteppich auf dem Rücken fuhr ich nach Thedinghausen zurück.

Da es sich abzeichnete, daß die Grenze zu der russischen Besatzungszone immer schwieriger zu passieren sein würde, beschloß ich, so schnell wie möglich auch die in Bernburg/ Saale ausgelagerten Inventarstücke nach Thedinghausen zu holen. Für mich wäre diese Reise viel zu gefährlich gewesen, deshalb bat ich Eva Rieß, eine resolute Dame um die fünfzig, diesen schwierigen und unangenehmen Auftrag auszuführen. Daraufhin mietete ich in Berlin einen Lastwagen; der Fahrer startete am 13. 4. 1947 mit Fräulein Rieß nach Bernburg. Ich wartete auf einem Bahnhof in Berlin neben dem von mir gemieteten Güterwagen mit den Transportpapieren in der Tasche. Als sich bis zum Abend niemand meldete, war mir klar, daß das Unternehmen gescheitert sein mußte. Am übernächsten Tag rief Fräulein Rieß an und teilte mir mit, der Lastwagen habe in Bernburg nicht auf den Hof von Herrn Fritz fahren können, so daß alles auf der Straße habe eingeladen werden müssen. Mißgünstige Nachbarn hätten wahrscheinlich die Polizei alarmiert. In dem Augenblick, als man abfahren wollte, sei sie erschienen und habe die Ladung des LKW beschlagnahmt. Es sei zu Auseinandersetzungen zwischen den Uniformierten und Herrn Fritz gekommen, und in diesem Moment habe sie, Fräulein Rieß, sich unauffällig abgesetzt. Ihre Rückreise nach Berlin dauerte zwei Tage per Anhalter. Den Fahrer des Lastwagens hat man nach einem scharfen Verhör entlassen.

1953 erfuhr ich von Frau Fritz, daß ein Teil der Möbel in der SED-Schule in Bernburg-Ilberstedt, ein weiterer Teil im Museum zu Bernburg und die Kisten im Rathaus untergestellt worden seien. Später erzählte mir Professor Klar, daß das in Bernburg ausgelagerte 172teilige Berliner Service und ein lebensgroßes Ölbild Friedrichs des Großen im Rokokorahmen in das ehemalige Zeughaus gebracht worden seien, das Museum für Deutsche Geschichte im Ostteil der Stadt. Etwa 1980 sah ich dort eine Terrine und einen Teller; außerdem sandte mir ein Bekannter Fotos von den Kohlblatt-Tellern, einem Deckel in Kohlblatt-Gestaltung sowie zwei Gefäßen mit naturalistischen Spargelbündeln, die 1978 in einem Schaukasten vor dem Zeughaus ausgestellt waren.

Ich habe auf verschiedenen Wegen versucht, das in Bernburg ausgelagerte Schlobitter Inventar offiziell in den Westen zu bringen, jedoch vergeblich. Das Museum Schloß Bernburg war jahrelang wegen Bauarbeiten geschlossen, und erst im Juli 1980 konnte ich es besuchen. Ich entdeckte sofort zwei Stühle mit altem Samtbezug, einen Barockschrank mit Spiegelscheiben und zwei defekte Barockkommoden aus Schlobitten. Da der Leiter des Museums, Herr Ottmar Träger, im Urlaub war, fuhr ich ein Jahr später erneut nach Bernburg. Herr Träger, bei dem ich mich angemeldet hatte, empfing mich sehr zurückhaltend und erklärte sofort, mir nur die ausgestellten Stücke zeigen zu dürfen. Falls ich etwas erwerben wolle, ginge das nur durch Eingabe an das Ministerium für Kultur in Berlin. Auf Zureden zeigte er mir zwei Tagebücher meines Vaters und führte mich auch in die Büroräume. Ich erkannte hier eine chinesische Vase mit Deckel, die, wie ich Herrn Träger zeigte, die Schlobitter Inventarnummer trug. Herr Träger erzählte mir, daß noch einige Schlobitter Stücke im Keller deponiert seien, vor allem Ölbilder. Zu näheren Angaben war er nicht zu bewegen.

Ich wandte mich an die Ständige Vertretung der Bundesrepublik Deutschland in Ost-Berlin, die mir empfahl, den Ost-Berliner Rechtsanwalt Dr. Gentz mit der Abwicklung der Angelegenheit zu betrauen. Dr. Gentz erwies sich als umgänglicher Mann. Offenbar war er ein Spezialist für die Wiederbeschaffung von Wertsachen, die vor 1945 auf dem Gebiet der späteren DDR ausgelagert worden waren, denn er besaß eine offizielle Erlaubnis der Kulturgutschutzkommission des Ministeriums für Kultur, an Ort und Stelle Nachforschungen anstellen zu dürfen. Er erzählte mir von einer Dame, die vor ihrer Flucht in den Westen 1945 Schmuckstücke in ihr Haus eingemauert hatte. Nach vierzig Jahren fand sich alles noch unversehrt in der Wand. Die Besitzerin erhielt die Hälfte der Schmuckstücke zurück, die andere Hälfte fiel an den Staat.

Dr. Gentz verlangte für seine Bemühungen DM 1.000,– sowie 10 Prozent des Kaufpreises. Dies erschien mir angemessen. Mein Antrag wurde geprüft, und am 18. November 1982 wurde mir von der offiziellen Verkaufsstelle der DDR, der Kunst und Antiquitäten GmbH Berlin, ein Angebot über den Ankauf von drei Dohnaschen Porträts, Christoph (1583-1637), Ludwig (1776-1814) und Fabian (1781-1855), nebst 14 Tagebüchern meiner Eltern unterbreitet. Nach einer Besichtigung der Gegenstände einigte man sich auf die Hälfte des zunächst geforderten Preises. Am 5. September 1983 konnte ich die drei Bilder und die Tagebücher im Freilager St. Gallen abholen.

Im Frühjahr 1987 wurde ich von Dr. Gentz auf den »Bernsteinzimmer-Report« von Paul Enke aufmerksam gemacht, in dem in abfälliger Weise über mich hergezogen und unter anderem behauptet wird, Schlobitten sei ein Umschlagplatz für geraubtes Kunstgut gewesen – ein grotesker Unsinn. Ich fuhr mit meinem Sohn Ludwig nach Ost-Berlin, um mit Dr. Gentz Schritte gegen Paul Enke zu besprechen. Mir ist noch heute unerfindlich, warum ich Dr. Gentz nicht sofort mitgeteilt habe, daß ich SS-Anwärter war und Himmler und andere Nazi-Größen 1933/34 kennengelernt hatte, zumal da ich niemals ein Geheimnis daraus machte. Als Paul Enke mit entsprechenden Beweisen aufwartete, fühlte sich Dr. Gentz von mir hintergangen und legte sein Mandat nieder. Ich hatte etwas aus Scham verschwiegen und damit das Vertrauen von Dr. Gentz verspielt. Das war mir außerordentlich unangenehm, und ich bat ihn um Entschuldigung.

Auch nach Bendeleben in Thüringen, einem Gut, das dem Stiefvater von Hermann Arnims Frau, Herrn von Krause, gehörte, hatten wir im Sommer 1944 eine größere Anzahl Kisten und Pakete geschickt, die wertvolle Archivalien und Bücher, Porzellan, Glas, einige Gemälde und Stiche enthielten. Ende 1946 lernte ich Professor Creutzburg kennen, der zusammen mit seiner Mutter in Georgenthal bei Gotha lebte und regelmäßig über die Grenze nach Göttingen kam. Da er seine Mutter mit Nahrungsmitteln versorgte, hatte er auf dem Heimweg leichtes Gepäck. Dies brachte mich auf den Gedanken, ihn zu bitten, das von Gotha etwa 60 Kilometer entfernt liegende Bendeleben aufzusuchen und sich dort nach dem ausgelagerten Inventar von Schlobitten zu erkundigen. In

Bendeleben lagerten tatsächlich noch einige Kisten, die unter anderem Kleider und Schabracken (Satteldecken) aus der Barockzeit enthielten. Herr Creutzburg wollte diese Kuriosa als Artistengepäck deklarieren. Es gelang ihm dann, einen Teil per Post, anderes in seinem Rucksack über die Demarkationslinie in den Westen zu bringen. Seinen Mut und seinen Einsatz werde ich ihm nie vergessen.

Im Herbst 1944 verabredete ich mit dem Leiter des Geheimen Staatsarchivs in Königsberg, daß ein Waggon nur halbvoll beladen werden sollte, damit beim Halt in Schlobitten Teile unseres Archivs dazugeladen werden konnten. Professor Heincke und ich hatten die Akten in Kisten verpackt und warteten vergeblich. Der Zug fuhr durch. Pakete, Koffer oder Kisten mit Kunstschätzen per Post oder Bahn zu verschicken, war uns von der Partei verboten worden. So deklarierten wir den Inhalt der Pakete als Bettzeug, Kleider oder auch Lebensmittel. Manchmal gaben wir Kisten auf benachbarten Bahnstationen auf. Mitte Juni 1943 reiste ich mit zwei schweren Handkoffern, in denen sich das wertvollste Silber, vor allem die großen Münzhumpen und der Abendmahlskelch befanden, selbst nach Laubach. Die Zugverbindungen waren schon sehr schlecht. Meine beiden gewichtigen Gepäckstücke gab ich in der Aufbewahrung ab, dann ging ich in den Bahnhofsbunker. Dort kam ich mit einigen Leuten ins Gespräch, fragte, ob Kassel durch Bomben sehr gelitten habe. Nachträglich fiel mir ein, daß zwei junge Mädchen, die zugehört hatten, aufstanden und hinausgingen. Jedenfalls wurde ich am Bahnsteig von zwei bewaffneten SS-Männern als Spion verhaftet. Aufgrund des provisorischen Militärausweises, der kein Paßbild zeigte, wurde meine Identität angezweifelt. Man brachte mich zur Kriminalpolizei in der Stadt. Der Kriminalkommissar besah mein Taschentuch, das mit »A« und Krone gezeichnet war, fragte mich nach dem komplizierten Namen des Offiziers, der die Identitätskarte unterschrieben hatte, und schon hatte sich alles geklärt. Das Ganze dauerte nur 15 Minuten, dann ließ mich der sehr höfliche Kommissar im Dienstwagen zum Bahnhof zurückbringen. Ich war froh, daß man nicht nach meinem Gepäck gefragt hatte.

Im Sommer 1943 versuchte ich, eine offizielle Sonderer-
laubnis zur »Verlagerung von Kunstgut« in den Westen zu
beantragen, weil der große und auffällige Schloßkomplex
Schlobitten besonders bombengefährdet sei. Der mir persönlich bekannte Provinzialkonservator Dr. Conrades half mir
dabei, dies auch bei den Parteistellen in Königsberg durchzu-
setzen. Im Dezember 1943 kam dann endlich der Möbelwagen
der Transportfirma Otto Janzen aus Elbing. Als alles verpackt
und der Waggon auf dem Bahnhof Schlobitten eingetroffen
war, kam im letzten Augenblick ein Telegramm aus Laubach,
man habe keinen Platz mehr für so viele Sachen. Meine Frau
dirigierte den Transport daraufhin zu ihrem Bruder nach Muskau um. Der Möbelwagen enthielt die wertvollsten Möbel aus
Schlobitten, darunter die berühmte Schlangenhauttruhe, den
größten Teil der Lackmöbel, weitere Stücke aus der Wohnung
des Freiherrn vom Stein sowie die wohl von dem Bildhauer
Kraus entworfenen hochlehnigen barocken Armstühle und
einige großformatige Ölgemälde. Alle Stücke wurden in Muskau sorgfältig eingelagert, auch die Bücher und Archivalien,
die bereits im Sommer per Post nach Muskau geschickt
worden waren. 1945, als für Muskau die Treckererlaubnis
erteilt wurde, belud mein Schwager Hermann Arnim einen
Waggon mit den Schlobitter Kunstgegenständen sowie eigenen Sachen nach Bendeleben. Der Zug kam jedoch nur bis
Halle; vermutlich ist der Inhalt des Waggons dort verbrannt.

Von den in Muskau ausgelagerten Gegenständen aus Schlobitten wurde als einziges Stück der kostbare indische Teppich
aus der Königlichen Stube in den Westen gerettet. 1944 kam
der Freund meines Schwagers Arnim, der spätere Botschafter
Dr. Ritter, nach Muskau und erklärte sich bereit, dieses in
einem Sack eingenähte, besonders seltene Stück als Handgepäck nach dem Westen mitzunehmen. Solche Hilfsbereitschaft bedeutete zu der damaligen Zeit eine erhebliche Belastung, die um so höher zu bewerten war, als ich Herrn Ritter
nur flüchtig kannte. Der Teppich hängt jetzt im Museum für
Kunst und Gewerbe in Hamburg.

Als im April 1945 die Russen näher rückten, sandte mein

Schwager einen Traktor nebst Anhänger, auf dem sich ein weiterer Teil des ausgelagerten Schlobitter Inventars befand, in Richtung Westen. Bei Herrn von Rochow in Strauch bei Großenhain in Sachsen müssen die Schlobitter Gegenstände abgeladen worden sein. Jedenfalls trafen am Ziel nur das Gepäck meines Schwagers und zusätzliche Kisten des Herrn von Rochow ein.

Das Schloß in Muskau wurde Ende Mai 1945 niedergebrannt, ebenfalls ein Teil der Stadt, darunter die Stadtkirche, in der meine Frau und ich getraut worden waren. Vorher soll vieles von der Einrichtung des Schlosses ins Freie gebracht worden sein und tagelang draußen gestanden haben. Die russischen Soldaten eigneten sich manches an, vor allem Betten und Bettgestelle. Einiges rettete die Zivilbevölkerung. Die Kunstgegenstände holte nach Aussage der Einheimischen der Antiquitätenhändler Wieland im Lastwagen nach Leipzig. Er besaß anscheinend eine entsprechende Erlaubis der Behörden, und auf diese Weise räumte er noch mehrere sächsische Schlösser aus.

Schlobitten existierte nicht mehr. Das einzige, was ich noch tun konnte, war, eine Dokumentation über den einst blühenden Besitz und seine Kunstschätze herauszugeben. Bereits Mitte der zwanziger Jahre hatte mein Freund Karl Grommelt, der damals Architektur studierte, mit meiner Zustimmung begonnen, Unterlagen über die Baugeschichte von Schlobitten aus dem Archiv zusammenzutragen. Etwa gleichzeitig hatte ich ein Inventarverzeichnis anfertigen lassen. Daraus entwickelte sich bald der Gedanke, ein Buch über Schloß Schlobitten herauszugeben. 1938 suchte ich den preußischen Finanzminister Johannes Popitz in Berlin auf, um ihn um Unterstützung für diesen Plan zu bitten. Er kannte die Bedeutung von Schlobitten und sagte sofort die Finanzierung eines Kunsthistorikers für mindestens ein Jahr zu. Bald darauf erschien bei uns die junge Kunsthistorikerin Dr. Christine Hansen, spätere Frau von Mertens. Sie war für diese Aufgabe prädestiniert und darüber hinaus für meine Frau und mich eine liebe Hausgenossin.

Wie durch ein Wunder konnten Dr. Grommelt und Dr. Hansen ihre Unterlagen über den Krieg retten, und 1958 nahmen wir gemeinsam die Arbeit wieder auf. Vier Jahre später erschien das stattliche Werk mit fast vierhundert Abbildungen und einem Geleitwort von Carl Jacob Burckhardt im Kohlhammer-Verlag, Stuttgart, unter dem Titel: »Das Dohnasche Schloß Schlobitten in Ostpreußen«. Es wurde in allen großen Zeitungen besprochen, so auch in der »Neuen Zürcher Zeitung« von Dr. Michael Stettler. Gemeinsam mit Dr. Stettler hatte ich 1948 im Historischen Museum zu Bern die ersten geretteten Kisten mit Schlobitter Inventar ausgepackt. Es war für mich ein eigenartig beglückendes Gefühl, Dinge in der Hand zu halten, die ich längst verloren glaubte. Die Wiedersehensfreude, meine Euphorie beim Auspacken übertrug sich auf meinen sensiblen Helfer. Daraus erwuchs eine mehr als 40jährige Freundschaft mit dem künstlerisch begabten und hochgebildeten Direktor des Historischen Museums in Bern.

Und noch ein zweites Denkmal für Schloß Schlobitten wurde errichtet, die sogenannten Dohna-Zimmer im Charlottenburger Schloß in Berlin. In meiner Ansprache zu ihrer Eröffnung am 4. August 1978 wies ich darauf hin, daß Alexander Dohna als Erzieher des späteren Königs Friedrich Wilhelm I. häufig in Berlin weilte und in enger Verbindung mit Friedrich I. und seiner Gemahlin Sophie Charlotte stand. Als beide Schlösser Anfang des 18. Jahrhunderts erheblich vergrößert wurden, kehrten manche Einzelheiten der Innenausstattung von Charlottenburg in Schlobitten in vereinfachter Form wieder, z. B. das eiserne Geländer in den Treppenhäusern. Auch wurden in Schlobitten, ähnlich wie damals in Charlottenburg, eine Art Lackkabinett sowie ein Raum mit chinesischem Porzellan und Specksteinfiguren eingerichtet. Auch zahlreiche Porträts der Königlichen Familie hingen in gleicher Ausführung in beiden Schlössern. Unter den Papieren von Friedrich Alexander Dohna fand sich ein Bericht, den sein Vetter Carl Ludwig aus Schlodien über den Aufenthalt König Friedrich Wilhelms III. und der Königin Luise am 3. und 4. Juli 1803 in Schlobitten verfaßt hatte. Darin heißt es: »Die Königin fand viel Ähnlichkeit mit Charlottenburg, besonders wegen mancher antiquen Möbeln, Teppiche und Porträte.«

»Ich habe mich mit meiner Familie dazu entschlossen«, so sagte ich am Ende meiner Rede, »das gerettete Inventar aus dem Schlobitter Schloß dem Schloß Charlottenburg zu einem Vorzugspreis zu überlassen, damit unsere Kunstgegenstände nicht in alle Winde zerstreut werden. Auf diese Weise sollen sie der Öffentlichkeit zugänglich gemacht werden.«

In einer Reportage der polnischen Journalistin Malgorzata Szejnert »Vom Leben der Fürsten und Grafen in der Volksrepublik Polen« aus dem Jahre 1971 heißt es an einer Stelle: Die polnischen Aristokraten »erklärten mit einigem Stolz und in völligem Ernst, daß die Geschichte sie gelehrt hätte, Niederlagen zu ertragen. Nicht ihre Besitzungen seien das Kapital der großen Familien, sondern das, was von diesen Familien in den Geschichtsbüchern und in den Museen nachgeblieben ist.«

Das Schlobitter Schloß ist ein Beispiel – freilich das bedeutendste in Ostpreußen – für die Einrichtung zahlreicher Landsitze auch anderer Familien, die ähnliche Kulturgüter beherbergten, und für die weltoffene Geisteshaltung ihrer Besitzer. Den Besuchern des Schlosses Charlottenburg kann auf diese Weise gezeigt werden, welche Kunstschätze fern von dem Zentrum Berlin vorhanden gewesen sind und wie stark die Kultur Preußens und damit Europas bis in das entfernte Ostpreußen ausgestrahlt hat.

# Neubeginn

Nach Auflösung des Trecks in Hoya war ich zunächst von Herrn von Behr aufgenommen worden. Als erstes wollte ich meine Familie in diese Gegend holen, in der so viele unserer ehemaligen Leute untergekommen waren. Eine geeignete, große Wohnung zu finden, war nicht leicht. Eines Tages bot sich die Chance, die Dienstwohnung des Amtsgerichtsrats Heesemann zu beziehen, der in Gefangenschaft war. Die Bedingung war, daß seine Frau mit ihrer persönlichen Habe zu ihren Eltern nach Lingen im Emsland gebracht würde. Die beiden französischen Kriegsgefangenen aus Schlobitten, die in den letzten Jahren unseren »Bulldog«-Trecker gefahren hatten, erklärten sich sofort bereit, mit einem großen gummibereiften Anhänger aus Prökelwitz den Umzug durchzuführen. Es war mit den notwendigen Umwegen eine Fahrt von etwa 700 Kilometern, die diese braven Männer in zwei Tagen bewältigten. Nach einer Ruhepause brachen die beiden französischen Fahrer und ich mit dem gleichen Fahrzeug in Richtung Hänigsen auf, östlich von Hannover, wo meine älteste Tochter Ima mit einer Mädchengruppe des Arbeitsdienstes untergekommen war. Sie arbeitete dort in einer Munitionsfabrik, wo 12-cm-Granaten mit Pulver gefüllt und mit Kartuschen versehen wurden.

Um den Fliegerangriffen in der Gegend von Hannover zu entgehen, fuhren wir abends los. Nach einigem Suchen kamen wir morgens ziemlich früh in Hänigsen an. Bei der Arbeitsdienstführerin setzte ich durch, daß Ima, die in zwei Tagen ohnehin entlassen werden sollte, sofort mitkommen durfte. Im Handumdrehen hatte sie ihre gute Uniform gegen die abgetragene einer ihrer Kolleginnen getauscht. Später erzählte Ima, die Arbeitsdienstführerin habe einigen zuverlässig erscheinenden Mädchen am Tage zuvor anvertraut, daß sie den Krieg für verloren halte – mühsam unterdrücktes Gelächter sei die Antwort gewesen.

Von Hänigsen fuhren wir am Harz vorbei nach Bendeleben bei Sondershausen in Thüringen, wo meine Frau und die vier jüngeren Kinder im Herbst 1944 Unterkunft gefunden hatten. Nach Bendeleben waren auch meine Schwiegermutter Arnim aus Muskau, ihr Sohn Hermann (Hermi) und ihre Schwiegertochter Alexandra (Spatz) geflohen. Das Gut Bendeleben gehörte dem Stiefvater von Spatz, und in dem überfüllten Haus konnten alle einigermaßen unterkommen. Hermi überließ uns seinen DKW, den wir als zweiten Anhänger benutzten, so daß meine Frau und die Kleinen – Johanna war erst zwei Jahre alt – bequem fuhren. Frau van der Ley, die Schlobitter Privatsekretärin, lenkte das Auto. Schlauerweise baute Spatz den Vergaser aus und behielt ihn. So konnten später die Engländer den Wagen nicht beschlagnahmen.

Am Mittag drängte ich zum Aufbruch, damit wir wieder in der Dunkelheit die dichtbesiedelte Gegend von Hannover passierten. Der alte Haushofmeister Hoffmann und die ebenfalls betagte Kastellanin Zander aus Schlobitten, die ich im letzten Augenblick, am 18. Januar, mit der Bahn nach Bendeleben geschickt hatte, begleiteten uns. Ich saß mit vorn auf dem Trekker und wies den Weg. Ima löste mich gelegentlich ab. Die Fahrt verlief recht dramatisch. Noch in Bendeleben riß das Seil, mit dem das Auto an den Anhänger gebunden war. Westlich des Harzes ging es bei Dunkelheit durch das total zerstörte, teilweise noch brennende Hildesheim. Am Horizont stand eine riesige Feuerwolke über Hannover, die die ganze Nacht hindurch leuchtete. Am Morgen erreichten wir völlig erschöpft Thedinghausen.

Endlich hatten wir eine eigene Unterkunft, wenn auch häßlich und spärlich möbliert. Es gab fast kein Brennmaterial, kein fließendes Wasser, nur einen altmodischen Kochherd. Aber meine Frau und ich waren mit unseren fünf Kindern zusammen und hatten ein Dach über dem Kopf. Es ging uns viel besser als den meisten anderen Familien, zumal denen, die auseinandergerissen waren.

In den letzten Tagen vor Kriegsende ließ General Brauer,

Kommandant der benachbarten Stadt Verden, durch einen Boten bei mir anfragen, ob ich in einer persönlichen Angelegenheit zu ihm kommen könne. Ich schwang mich umgehend auf ein geborgtes Fahrrad und fuhr los. Der General wollte mit mir unter vier Augen sprechen. Er habe von mir gehört, daß ich mit einem großen Treck aus Ostpreußen gekommen und daß ich Offizier gewesen sei. Ihm liege daran, von einem unabhängigen und erfahrenen Mann zu hören, wie er sich verhalten solle. Seine vorgesetzte Stelle habe ihm befohlen, die Allerbrücke zu sprengen und die Stadt Verden bis zur letzten Patrone zu verteidigen. »Was würden Sie an meiner Stelle tun?« Ich antwortete ohne Umschweife: »Kapitulieren.« Sich zu verteidigen und weitere Menschen zu opfern sei ebenso sinnlos, wie die Vernichtung der bis dahin unzerstörten Stadt mit ihrem berühmten Dom zu riskieren. Der General dankte sichtlich erleichtert. Verden und die Brücke blieben von der Kriegsfurie verschont, während die große Weserbrücke bei Achim von den Resten eines SS-Verbandes in die Luft gesprengt wurde.

Selbstverständlich wurde auch ich zum Volkssturm eingezogen. Nach allem, was ich erlebt hatte, stand für mich fest, daß ich im ersten besten Moment die Waffen wegwerfen würde. Ich besprach mich mit einigen vernünftigen Leuten aus Thedinghausen, unter anderem mit dem Friseur. Wir wollten auch andere veranlassen, so zu handeln. Meinen schönen Drilling hatte ich bereits vergraben, nachdem ich das eingravierte »D« mit Krone unkenntlich gemacht hatte. Später hat Förster Becker aus Prökelwitz das Gewehr noch 25 Jahre als staatlicher Revierförster geführt. Nach seiner Pensionierung gab er es mir zurück.

Zunächst wurde vom Volkssturm eine notdürftige Panzersperre an der Brücke auf dem Weg nach Lunsen errichtet. Wir waren etwa zwanzig Mann. Man drückte uns einige alte Militärgewehre und zwei Panzerfäuste in die Hand, mit denen wir Panzer »knacken« sollten. Je näher die Engländer rückten, desto mehr Leute entschlossen sich, zu kapitulieren. In einer Nacht machten der unerschrockene Friseur und ich eine schmale Durchfahrt durch die Barrikade, damit wenigstens Radfahrer und Bauernwagen nach Lunsen fahren konnten. Sie wurde jedoch am folgenden Morgen entdeckt und auf Befehl radikaler Parteileute sofort wieder geschlossen. Wenige Tage später war es dann soweit. Ich erklärte, ein Widerstand von so wenig Leuten gegen eine mit Panzern anrückende Armee sei unverantwortlich, und forderte alle auf, die Waffen in den Fluß zu werfen und die Panzersperre zu beseitigen. Meinem Beispiel folgten alle, auch diejenigen, die bisher gezögert hatten. Ich glaube, jeder war über diesen Entschluß erleichtert.

Thedinghausen lag jetzt zwischen den Fronten. Das östliche Nachbardorf Lunsen wurde von der Waffen-SS verteidigt. Ihre Artillerie schoß auf die von Westen mit Panzern heranrückenden Engländer. Als einzelne Granaten in unmittelbarer Nähe unseres Hauses einschlugen, zog ich es vor, mit meiner Familie und drei Angestellten aus Schlobitten einen vorbereiteten Splittergraben aufzusuchen. Als wir auf die Wiese hinter dem Deich liefen, feuerten plötzlich englische Panzer mit Maschinengewehren auf uns. Ein Geschoß traf den Mantel, den der Haushofmeister Hoffmann über dem Arm trug und verletzte ihn leicht am Finger. Wir rannten über den Deich in Deckung. Als die Gefahr nachließ, ging ich mit meinem französischen Kutscher Jean, der wie immer seine Soldatenuniform trug, mit einer weißen Flagge in der Hand den englischen Panzern entgegen. Ich konnte der Besatzung des ersten Panzers auf englisch erklären, daß keine deutschen Soldaten im Dorf seien. Daraufhin mußten Lebastard und ich, gewissermaßen als Geiseln, vor den englischen Ungetümen her in den Ort gehen. Es war nicht gerade angenehm, aber zum Glück fiel kein Schuß. Kein einheimischer Bewohner ließ sich blicken; aus den meisten Fenstern hingen Bettlaken.

Nach der Kapitulation am 7./8. Mai übernahmen die Engländer die Verwaltung in Thedinghausen. Sie beließen es zunächst bei den von den Nationalsozialisten eingeführten Bezeichnungen der Verwaltung, wie »Ortsbauernführer« oder

»Kreisbauernführer«, besetzten die Stellen jedoch mit Männern ihres Vertrauens. Schon bald hob die Militärregierung die Bestimmung auf, daß die Vertriebenen aus dem Osten nicht die Weser überqueren durften; die Flüchtlinge aus dem Westen sollten wieder in ihre Heimat zurückkehren, was allgemein befolgt wurde. Daraufhin überschwemmten den Kreis Syke in kurzer Zeit vor allem Leute aus Ostpreußen und Schlesien. Ihre Unterbringung und Ernährung wurde zu einem Problem. Auf Wunsch der von der Besatzungstruppe eingesetzten deutschen Behörden verfügten die Engländer, daß die Vertriebenen sich selbst zu organisieren hätten.

Eines Tages erschien, sehr formell und distanziert, ein englischer Captain bei uns, grüßte, ohne uns die Hand zu reichen, und erklärte, er wolle einmal einen ostelbischen Junker (»Dschanker«) sehen. Als er später wiederkam, gab er uns die Hand, und wir freundeten uns an. Bei einem der ersten Besuche bot ich ihm einen aus Schlobitten mitgebrachten Madeira aus dem Jahr 1862 an. Erst zögerte er, dann sagte er: »I feel a pig« und trank genießerisch. Sein Vater war englischer General und Oberkommandierender in Ägypten gewesen. Captain Friend half uns, wo er konnte. Er beauftragte mich im Namen der Besatzungsbehörde am 30. Juli 1945, die Vertretung der Flüchtlinge im Kreis Grafschaft Hoya in Syke zu übernehmen. Ich sagte zu, weil mir schon mancherlei Zwistigkeiten zwischen Einheimischen und »Zugewanderten« zu Ohren gekommen waren und ich persönliche Kontakte sowohl zu den Engländern als auch zur deutschen Verwaltung besaß. Am 3. August 1945 fand die konstituierende Sitzung des Ostausschusses für unseren Kreis statt.

Dank der straffen Organisation der Vertriebenen und dank der Mithilfe der Orts- und Kreisbehörde sowie des unermüdlichen Einsatzes von Landrat Heila konnte die größte Not behoben werden. Bald hatten alle ein Dach über dem Kopf, ausreichende Nahrung und im wesentlichen auch Arbeit, wenn sie auch schlecht bezahlt wurden. Ich fuhr jeden Freitag die zwanzig Kilometer per Fahrrad nach Syke auf das Landratsamt. In persönlichen Gesprächen suchte ich zur Verständigung zwischen Flüchtlingen und Einheimischen beizutragen und sammelte dabei wichtige Erfahrungen. Es herrschte stets großer Andrang.

Mit Einwilligung des Landrats wandte ich mich an den Regierungspräsidenten in Stade. Dort fand am 24. September 1945 eine Besprechung statt, bei der ich von meinen Erfahrungen im Kreis Syke berichtete. Meiner Meinung nach kam es insbesondere darauf an, in jedem Dorf Ortsausschüsse zu bilden aus Bürgermeister, Ortsbauernführer, Gemeindepfarrer und Flüchtlingsvertreter, die alle Flüchtlinge in Karteien erfaßten. Eines der größten Probleme war die Zusammenführung der Familien; die Männer, die aus der Kriegsgefangenschaft heimkehrten, wußten meist nicht, wohin ihre Angehörigen geflohen waren. Die Ungewißheit der Frauen, Mütter und Bräute über das Schicksal der Vermißten machten sich oft unlautere »Suchfirmen« zunutze. Sie zogen den armen Flüchtlingen das Geld aus der Tasche, ließen aber nur das Rote Kreuz oder amtliche Stellen für sich arbeiten. Vor diesen Betrügern konnte nicht genug gewarnt werden.

Die aus der Kriegsgefangenschaft zurückkehrenden Soldaten, die ihre Familien noch nicht wiedergefunden hatten und die sich oft in elender körperlicher Verfassung befanden, bedurften ganz besonderer Hilfe. Ich schlug vor, die Flüchtlingsfrauen sollten gemeinsam kochen und Alleinstehende mitverpflegen. Das bedeutete auch eine wesentliche Arbeitsentlastung. Oft erhielt ich Beschwerden, daß die von den Vertriebenen an einheimische Bauern vermieteten Pferde schlecht gehalten wurden oder die verabredete Mietgebühr nicht bezahlt wurde. Ärger gab es auch, weil sich in manchen Gemeinden Bauern weigerten, Flüchtlinge aufzunehmen. Das erforderte diplomatisches Geschick, weil die deutschen Behörden keine Zwangsanordnungen verfügen durften. Anfang 1946 erließ die britische Militärregierung ein Gesetz, das jedem Bauern 1000,- Reichsmark Strafe und ein Jahr Gefängnis androhte, der ohne triftigen Grund die Aufnahme von Vertriebenen ablehnte. Die örtlichen Stellen hatten außerordentlich viel Arbeit, die zahllosen Konflikte zwischen

Einheimischen und Flüchtlingen beim täglichen Zusammenleben beizulegen. Häufig wurde ich gebeten, diese Streitigkeiten auszuräumen. So war ich oft in unangenehmen Angelegenheiten unterwegs und mußte schlichten. Es muß aber betont werden, daß es unter den Einheimischen auch manche gab, die die Not der Heimatlosen sahen und ihnen nach Kräften freiwillig halfen.

Eines Abends im Januar 1946 holte mich auf Befehl der englischen Besatzung die deutsche Kriminalpolizei ab und brachte mich in das Gefängnis in Bassum. Die eher höflichen Beamten ließen mir Zeit, etwas Wäsche einzupacken, hatten aber keine Ahnung, welche Vorwürfe gegen mich erhoben wurden.

Ich hatte mit meiner Frau schon vorher besprochen, wen sie im Fall einer Festnahme informieren könne. Es waren dies Captain Friend, der Schwager meines Vetters Lu Hessen, David Geddes, sowie Carl Hans Hardenberg, der einigen Einfluß auf die Engländer hatte. Letzterer kam als alter Freund sofort und versprach meiner Frau, sich für meine Entlassung einzusetzen.

Das Gefängnis war überfüllt. Ich teilte die Zelle, die für zwei vorgesehen war, mit drei weiteren Insassen; einer davon war ein Schwerverbrecher, der wegen Mordes saß. Ein weiterer Insasse war Besitzer eines kleinen Tabakgeschäftes, der als angeblicher Nationalsozialist angezeigt und festgesetzt worden war, der Dritte nannte sich »Schausteller«. Er hatte schon achtzehnmal wegen kleinerer Diebereien gesessen und kannte alle Schliche im Gefängnisdasein. So brachte er auch sofort eine Nachricht an meine Frau auf den Weg, indem er meinen Brief an einem Faden durch das Gitterfenster zu seiner in der Dunkelheit wartenden Freundin hinunterließ. Dieser mit allen Wässerchen gewaschene, aber umgängliche Kerl vertrieb uns die recht langsam vergehende Zeit mit Späßen aller Art. Er verstand zu zaubern, Kartenkunststücke vorzuführen, eine Volte zu schlagen und komische Geschichten zu erzählen. Einmal lachten wir so laut, daß der Gefängniswärter durch die kleine Luke in der Tür hereinschimpfte und das

Licht ausschaltete, so daß wir den ganzen Abend im Dunkeln sitzen mußten. Dieser Bursche kannte auf Grund seines häufigen Einsitzens auch den Ablauf des Gefängnisbetriebes genau und wurde daher schon nach wenigen Tagen als »Kalfaktor«, wie es wohl in der Fachsprache heißt, eingesetzt. Er war damit eine Art Verbindungsmann zwischen den Aufsichtsbeamten und den Gefangenen und genoß gewisse Freiheiten. Ich selbst durfte nach einigen Tagen auf dem Hof täglich eine Stunde Holz hacken.

Im Gegensatz zu den anderen, die ihre Delikte kannten, quälte mich die Frage, warum ich »sitzen« mußte. Ich war mir keiner Schuld bewußt. Einen Anwalt, den ich zu sprechen wünschte, bewilligten mir die Engländer nicht, vielleicht gab es auch keinen. Einmal kam mir die Dostler-Affäre in den Sinn, aber das konnte wohl kaum der Grund für meine Verhaftung sein. Zum Glück hatten wir durch unseren »Tausendsassa« ständige Verbindung nach draußen. Er zog nachts, wenn er Post hinabließ, an demselben Bindfaden Zigaretten und kleine Lebensmittelpäckchen hoch. Auf diese Weise konnte ich mich auch mit meiner Frau verabreden. Sie kam nach Bassum zu der Freundin unseres »Kalfaktors«. Die »Dame« hatte gerade Herrenbesuch, begleitete meine Frau aber dennoch zum Gefängnis. Meine Frau steckte dem eingeweihten Wachmann einige Zigarren zu und konnte mich dann kurz sprechen. Sie berichtete, daß mit meiner baldigen Freilassung zu rechnen sei.

Erst sehr viel später erfuhr ich, daß die Amerikaner mich seit Oktober 1945 als Zeuge im Prozeß gegen General Dostler suchten. Da ich in der britischen Besatzungszone lebte, fand man mich zunächst nicht. Als der Steckbrief in die Hände der Engländer kam, war der Prozeß längst vorüber und Dostler in Rom erschossen worden. Ich konnte mich glücklich schätzen, nur elf Tage im Gefängnis in Bassum gesessen zu haben. In Rom hätte ich, auch als Zeuge, wohl mehrere Wochen in Ketten zugebracht, wie ich glaubwürdig hörte. Auf Befehl der englischen Besatzungsmacht durfte ich einige Wochen lang Thedinghausen nicht verlassen.

Durch die Haft waren meine Bemühungen um eine zentrale Flüchtlingsorganisation empfindlich gestört worden. Aber noch ein anderer Zwischenfall kam mir in die Quere. In einer der ersten Ausgaben des »Hannoverschen Kuriers«, dessen Wiedererscheinen die englische Militärregierung gestattet hatte, publizierte der SPD-Sachverständige für Landwirtschaftsfragen Kriedemann am 20. November 1945 einen Aufsatz über die ostelbischen Junker, die er beschimpfte, »Steigbügelhalter« von Hitler gewesen zu sein. Mit großer Mühe gelang es mir, durch unseren englischen Bekannten, Captain Friend, die Erlaubnis zu erhalten, auf diesen bösartigen Artikel zu antworten. Das trug mir neben viel Zustimmung auch Beschimpfungen ein und einen Gegenartikel Kriedemanns, der von Ungereimtheiten nur so strotzte. Meinen Freunden und mir schien daraufhin Schweigen die beste Antwort zu sein. Herr von Rohr-Demmin schlug vor, einen Arbeitskreis zu gründen, der gegen solche Vorwürfe gezielt vorgehen sollte. Auch aus dieser Idee entstand der spätere »Göttinger Arbeitskreis«. Meine öffentliche Verteidigung der Großgrundbesitzer führte jedoch wohl dazu, daß ich am 1. März 1946 als Flüchtlingsbetreuer abberufen wurde. Die Engländer besetzten die den Deutschen provisorisch übertragenen Ämter zumeist mit Sozialdemokraten – ein Fürst Dohna, ein preußischer Junker, war als Flüchtlingsbetreuer untragbar. Der Oberkreisdirektor des Kreises Grafschaft Hoya schrieb mir zu meinem Ausscheiden einen anerkennenden Brief, auch Landrat Heila dankte mir.

In diese Zeit fallen auch meine Bemühungen um die Fortführung der Zucht des ostpreußischen Pferdes Trakehner Abstammung. Von den rund 25 000 Warmblutstuten in Ostpreußen waren nur etwa 1000 in den Westen gelangt. Leider war es mir nicht gelungen, Rinder, Schweine oder Schafe zu verschicken. Ich hatte mit dem Treck jedoch 31 Zuchtstuten aus Schlobitten und Prökelwitz gerettet, die in Ostpreußen schon Arbeitspferde gewesen und Lastenziehen gewöhnt waren; sie hatten die Strapazen des Trecks gut überstanden.

Wir brachten die Stuten bei interessierten Bauern als Arbeitspferde unter; die Bedingung war, daß sie nur mit reinblütigen ostpreußischen Hengsten gepaart werden durften. Das war mit erheblichen Schwierigkeiten verbunden und überhaupt nur möglich, weil in der Wesermarsch das Zentrum des hannöverschen Zuchtgebiets lag, wo auch einige ostpreußische Hengste zur Verfügung standen.

Um die Erhaltung unserer alten Pferdezucht machte sich in der ersten Zeit der Schlobitter Oberinspektor Braun sehr verdient. In meinem Auftrag sah er unermüdlich danach, daß die Stuten ordnungsgemäß gehalten wurden und die Zucht fortgesetzt werden konnte. Es gab nur wenige größere Züchter, die mit ihren Stuten in den Westen gekommen waren; das aus Schlobitten gerettete Zuchtmaterial bildete, zusammen mit den in den Westen gebrachten Pferden des Hauptgestüts Trakehnen, den bei weitem größten Stamm. Ohne Einrichtung eines durch die ostpreußischen Züchter zu gründenden Gestütes war ein wirklicher Neuaufbau der Zucht jedoch unmöglich. Besonders aktiv waren der Vorsitzende der früheren ostpreußischen Stutbuchgesellschaft – jetzt Trakehner Verband – Siegfried Freiherr von Schrötter, ein passionierter Züchter, der Geschäftsführer des Verbandes Dr. Schilke sowie der Landstallmeister von Georgenburg Dr. Heling. Im Frühherbst 1945 nahm ich Kontakt mit ihnen auf, um unsere Schritte bei den zuständigen Behörden miteinander abzustimmen. Am 5. Oktober konnte ich Dr. Heling mitteilen, daß Hunnesrück, wo es bereits eine Aufzuchtstätte für Hannoveraner gab, als Gestüt für ostpreußische Warmblutpferde zur Verfügung gestellt werden würde. Auf Betreiben des Präsidenten der Landwirtschaftskammer, Herrn von Reden, wurden im Haushaltsplan des Landes Hannover RM 3 000,- monatlich für die ostpreußische Pferdezucht eingesetzt. Major Whitecombe, der zuständige Dezernent für Landwirtschaft bei der englischen Besatzungsmacht in Hannover, den ich persönlich aufgesucht hatte, war mit der Einrichtung des Gestüts in Hunnesrück einverstanden. Damit begann dieser Plan Wirklichkeit zu werden.

Sechs unserer Stuten kamen dort unter, ein großes Entgegenkommen des neu gegründeten Trakehner Zuchtverbandes im Hinblick auf die vielen kleinen Züchter, die meist nur eine Stute nach Hunnesrück geben durften. Der Rest unserer Zuchtstuten wurde nach und nach verkauft. Ich konnte sie aus finanziellen Gründen nicht halten, veräußerte sie jedoch an Züchter, so daß das wertvolle Blut nicht verlorenging. Nach der Auflösung des Gestüts in Hunnesrück übernahm meine Tochter Alexandra die Stuten und führte die Zucht weiter.

Durch den Verlust der deutschen Ostgebiete fehlten weitgehend Grundnahrungsmittel wie Getreide und Kartoffeln, aber auch Fleisch. Westdeutschland drohte zu verhungern. Ein deutsches »Armenhaus« mußte ein Herd der Unruhe werden und damit eine Gefahr für die Siegermächte. Unter den ostdeutschen Grundbesitzern und anderen kam deshalb der Plan auf, eine Denkschrift in Auftrag zu geben. Nachdem gewisse Vorarbeiten erledigt waren, fuhr ich im Frühsommer 1946 nach Göttingen. Dort studierte mein sehr viel jüngerer Vetter Lothar Dohna. Ich suchte Professor Mortensen auf, der zusammen mit seinen Kollegen Kraus und Obst sowie dem früheren Kurator der Universität Königsberg Hoffmann eine Arbeitsgemeinschaft gebildet hatte. Mortensen erklärte mir, daß er die Unterstützung seines ehemaligen Danziger Kollegen Professor Creutzburg benötige. Dieser war überglücklich, eine Aufgabe zu erhalten, und verfaßte in einigen Monaten eine Abhandlung über »die polnischen Ostgebiete in ihrer Bedeutung für Polen und Europa«. Er stellte darin die These auf, daß der Verlust seiner Ostgebiete Polen nicht berechtigte, Kompensationsansprüche auf deutsche Ostgebiete zu stellen. Weitere Denkschriften, in denen auf die Bedeutung der deutschen Ostgebiete für die Ernährung des übrigen Deutschland hingewiesen wurde, folgten. So entstand der »Göttinger Arbeitskreis«.

Schwierig gestaltete sich die Finanzierung. Zwar arbeiteten die Sachverständigen kostenlos, aber es fehlten die Mittel, alles drucken zu lassen. Das war aber unbedingt erforderlich, um den Westalliierten eine ausreichende Anzahl von Exemplaren zur Verfügung stellen zu können. Ich gab mehrmals einige tausend Mark. Dann übernahmen die Schlesier über meinen Corpsbruder Christoph von Wietersheim die Zahlungen. Auch zur Verbreitung der Denkschrift trug ich bei, indem ich sie über den Bischof des Ermlandes, Maximilian Kaller, an den Vatikan und an verschiedene englische Dienststellen vermittelte. Es gelang mir auch, einflußreiche Persönlichkeiten wie Herrn von Dirksen, den ehemaligen Botschafter, auf den Arbeitskreis und seine Publikationen aufmerksam zu machen. Auch stand ich in Verbindung mit Marion Dönhoff, die über »Die Zeit« die Ergebnisse der in Göttingen entstandenen Arbeiten einem breiten Publikum bekanntmachte. Niemand konnte damals wissen, daß die Ziele, die wir verfolgten, und die Thesen, die wir vertraten, durch die politische Entwicklung wenig später ad absurdum geführt wurden.

# Grenzach, Lörrach, Basel

Meine zahlreichen Bemühungen, eine Anstellung in West-deutschland zu finden, waren sämtlich erfolglos. Da lag es nahe, mein Glück in der Schweiz zu versuchen, zu der meine Familie seit alters enge Beziehungen hatte. Mein Vorfahr Friedrich Dohna (1621-1688) hatte 1657 die Herrschaft Coppet am Genfer See und damit das erbliche Berner Burgerrecht erworben. Dohnas waren bis ins 19. Jahrhundert hinein Mit-glieder des Großen Rates in Bern gewesen. Ebenso wie mein Vater und mein Großvater hatte auch ich mich 1924 der Bur-gergemeinde in Bern vorgestellt und war 1928 noch einmal mit meiner Frau dort gewesen. Als ich nun 1948 als Flüchtling nach Bern kam, wurde ich auf das freundlichste aufgenommen und erhielt sofort einen Schweizer Paß.

Nach vielfältigen Hilfen und Vermittlungen lernte ich Dr. Gsell von der Hoffmann-La Roche AG in Basel kennen und durch ihn den Generaldirektor Dr. Barell, der mich nach einer persönlichen Rücksprache einstellte. Zunächst erhielt ich eine dreimonatige Ausbildung, arbeitete als eine Art Volontär und wohnte im Haus von Dr. Gsell. Nach dieser »Lehrzeit« wurde ich in die Deutsche Hoffmann-La Roche AG nach Grenzach versetzt mit der Aufgabe, dort die neu zu gründende Vitamin-abteilung aufzubauen. Schon nach drei Jahren überschritten die Umsätze die Millionengrenze. Von Anfang an hatte ich Schwierigkeiten mit meinen Grenzacher Vorgesetzten. Erst nach einem Jahr wurde mir eine Wohnung für meine große Familie zugeteilt; vermutlich, weil die Direktion eingesehen hatte, daß sie mich nicht wieder loswerden konnte. Nachdem mir klargeworden war, daß ich in dieser Firma keinerlei Auf-stiegsmöglichkeiten hatte, schied ich nach zehn Jahren aus. Mit Ausnahme der Kriegszeit waren dies die unerfreulichsten Jahre meines Lebens. Der einzige Lichtblick in dieser trüben Zeit war der Beginn einiger lebenslanger Freundschaften.

Die zehn Jahre in Grenzach hatten unsere Familie stark ver-ändert. Meine von uns allen geliebte Mutter hatte uns schon

*Der Autor mit seiner Familie in Grenzach, wo er von 1950 bis 1960 wohnte. V. l. n. r.: der Autor, Ima, die Frau des Autors, Johanna, Fritz; vorne Ludwig und Assi.*

bald nach dem Einzug besucht. Als sie im Frühsommer 1953 das zweite Mal zu uns kam, war sie merklich hinfälliger geworden. Sie sagte zu mir: »Alt werden ist schwer. Man fällt den anderen zur Last und hat manchmal den Wunsch zu sterben.« Wir versuchten sie zu trösten, denn sie war immer der Mittelpunkt ihrer fünf Kinder und zweiundzwanzig Enkelkinder gewesen. Im August starb sie in Lich.

Im Juli 1952 war vom Deutschen Bundestag das Lastenausgleichsgesetz verabschiedet worden. In der untersten Gruppe bis Reichsmark 5 000,– wurde der Einheitswert voll in Deutscher Mark ausgezahlt, in der obersten Gruppe, zu der der Besitz Schlobitten – Prökelwitz mit einem Einheitswert von RM 6 350 000 gehörte, jedoch nur 2,7 Prozent des Einheitswertes, also rund DM 172 000. Das Inventar des Schlosses mit seinen Millionenwerten wurde dabei überhaupt nicht berücksichtigt. Die Verhandlungen mit dem Lastenausgleichsamt in Bad Homburg waren sehr mühsam.

Einen Teil des Bargeldes, das ich aus der Abfindung erhielt,

*Ein Jahrzehnt arbeitete Alexander Dohna bei Hoffman-La Roche in Grenzach, bis er 1961 ein Reinigungsunternehmen gründete.*

benutzte ich im Jahr 1959 zum Ankauf eines kleinen Grundstücks in Lörrach in guter Geschäftslage. In dem zweistöckigen Haus wurde ein Laden mit fast bis zum Boden reichenden, breiten Schaufenstern für eine kleine chemische Reinigung eingebaut. Sowohl die Reinigungsmaschine im Schaufenster als auch die Ladentheke waren blau, die Wände weiß – die Dohnaschen Wappenfarben.

Im Mai 1961 eröffnete ich den Betrieb mit einem »Tag der offenen Tür«. Da das schnelle Reinigen von Kleidern binnen ein bis zwei Tagen damals noch ganz unüblich war, hatten wir sofort viel zu tun. Anfangs war es schwer, gute Arbeitskräfte anzuwerben; daher mußten zeitweise meine Frau und meine Kinder mithelfen – selbstverständlich gegen Bezahlung. Als die guten Jahre für die Chemische Reinigung nachließen, löste ich 1979 den Betrieb auf.

Bei der Einrichtung der Reinigung hatte mich Dr. Robert Boehringer aus Genf in jeder Weise beraten. Wenige Jahre zuvor hatten wir ihn durch unseren Sohn Ludwig kennenge-

343

lernt. Während seiner einjährigen Ausbildung in Genf durfte Ludwig in dem Haus der Familie Boehringer mit dem alten Namen »Ferme au bout du monde« wohnen. Boehringer war nicht nur ein äußerst erfolgreicher Manager, sondern auch ein sensibler Dichter und Schriftsteller. Nach dem Tod von Stefan George, zu dessen Freundeskreis er gehört hatte, wurde er sein Erbe. Carl Jakob Burckhardt bemerkte einmal zu mir: »Robert Boehringer liegt wie ein Löwe vor dem Grab von Stefan George. Geht jemand vorüber und sagt etwas Geringschätziges über diesen Poeten, steht er auf und brüllt.« Umgekehrt äußerte sich Robert Boehringer einmal über Burckhardt mit einem der von ihm so beliebten doppelsinnigen Sätze: »Wir kennen uns und wissen, was wir voneinander zu halten haben.«

Als Hoher Kommissar in Danzig war Burckhardt schon 1938 in Schlobitten gewesen. Wenn wir damals auch kein Wort über Politik wechselten – es wäre für beide viel zu gefährlich gewesen –, wußten wir uns doch einig in der Ablehnung des Nationalsozialismus. Wir besuchten ihn nach dem Krieg in Vincel und blieben in Verbindung bis zu seinem Tod.

Seit 1961 wohnen wir in Basel. Im Vergleich zu Schlobitten hat sich unser Lebenszuschnitt doch sehr verändert. Wenn wir nicht in voller Resignation auf die Verluste der Vergangenheit starrten, so lag das einmal an unseren Kindern, deren Zukunft zu planen und aufzubauen war, zum anderen an einer Reihe bedeutender Freundschaften, die uns das Leben auch in höherem Alter noch schenkte.

Oft waren wir im Haus von Robert und Martha von Hirsch, das eine berühmte Kunstsammlung enthielt. Er war Jude und hatte 1934, nach Abgabe eines seiner kostbarsten Bilder an Hermann Göring, emigrieren können. Das Ehepaar nahm uns ohne Vorurteil in seinen Freundeskreis auf. Sie waren unsere Gäste in Grenzach – das einzige Mal, daß sie nach 1934 deutschen Boden betreten haben.

Zu unseren Freunden zählten weiterhin Gottfried Treviranus, den wir in Basel wiedertrafen, sowie Leopold Reidemeister, der Generaldirektor der Staatlichen Museen Preußischer

*Alexander Dohna und seine Frau bei der Feier ihrer diamantenen Hochzeit 1986 in ihrem jetzigen Wohnort Basel.*

Kulturbesitz in Berlin, über den ich den Bildhauer Gerhard Marcks kennenlernte. Dieser fertigte 1980 eine Medaille und einen Porträtkopf von mir an, wobei wir gute Gespräche führten, die wir in Briefen fortsetzten.

# Reisen nach Polen –
# Treffen mit Schlobittern

Schon bei Kriegsende 1945 war mir klar, daß die deutschen Ostgebiete verloren waren. Der Gedanke jedoch, dies öffentlich auszusprechen, kam mir damals nicht in den Sinn. Im Januar 1966 nahm ich an einer dreitägigen Tagung in Bad Boll teil, auf der über die damals heftig umstrittene Denkschrift der EKD »Zur Lage der Vertriebenen und zum Verhältnis des Deutschen Volkes zu seinen östlichen Nachbarn« diskutiert wurde. Die evangelische Kirche, der ich angehöre, verkündete, daß keine Ansprüche auf die Gebiete jenseits der Oder und Neiße mehr gestellt werden könnten. Dies anzuerkennen fiel mir sehr schwer, aber es war der Preis, den das deutsche Volk für Hitler und den Nationalsozialismus zu zahlen hatte. Mit dieser Verzichtserklärung war die Aufforderung der Kirche verbunden, die östlichen Nachbarn, also die Polen und Russen, um Verzeihung für die an ihnen begangenen Greueltaten zu bitten. Nachdem ich den ersten Schritt getan hatte, wurde mir der zweite selbstverständlich. Daraus entsprang die Idee, nach Polen und dem ehemaligen Ostpreußen zu reisen, nicht nur, um die alte Heimat wiederzusehen, sondern auch, um Brücken zu schlagen zur polnischen Bevölkerung.

In den siebziger und achtziger Jahren bin ich insgesamt elfmal, meist mit meiner Frau, nach und nach auch mit allen Kindern, in Polen gewesen. Wir besuchten stets Ostpreußen, waren einmal in Schlesien und haben mit der Zeit ganz Polen bis nach Białystok bereist. Mit seltenen Ausnahmen war die Bevölkerung überall freundlich und zuvorkommend. Vor allem in Warschau und Allenstein (Olsztyn) konnten wir Freundschaft mit Polen knüpfen. Um ein wenig hinter die Kulissen zu schauen, hatten wir stets deutschsprechende Polen als Dolmetscher dabei und wohnten meist privat. Viele Jahre begleitete uns Isabelle Płatkowska, deren Vater ein großes Gut östlich des Bug besessen hatte. Sie war ebenso wie wir vertrieben worden, uns verband ein ähnliches Schicksal.

Lange vor der ersten Reise nach Polen hatte ich schon Verbindung zu der polnischen Denkmalpflege geknüpft. Ein mir bekannter Kunsthistoriker, Dr. Wolters, empfahl mich an den Generaldirektor des polnischen Nationalmuseums Warschau, Prof. Dr. Stanisław Lorentz. Professor Lorentz, der schon vor dem Krieg dieses Museum geleitet hatte, galt als Initiator des Wiederaufbaus von Warschau und Danzig. Durch kluge Voraussicht und mit viel Geschick hatte er es verstanden, die wichtigsten Kunstschätze aus den ihm unterstehenden Museen und Schlössern rechtzeitig in Sicherheit zu bringen. Schon beim ersten Besuch 1973 versah er mich mit Empfehlungen und Papieren, mit deren Hilfe ich beim Museum und Denkmalamt in Allenstein sowie in Elbing (Elbląg) höflich empfangen wurde. Wir erlebten die verschiedenen Phasen der Wiederherstellung des Warschauer Königsschlosses bis zur Vollendung und besichtigten mehrere Schlösser in der Umgebung.

Jedesmal wenn wir in Polen waren, wurde Schlobitten besucht, und jedesmal war es wieder ein schwerer Gang. Ich fühlte immer eine unbestimmbare Scheu vor dieser Reise. Andererseits lockte es mich aber, meinen Kindern zu zeigen, wo ich die erste Hälfte meines Lebens verbracht hatte.

Da lag nun das kleine Dorf Schlobitten (Słobity) mit seinen wenigen Häusern und der weithin leuchtenden roten Backsteinkirche. Die zerstörten Gebäude im Dorf waren abgerissen und am Rande der Ortschaft durch neue ersetzt worden. Etwas abseits – von Bäumen umwachsen – erkannte man die noch immer rosa und grau schimmernden Ruinen des Schlosses. Die bis zum dritten Stock stehengebliebenen Wände des Hauptschlosses und die Reste der beiden Seitenflügel, die als Steinbruch gedient hatten, wirkten zusammen mit der erhaltenen dreibogigen Schloßbrücke noch immer ehrfurchtgebietend. Die Decken waren bis zum Parterre eingestürzt und hatten teilweise auch das Kellergewölbe durchschlagen. Hier und da erkannte man noch Reste des Stucks und der Wandmale-

*Seit 1974 besucht Alexander Dohna regelmäßig Schlobitten; von dem Schloß stehen nur noch Mauerreste.*

reien, aber von Jahr zu Jahr verblaßten die Farben immer mehr. Anfang der fünfziger Jahre hatte man den Hauptbau mit einem Notdach abgedeckt, das aber bald von der frierenden Bevölkerung als Brennholz entwendet worden war. Unter den Schutthaufen dürften noch manche interessante Stücke liegen, etwa die Reste der alten eisernen Öfen aus dem 17. und 18. Jahrhundert. Der gegenüberliegende Teil des Ehrenhofes ist bis zur Unkenntlichkeit entstellt. Der Marstall mit seinem eleganten Barockturm sowie eines der beiden Kavalierhäuser wurden nach Zerstörung durch Fliegerbomben dem Erdboden gleichgemacht, auch das auf die Mittelachse des Schlosses weisende »Graue Tor« ist verschwunden. Das gerettete »Kavalierhaus« steht verloren inmitten einer Landmaschinenreparaturwerkstatt mit häßlichen Baracken. Der Park einschließlich der zahlreichen Solitärs und seiner jahrhundertealten Eichen ist radikal abgeholzt worden. Nur eine schmale Baumkulisse zum Vorwerk, dem alten Gutshof, blieb erhalten. Wer für den um 1950 verübten Vandalismus verantwortlich ist, konnte ich nicht mehr ermitteln. Jedenfalls hat die

Gesamtanlage – Schloß, Ehrenhof und Park – für mich ihre Identität verloren. Auf allen anderen Schlössern und Gutshäusern, die ich in den ehemaligen deutschen Ostprovinzen gesehen habe, verwilderten die Parks, blieben aber in ihrem Bestand unangetastet.

Auf dem Friedhof bei der Kirche in Schlobitten sind etwa zwanzig Mitglieder der Familie Dohna inmitten ihrer Gutsangehörigen bestattet; der erste war Ludwig Dohna, gestorben 1814, der letzte mein ältester Sohn Richard, gestorben 1939. Die Sarkophage früherer Generationen sind Anfang des Jahrhunderts in der Gruft unter der Kirche eingemauert worden. Auf den Dohnaschen Gräbern lagen etwa 180 x 100 cm große Steinplatten aus Granit, die mehr als eine Tonne wogen. Als wir 1975 zum zweiten Mal Schlobitten aufsuchten, waren drei gestohlen – vermutlich von einer Grabsteinfirma. Aus den wertvollen, in Polen nicht vorkommenden schwedischen Granitplatten konnte man eine ganze Anzahl kleinerer Grabsteine anfertigen. Die Diebe hatten im Winter bei hartgefrorenem Boden die Steine nachts mit Winden auf Lastwagen gezogen und fortgeschafft. Der im 7 Kilometer entfernten Städtchen Mühlhausen (Młynary) wohnende Betreuer der Filialkirche, Pfarrer Gadomski, war darüber ebenso verärgert wie die Einwohner von Schlobitten. Um es den Grabsteinräubern zu erschweren, ließ Pfarrer Gadomski einen eisernen Drahtzaun zwischen Kirchhof und Straße ziehen; ich steuerte 50 kg grüne Farbe aus Deutschland bei. Im darauffolgenden Winter stahlen die Diebe wiederum zwei Grabplatten. Pfarrer Gadomski schlug mir deshalb vor, die Grabsteine an der Innenwand des Gotteshauses anzubringen, falls ich die Kosten übernähme. Ich überwies ihm 200 Dollar. Im nächsten Jahr (1981) waren die Platten, wenn auch nicht nach meinem Plan, sondern wild durcheinander, an den Innenwänden angebracht. Meine Frau und ich nahmen an einer kirchlichen Feier zur Übergabe der Steine an das Gotteshaus teil. Wir saßen auf zwei Polstersesseln unterhalb des Altars, hinter uns kniete unsere Dolmetscherin Isabelle Płatkowska und übersetzte alles. Es war ein eigenartiges Gefühl: Ich als ehemaliger Patron dieser einst evangelischen Kirche saß als Ehrengast in dem nunmehr katholischen Gotteshaus zusammen mit einer polnischen Gemeinde. Etwa dreißig Personen waren erschienen, obwohl es ein Werktag war. Der Geistliche sprach davon, daß die auf den Grabplatten genannten Dohnas zwar evangelisch, aber fromme Menschen gewesen seien, gestorben »in der Hoffnung auf eine selige Auferstehung«, wie auf jeder Grabplatte zu lesen war. Dann weihte er die Steine und sprach ein Gebet, das die Toten und die Lebenden verband. Im Namen unserer Familie sprach ich Worte des Dankes. Nach Schluß der Feier wandte sich Pfarrer Gadomski an die Anwesenden, ob einer eine Frage hätte. Ein Mann bat um nähere Angaben über das Schloß und die früheren Bewohner von Schlobitten. Freunde und Verwandte in anderen Teilen Polens meinten, er sei in eine Wildnis verschlagen worden. Dabei sehe er an der Schloßruine, daß dies doch ein Ort mit Geschichte sei. Er wolle Genaueres wissen. Ein anderer, ein Maurer, wollte beim Aufbau des Schlosses mithelfen. Eine Frau schlug vor, wir sollten wieder nach Schlobitten ziehen, dann könnten wir neben unseren Vorfahren begraben werden. Das Ganze zeugte von einer rührenden Anteilnahme.

Ein Jahr später hatte sich alles vollkommen verändert. Pfarrer Gadomski war an die Ostgrenze Polens versetzt worden. Sein Nachfolger war ein junger Priester auf seiner ersten Pfarrstelle. Er erklärte, daß er die Grabsteine an den Wänden entfernen lassen wolle, weil es einer polnischen Gemeinde nicht zuzumuten sei, inmitten dieser deutsch beschrifteten Platten zu beten. Er wäre jedoch einverstanden, wenn die Grabplatten auf dem Kirchhof in einer langen Mauer einbetoniert würden, sofern ich die Kosten übernähme. Dies lehnte ich ab.

Bei meiner letzten Polenreise 1983 mußte ich leider feststellen, daß alle meine Bemühungen vergeblich gewesen waren. Man hatte die Grabsteine mit der Inschrift nach unten in den Fußboden der Kirche eingelassen, bis hinaus auf den Vorplatz. Nur die Grabtafel meines Urgroßvaters, der die Kirche 1871 erbaut hatte, hing noch an der Wand. Nachträglich erfuhr ich, daß der Vater von Pfarrer Szczęsny während des Zweiten Weltkrieges in einem deutschen Konzentrationslager umgekommen ist. Nun vermochte ich Verständnis für seine Haltung aufzubringen.

Im August 1974 besuchten wir zum ersten Mal Herrn Konarzewski, den Direktor des Staatsgutes in Schlobitten, einen intelligenten Mann in den Vierzigern. Es entwickelte sich ein intensives Gespräch über die Landwirtschaft einst und heute. Ich konnte ihm aus meinem Wirtschaftsbuch eine Reihe von Angaben über Viehbestände und Ernteerträge machen. Herr Konarzewski taute auf; in deutscher Sprache, die er gut beherrschte, nannte er mir die aktuellen Zahlen der Schlobitter Wirtschaft. Er fuhr dann in meinem Wagen mit ins Dorf. Das Gespräch unter vier Augen war sehr offen. Er erzählte, sein Vater sei Gutsbesitzer in Zentralpolen gewesen und enteignet worden. Er selbst habe unter den Deutschen Panzergräben ausheben müssen. Wir waren 1944 also gleichsam »Kollegen«, weil ich ebenfalls schippen mußte, was mir Herr Konarzewski zunächst nicht glaubte. Er wollte dann wissen, in welchem Zustand ich Schlobitten verlassen hätte. Es gehe das Gerücht, nach meinem Fortgang sei das Schloß von den Deutschen zerstört worden. Ihm sei aber klar, daß in Wahrheit die Russen das Schloß angezündet hätten. Der Gutsdirektor hat unsertwegen wohl mehrfach Schwierigkeiten mit der Miliz und seinen Vorgesetzten bekommen, was ihn aber nicht davon abhielt, uns immer wieder gastfreundlich aufzunehmen. Mit diesem außerordentlich tüchtigen, vielleicht etwas altfränkischen Mann, dem die neue Zeit mit ihren freieren Sitten Schwierigkeiten bereitete, verband mich vieles: eine vergleichbare Herkunft sowie gemeinsame landwirtschaftliche und forstliche Interessen. Vor allem aber hatten wir den gleichen Betrieb bewirtschaftet, wenn Schlobitten zu meiner Zeit auch erheblich kleiner war. Auch in anderen Fällen ist es uns, über alles Trennende hinweg, immer wieder gelungen, persönliche Freundschaften zu schließen, die auf den jährlichen Reisen weiter vertieft wurden.

Im Laufe der Jahre habe ich alle ehemaligen Dohnaschen Familiensitze im heutigen Polen aufgesucht. Alle haben schwer unter Zerstörungen der Kriegs- und Nachkriegszeit

*Der Direktor des jetzigen polnischen Staatsgutes Slobity (Schlobitten) mit Alexander Dohna. Die beiden verbindet bis heute ein freundschaftliches Verhältnis.*

gelitten. Das schlichte Schloß in Karwinden (Karwiny), nahe Schlobitten, war gänzlich zerschossen worden, die Ruinen hatte man beseitigt. Schloß Finckenstein (Kamieniec), unvergeßlich durch die Harmonie seiner Proportionen, brannte wie Schlobitten Anfang Februar 1945 nieder. Es stehen nur noch Reste. Am Schloß in Reichertswalde (Markowo) ist das Dach eingestürzt, der Bau selbst ist stark verfallen. Das anmutige Schloß in Schlodien (Gładysze) blieb lange Zeit verhältnismäßig gut erhalten, so daß man es hätte wiederherrichten können. Mitte der achtziger Jahre wurde es durch Brandstiftung ein Raub der Flammen. In der ehemaligen Provinz Schlesien wurde das einfache Schloß in Mallmitz (Małomice) abgebrochen. Die zu einem großartigen Barockschloß umgebaute Piastenburg Kotzenau (Chocianów) ist stark verfallen und soll restauriert werden. Einige alte Schlösser und Gutshäuser sind bereits wiederhergestellt worden – auch Dohnasche. So wurde das kleine schwer beschädigte Haus in Davids (Dawidy) von einem polnischen Privatmann gekauft und mit Hilfe des Denkmalamtes in Elbing wieder aufgebaut. Heute kann man dort übernachten.

Das früher ebenfalls in Dohnaschem Besitz befindliche »Schlößchen« in Mohrungen (Morąg) blieb lange eine vollkommen zerschossene Ruine. Mitte der siebziger Jahre begann man, den bemerkenswerten, auf der Stadtmauer errichteten Bau zu rekonstruieren, und ich habe ein wenig dazu beitragen können. Heute befindet sich in diesem Haus das Museum für den berühmtesten Sohn der Stadt, Johann Gottfried Herder. Außerdem gibt es dort eine Galerie für holländische Porträtkunst, in der einige sehenswerte Ahnenbilder der Familien Dohna und Dönhoff hängen.

Besondere Verdienste um die Erhaltung der nach dem Krieg in diesem Bezirk aufgefundenen Kunstgegenstände, hauptsächlich der Bilder, hat sich die Kunsthistorikerin Kamila Wróblewska erworben, Kustodin am masurischen Landesmuseum Allenstein (Muzeum Warmii i Mazur w Olsztynie). Sie gehört zu den wenigen Polen, die sich mehr um die verbindenden als trennenden Aspekte der deutsch-polnischen Geschichte bemühen. Das wirkt auch in die von ihr konzipierten Ausstellungen hinein. So hat sie mehrfach ein Epitaph von Peter Dohna mit seiner Familie von 1624 in ihre Ausstellungen einbezogen. Hier wird die Ehe des deutschen Feldherrn Peter Dohna mit Katharina Cema (von Zehmen), der Tochter seines einstigen Gegners dargestellt – sichtbares Zeichen eines dauerhaften Friedens zwischen Polen und dem Ordensland Preußen.

Ich habe vor dem Krieg manches in Schlobitten neu errichtet, umgebaut oder geändert. Der Krieg zerstörte fast alles.

*Das »Schlößchen« in Mohrungen, dem jetzigen Morąg, erhielt diesen Namen, um es von dem lange verschwundenen Bau des Deutschordensschlosses zu unterscheiden. Das 1717 im barocken Stil wieder aufgebaute Haus wurde im Zuge der Kampfhandlungen 1945 vollkommen zerstört; in den achtziger Jahren wurde das Gebäude mit Hilfe von Unterlagen des Autors wiedererrichtet und dient jetzt als Museum für niederländische Porträtmalerei, zumeist Familienbildnisse aus dem Besitz der Dönhoffs und Dohnas.*

Jetzt fragte man mich in Polen nach meinen Erfahrungen und bat mich um Mithilfe bei der Wiederherstellung von Gemälden und Gebäuden. Ebenso waren in der Landwirtschaft meine Kenntnisse der Entwässerungssysteme und der früheren wirtschaftlichen Verhältnisse, auch der Forsten, von Nutzen. Ich habe es als meine Aufgabe angesehen, den Polen beim Wiederaufbau des zerstörten Landes mit allen Kräften zu helfen. Ich schickte Bücher, Fotos von Grundrissen, Wappen und Gebäuden an Museen und Denkmalämter, half, Gemälde zu identifizieren, und schickte Materialien, die es in Polen nicht gab. Bei einem meiner letzten Besuche übergab mir Frau Wróblewska zum Dank für meine Bemühungen eine von ihrem Museum herausgegebene Kopernikus-Medaille.

Seit 1954 treffen sich meine Frau und ich sowie einige unserer Kinder alle zwei Jahre in Dedendorf bei Hoya an der Weser mit früheren Mitarbeitern aus Schlobitten und Prökelwitz. In

*Die alten Schlobitter und Prökelwitzer treffen sich noch immer alle zwei Jahre; hier im Juni 1965 in Bücken Krs. Hoya an der Weser.*

der Gegend von Hoya an der Weser war der 330 Personen umfassende Treck Anfang April 1945 aufgelöst worden. Mehrere unserer Leute und ihre Nachkommen leben heute noch in dieser Gegend. Zu den ersten Zusammenkünften kamen bis zu 250 Personen.

Wir wählten stets einen Sonntag Ende Juni; da ist in der Landwirtschaft zwischen der Heu- und der Getreideernte eine Pause. Um 12 Uhr aßen wir mit den ehemaligen Angestellten wie Inspektoren, Förstern, dem Sägewerksverwalter, den Rendanten und deren Angehörigen zu Mittag. Um 14 Uhr begann die eigentliche Veranstaltung. Zuerst begrüßte ich die Anwesenden. In den ersten Jahren haben wir im Gedenken an unser Erntefest in Ostpreußen »Nun danket alle Gott« gesungen. Anschließend hielt ich einen Vortrag, oft verbunden mit Lichtbildern; ich sprach über die vergangenen Zeiten in Schlobitten

und Prökelwitz oder auch über unsere jüngsten Reisen in das ehemalige Ostpreußen. Dann machten meine Frau und ich die Runde, begrüßten die einzelnen Familien und setzten uns zu einem kurzen Gespräch zu ihnen. In den letzten Jahren kamen die Leute zu uns, weil mich das lange Herumgehen zu sehr anstrengte.

Im Lauf der Jahre lichteten sich die Reihen derer, die an dem Treck teilgenommen hatten; es kamen statt ihrer die Kinder und Enkel. Für alle ist es ein großes Familienfest; man freut sich, die Verwandten und Bekannten wiederzusehen, Viele reisen von weit her an. Zweimal kam zu dem Treffen ein Schlobitter, der in die Vereinigten Staaten ausgewandert war. Manchmal erschien einer der einheimischen Bauern, bei denen einige unserer Leute arbeiteten. Als ich ihn fragte, warum ihn diese Zusammenkunft interessiere, antwortete er:

»Ich möchte den Herrn sehen, der noch nach Jahrzehnten mit seinen früheren Mitarbeitern zusammenkommt.«

Zu dem Treffen am 30. Juni 1985 luden wir zum ersten Mal ehemalige französische Kriegsgefangene ein, die in Schlobitten gewesen waren. Sie hatten erst jetzt über das Rote Kreuz Verbindung mit mir aufnehmen können, sonst hätten wir uns schon früher getroffen. Es war sehr bewegend, wie die inzwischen auch schon bejahrten Männer ihre deutschen Kollegen von einst beim Vornamen nannten und umarmten. Die steifen Ostpreußen standen ein wenig verlegen da, mit hängenden Armen, während die lebhaften Franzosen ihnen um den Hals fielen. »Unsere« Kriegsgefangenen erzählten, daß sie jedes Jahr zusammenkämen – es sind noch etwa 25 Personen –, um ihrer Gefangenenzeit in Schlobitten zu gedenken. Dann werde kräftig gefeiert. In Schlobitten hätten sie sich nie als Gefangene gefühlt. Nach dem Krieg sind einige von ihnen noch einmal in Schlobitten gewesen – sie waren erschüttert.

Seit 1946 verfasse ich in jedem Jahr einen Weihnachtsbrief, den ich an die Schlobitter und Prökelwitzer schicke. Durch den gemeinsamen Treck ist ein Band entstanden, das uns bis an das Lebensende vereint.

# Epilog

Ich bin in einem langen Leben einen weiten Weg gegangen – von Ostpreußen, dem nordöstlichsten Teil Deutschlands, über die Gegend von Bremen in den Südwesten Badens und von dort nach Basel. Ich habe aber auch politisch einen weiten Weg zurückgelegt – von einem parteigebundenen Konservativen zu einem parteilosen Liberalen. Ich habe mühsam aus der Vergangenheit gelernt, daß die Sozialdemokraten keine »vaterlandslosen Gesellen« sind, wie mir Herr von Oldenburg-Januschau noch 1930 schrieb. Diesem gewaltigen Irrtum unterlag ich ebenso wie viele andere und es brauchte viele Jahrzehnte, bis ich die Bedeutung der Sozialdemokratie voll erkannte. Ich habe versucht, aus der Geschichte zu lernen.

Die Niederschrift meiner Erinnerungen bedeutete für mich eine gründliche Auseinandersetzung mit der Vergangenheit, besonders mit der Zeit des Nationalsozialismus. Ich habe ihn als Dreißig- und Vierzigjähriger miterlebt, ihn erst unterstützt und später dagegengewirkt. Ich habe erfahren, wie Hitler das deutsche Volk täuschte und verführte, Millionen von Menschen vernichtete und schließlich Europa ins Unglück stürzte. Hier stimme ich ganz überein mit der Rede Richard von Weizsäckers zum 8. Mai 1985. Die Aussöhnung mit dem Osten, vor allem mit Polen, liegt mir besonders am Herzen, und ich hoffe, daß ich mit meinen zahlreichen Fahrten in dieses Land dazu beitragen konnte.

Wenn ich auch die allzu nationalistische Einstellung meiner Jugend heute ablehne und für ein vereinigtes Europa eintrete, so ist mir doch der Begriff Vaterland etwas Heiliges geblieben: Land meiner Väter, Land meiner Kultur, Land meiner Sprache, das es bei aller Verbundenheit mit anderen Völkern zu bewahren und an unsere Kinder weiterzugeben gilt. Mit Unbehagen sehe ich das Gebaren vieler Politiker, die nur auf eine kurzfristige Zeitspanne blicken. Es gehört gewiß ungewöhnlicher Mut dazu, Probleme der Zukunft ins Auge zu fassen, denn es wird sich alles ändern. Die Vorboten sind bereits sichtbar: Die Zerstörung der Natur, die kaum zu bändigenden wirtschaftlichen Schwierigkeiten, der beginnende Zusammenbruch der bisherigen gesellschaftlichen Ordnungen und die zunehmende Auflösung der christlichen Werte. Mögen die kommenden Generationen den Mut, die Kraft und die Weisheit besitzen, mit Gottes Hilfe die Erde vor ihrem Untergang zu bewahren.

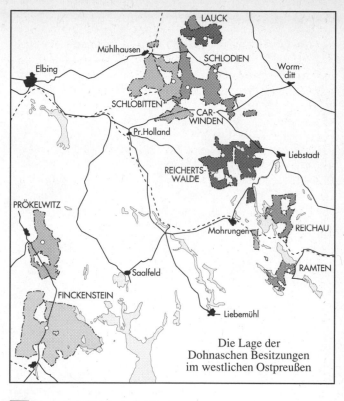

Die Lage der
Dohnaschen Besitzungen
im westlichen Ostpreußen

■ — Lauck-Reichertswalde

▨ — Schlodien

▦ — Schlobitten

▢ — Finckenstein

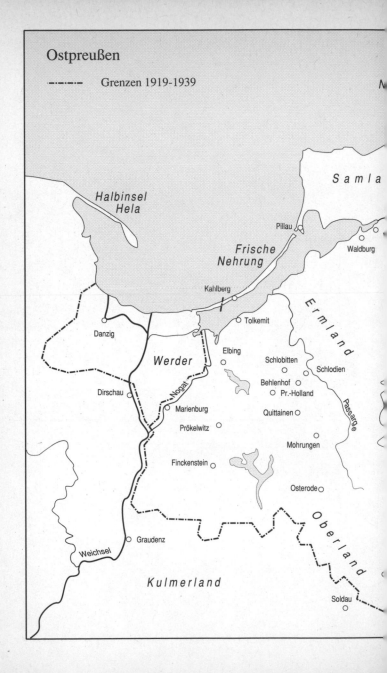

# Ostpreußen

---·---·--- Grenzen 1919-1939

N

*S a m l a*

Pillau

Waldburg

*Frische Nehrung*

Kahlberg

*E r m l a n d*

Tolkemit

Danzig

*Werder*

Elbing

Schlobitten

Schlodien

Behlenhof

Pr.-Holland

Dirschau

Nogat

Marienburg

Quittainen

Prökelwitz

Mohrungen

Finckenstein

Osterode

*O b e r l a n d*

Graudenz

Weichsel

*Kulmerland*

Soldau

*Halbinsel Hela*

Passarge

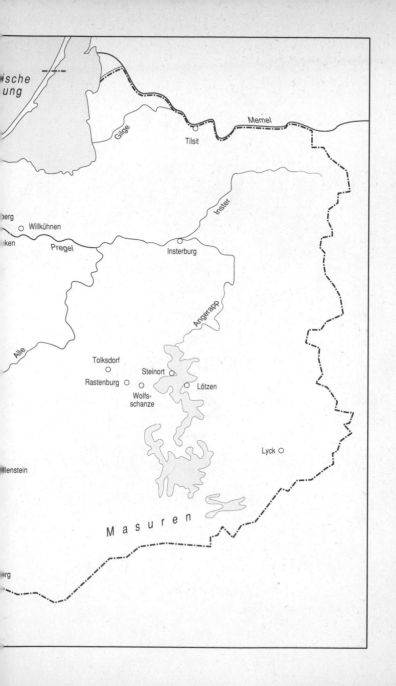

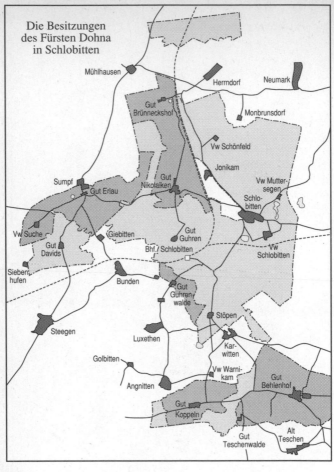

Die Besitzungen
des Fürsten Dohna
in Schlobitten

Mühlhausen

Herrndorf

Neumark

Gut
Brünneckshof

Monbrunsdorf

Vw Schönfeld

Jonikam

Sumpf

Gut
Nikolaiken

Vw Mutter-
segen

Schlo-
bitten

Gut Erlau

Vw Suche

Giebitten

Gut
Guhren

Gut
Davids

Bhf. Schlobitten

Vw
Schlobitten

Sieben-
hufen

Bunden

Gut
Guhren-
walde

Stöpen

Steegen

Luxethen

Karwitten

Golbitten

Vw Warni-
kam

Gut
Behlenhof

Angnitten

Gut
Koppeln

Alt
Teschen

Gut
Teschenwalde

 seit 1918 veräußerte Güter

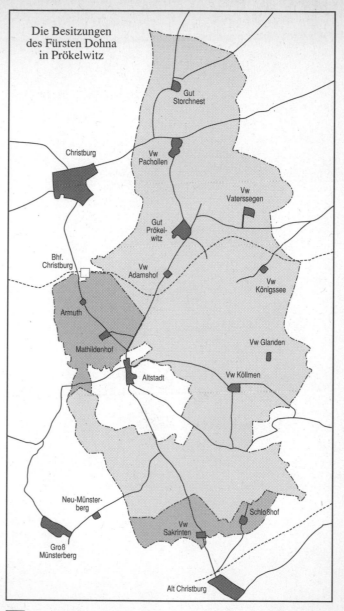

Die Besitzungen
des Fürsten Dohna
in Prökelwitz

Gut
Storchnest

Christburg

Vw
Pachollen

Vw
Vaterssegen

Gut
Prökel-
witz

Bhf.
Christburg

Vw
Adamshof

Vw
Königssee

Armuth

Vw Glanden

Mathildenhof

Altstadt

Vw Köllmen

Neu-Münster-
berg

Schloßhof

Vw
Sakrinten

Groß
Münsterberg

Alt Christburg

seit 1918 veräußerte Güter

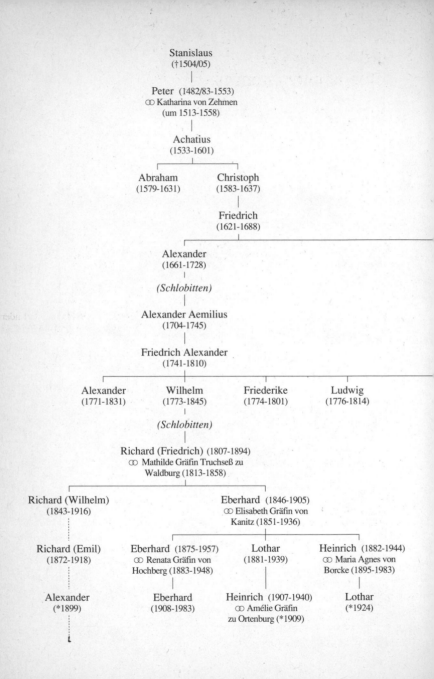

Stanislaus
(†1504/05)

Peter (1482/83-1553)
∞ Katharina von Zehmen
(um 1513-1558)

Achatius
(1533-1601)

Abraham
(1579-1631)

Christoph
(1583-1637)

Friedrich
(1621-1688)

Alexander
(1661-1728)

*(Schlobitten)*

Alexander Aemilius
(1704-1745)

Friedrich Alexander
(1741-1810)

Alexander
(1771-1831)

Wilhelm
(1773-1845)

Friederike
(1774-1801)

Ludwig
(1776-1814)

*(Schlobitten)*

Richard (Friedrich) (1807-1894)
∞ Mathilde Gräfin Truchseß zu
Waldburg (1813-1858)

Richard (Wilhelm)
(1843-1916)

Eberhard (1846-1905)
∞ Elisabeth Gräfin von
Kanitz (1851-1936)

Richard (Emil)
(1872-1918)

Eberhard (1875-1957)
∞ Renata Gräfin von
Hochberg (1883-1948)

Lothar
(1881-1939)

Heinrich (1882-1944)
∞ Maria Agnes von
Borcke (1895-1983)

Alexander
(*1899)

Eberhard
(1908-1983)

Heinrich (1907-1940)
∞ Amélie Gräfin
zu Ortenburg (*1909)

Lothar
(*1924)

# Auszug aus der
# Dohnaschen Stammtafel

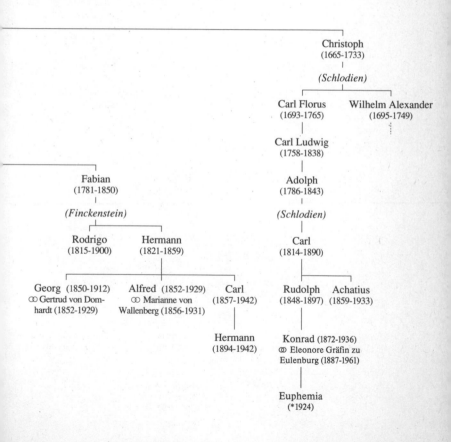

Christoph
(1665-1733)

*(Schlodien)*

Carl Florus     Wilhelm Alexander
(1693-1765)      (1695-1749)

Carl Ludwig
(1758-1838)

Adolph
(1786-1843)

*(Schlodien)*

Carl
(1814-1890)

Fabian
(1781-1850)

*(Finckenstein)*

Rodrigo     Hermann
(1815-1900)   (1821-1859)

Georg (1850-1912)
∞ Gertrud von Dom-
hardt (1852-1929)

Alfred (1852-1929)
∞ Marianne von
Wallenberg (1856-1931)

Carl
(1857-1942)

Hermann
(1894-1942)

Rudolph    Achatius
(1848-1897)   (1859-1933)

Konrad (1872-1936)
∞ Eleonore Gräfin zu
Eulenburg (1887-1961)

Euphemia
(*1924)

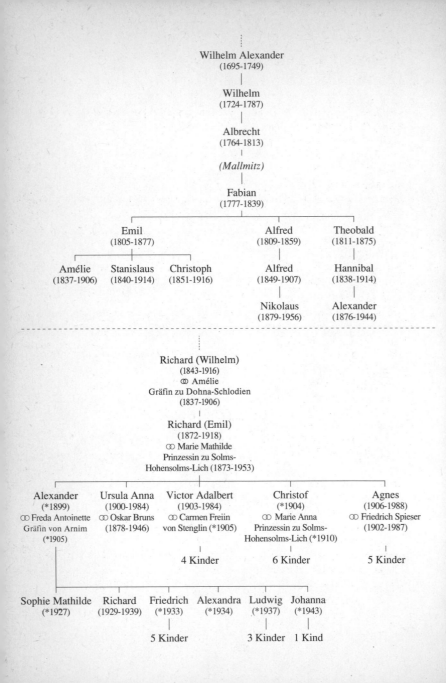

Wilhelm Alexander
(1695-1749)

Wilhelm
(1724-1787)

Albrecht
(1764-1813)

*(Mallmitz)*

Fabian
(1777-1839)

Emil
(1805-1877)

Alfred
(1809-1859)

Theobald
(1811-1875)

Amélie
(1837-1906)

Stanislaus
(1840-1914)

Christoph
(1851-1916)

Alfred
(1849-1907)

Hannibal
(1838-1914)

Nikolaus
(1879-1956)

Alexander
(1876-1944)

Richard (Wilhelm)
(1843-1916)
∞ Amélie
Gräfin zu Dohna-Schlodien
(1837-1906)

Richard (Emil)
(1872-1918)
∞ Marie Mathilde
Prinzessin zu Solms-
Hohensolms-Lich (1873-1953)

Alexander
(*1899)
∞ Freda Antoinette
Gräfin von Arnim
(*1905)

Ursula Anna
(1900-1984)
∞ Oskar Bruns
(1878-1946)

Victor Adalbert
(1903-1984)
∞ Carmen Freiin
von Stenglin (*1905)

Christof
(*1904)
∞ Marie Anna
Prinzessin zu Solms-
Hohensolms-Lich (*1910)

Agnes
(1906-1988)
∞ Friedrich Spieser
(1902-1987)

4 Kinder

6 Kinder

5 Kinder

Sophie Mathilde
(*1927)

Richard
(1929-1939)

Friedrich
(*1933)

Alexandra
(*1934)

Ludwig
(*1937)

Johanna
(*1943)

5 Kinder

3 Kinder

1 Kind

# Personenregister